무명C의 노래 (II)

무명C의 노래(Ⅱ)

발   행 | 2024년 05월 20일
저   자 | 장주선
펴낸이 | 한건희
펴낸곳 | 주식회사 부크크
출판사등록 | 2014.07.15.(제2014-16호)
주   소 | 서울특별시 금천구 가산디지털1로 119 SK트윈타워 A동 305호
전   화 | 1670-8316
이메일 | info@bookk.co.kr

ISBN | 979-11-410-8587-2

무명C의 노래(Ⅱ)

차 례

제3부　왕의 귀환　　　　　　　　······ 7

제4부　80년 5월 무렵　　　　　　 ······ 119

〈단편 소설〉 구박사와 대통령　　　······ 233

작가의 말　　　　　　　　······ 276

5·18민중항쟁 4X주년 기념 옴니버스 구성 4부작. 3

왕의 귀환

나오는 사람들

이중철
이중재
외할아버지(탁재용)
임자 댁
엄마(정혜)
큰이모(정숙)
정봉기
주인집 아주머니
공수부대원1, 공수부대원2, 공수부대원3(강중사)
팀장
Jimmy 팀장
전무
김광수
이대남1,2,3
5.18 부상자회 회원1,2,3
탁재용 고향 친구
넝마주이1
넝마주이2(돌석)
구두닦이와 그 혼령
고등학생과 그 혼령
머슴 아바타
반인반수(半人半獸) 아바타1(왕관 쓴 아바타)

반인반수(半人半獸) 가면 아바타2

늑대 가면 아바타(군모 쓴 아바타1)

원숭이 가면 아바타(군모 쓴 아바타2)

기타 군인 아바타들

예술가 아바타

언론인 아바타

지식인 아바타

중재 아바타

시민 아바타 1,2

넥타이 아바타1,2,3

경찰모자 아바타 1,2,3

MZ직장인1,2,3

무대 장치 외 기타 참고할 내용

이 연극은 현실과 가상공간인 메타버스를 무대로 하고 있으며 과거의 사건이 등장하기도 한다.

배경은 쉽게 바꿀 수 있는 장치를 이용하면 좋을 듯하다. 메타버스 안은 등장인물들이 컴퓨터 모니터의 테두리를 모방한 커다란 문틀을 출입하는 동작으로 실제 현실과 구분한다.

과거와 현재는 조명의 색깔로 구분하되, 과거에서 현재로 전환되는 장면에서 1980년대 5·18이나 6월 항쟁 등이 담긴 흑백 영상으로 대체할 수 있을 것이다.

그와 마찬가지로 가상 세계에서 현실로 전환될 때에도 컴퓨터 게임 영상으로 처리하면 가상 세계 특유의 분위기를 연출할 수 있을 것이다.

머슴 아바타를 제외한 메타버스 아바타들은 등장인물들이 그 배역을 맡는다. 아바타들은 가면을 쓰거나 팔과 다리에 각진 토시를 착용하고 있으며 동작이 부자연스럽고 목소리가 스피커에서 나오는 것과 비슷하다.

막의 구분은 무대 배경보다는 극의 전개 내용에 따라 나뉘었다.

제1막

제1막 1장

정혜의 연립주택 (현재)

어두운 조명.

무대 왼편에는 늙은 탁재용이 술을 마시고 있다.

무대 오른편에는 문을 하나 사이에 두고 중재가 헤드셋을 낀 채 컴퓨터 앞에서 마우스를 부지런히 놀리고 있다. 중재의 방에는 컴퓨터 모니터에 해당하는 대문 크기의 대형 틀이 설치되어 있다.

'임을 위한 행진곡' 합창이 들린다. 탁재용의 내면세계에서 나는 음악이다.

합창 소리

동지는 간 데 없고
깃발만 나부껴
새 날이 올 때까지 흔들리지 말자
깨어나서 외치는 뜨거운 함성
앞서서 나가니 산 자여 따르라
앞서서 나가니 산 자여 따르라

50대의 정혜가 무대에 들어서며 스위치를 켜고 무대가 밝아지자 음악이 사라진다. 탁재용이 탁자에 앉아 술을 마시고 있다.

정혜   아니, 아버지, 웬 술을 마셔요?

탁재용   이놈의 세상이 나를 마시게 하는구나.

정혜   (술잔을 치우며) 의사가 술 마시면 안 된다고 했잖아요?

탁재용   글쎄, 이번에 또 박 군이 세상을 떴다구나.

정혜   박 군이요? 그 휠체어 타고 다니신 분 말이요?

탁재용   그래, 벌써 5월 유공자 중 몇 명째인지? 그 나쁜 놈들도 천수를
         누리고 지옥에 갔는데 우리 동지들은 뭐가 그리들 급하다고!

정혜   그렇다고 아버지께서 술을 마구 마셔서 그 동지들을 따라가려
         그러시우? 게다가 아버진, 저희들끼리 앞서거니 뒤서거니 하며
         저 세상으로 간 그 대통령 악당 둘보다 연세도 적게 드셨잖아요?
         저를 봐서라도 아버진 더 오래 사셔야 해요. 조금 있으면 새 아파
         트로 이사도 가는데. 좌우지간 술은 안돼요!
         (술병을 뺏어 들고 퇴장)

  탁재용은 고개를 숙인 채 멍하니 그대로 앉아 있다. 정혜가 다시 등장
한다. 그녀는 가방을 어깨에 메고 한 손엔 스카프를 들고 있다. 중재의
방문을 열고 들어간다. 컴퓨터 안의 저격수 게임의 총소리와 비명 소리
가 커진다. 정혜가 들어와 중재의 방 불을 켠다.

정혜   아들! 또 게임이냐? 대학생이 된 지 언젠데?

중재   (헤드셋 한쪽만 빼고 고개를 엄마 쪽으로 돌리며) 학교 강의 듣고
         있어요!

정혜   나를 속이려고 하지 마라. 그 화면이 게임 장면이 아니고 무엇이
         냐?

중재   강의가 아는 내용이라 잠시 게임 좀 하면서 듣고 있었어요.

정혜   네가 무슨 천재라고! 강의 들으면서 게임 한다는 게야?

중재   허어, 참. 아무리 지방대 다닌다고 엄마까지 나를 무시하지 마세요! 나도 형 못지않게 알 것은 다 알아요. 글쎄 대학교 측에서 오지 말고 집에서 수업 들으라고 하는데 난들 별 수 있어요?

정혜   아무리 바이러스 전염 때문이라고 하지만 뭔 놈의 대학교가 아예 학생들에게 등교하지 말라고 한다냐? 비싼 학비는 꼬박꼬박 받고. 그렇지 않아도 시장 장사가 안 돼 돈줄이 다 말라가는데.

중재   (헤드셋을 다시 끼며) 난 마저 강의를 들어야 해요.

정혜   (헤드셋을 붙잡고) 아들, 할아버지 밖에 못 나가시게 해라. 분명히 조문 간다고 밖으로 나가실 게 틀림없으니. 노인이 코로나 바이러스 걸리면 사망할 확률이 높다는 거, 너도 알지?

중재   팬더믹이 끝나가고 있다는데요. 좌우지간 알았어요. 근데 엄마 그 가방은 뭐예요? 그럼, 학력인정 고등학교는 바이러스가 못 뚫는 난공불락의 요새예요?

정혜   오늘은 원격 수업 안내만 받는다. 오는 길에 나주 병원에 잠깐 들렀다가 오고. 네 큰이모가 발작 증세가 악화되었다기에! (그녀는 방에서 나갔다가 다시 들어온다. 중재는 어느 틈에 헤드셋을 다시 꼈다.) 아참, 네 형이 광주에 출장차 들렀는데 이따가 잠깐 집에 들른다고 하더라. 형 오면 이 어미 얼굴 좀 보고 가라고 전해라. 지난번처럼 가게만 들렀다 얼른 가지 말고.

중재   (일어나서 거수경례를 붙이며) 명령을 충실히 받들겠습니다!

정혜가 몸을 돌려 문을 닫고 탁재용 앞으로 간다.

정혜   아버지, 절대 조문가면 안 돼요! 요즘 장례식장에서도 못 들어오게 하는데 일부러 가실 필요 없어요.

탁재용   (앉은 채 고개를 숙였다가 든다. 그는 정혜가 든 스카프를 보고 깜짝 놀라며) 아니, 그건 왜? 40년도 넘은 그것을. 여태 간직하고 있단 말이냐?

정혜   40년이 아니라 50년, 100년이 지나도 간직하고 있어야죠. 언니 상태가 안 좋다고 해서 이걸 보여주면 어쩔까 싶어, 들고 가는 거예요. 제가 다니는 학교에서 버스 한 번만 타면 병원에 갈 수 있어서. ('민주주의 수호'라고 쓰인 스카프를 관객에게 보인다.)

정혜   (관객을 향해) 이걸 보여주면 언니의 정신이 맑아질 거야. 틀림없어.

탁재용   글쎄, 그걸 보여주면 오히려…….

정혜   아, 우울증 증세에는 희망이 치료제죠.

탁재용   두 대통령 놈들이 직접 사과하지 않고 죽은 것 때문에 정숙이가 화병이 생겼을까?

정혜   그럴리가요! 어쨌든 언니의 차도를 위해서는 뭔가 시도는 해 봐야죠. 그건 그렇고 아버지는 절대 밖으로 나가시면 안 돼요, 장례식장에 가도 안 되고!

탁재용   40여 년 전에도 그랬지. 바이러스 같은 계엄군이 우리들에게 밖으로 나가지 말라고, 모여 있지 말라고 말이야. 그것들은 어느 시대에나 우리들 주변에 있으면서 생명을 위협하지.

정혜   아무튼 바이러스든 계엄군이든 더 이상 우리 가족을 침탈하게 놓아둘 수 없어요! 갔다 올게요.

   정혜 퇴장. 무대는 다시 어두워지고 중재의 컴퓨터에 나오는 총소리와 비명이 점차 크게 들린다.

제1막 2장

같은 집.

무대가 밝아지며 마스크를 쓴 회사원 차림의 **중철**이 서류 가방을 들고 등장한다.

중철 (마스크를 벗으며) 할아버지, 할아버지! (집안 여기저기 돌아다니며)이상하다, 엄마가 분명히 할아버지께서 집안에 계신다고 하셨는데……

중철이 중재의 방문을 열어 들어가며 불을 켠다. 중재는 컴퓨터에 몰두하고 있다. 게임 안의 총소리와 비명이 들려온다.

중철 (중재의 어깨를 툭 치며) 야, 너 또 게임하냐?
중재 (헤드셋을 한쪽만 빼고 뒤돌아보며) 어, 형 왔어?
중철 너, 할아버지 어디 가신 줄 아냐?
중재 집에 안 계신다고? 아까 분명히 방에 들어가신 거 보았는데.
중철 너, 할아버지 좀 잘 돌보지 않고 뭐하냐? 큰일이다, 요즘에 연로하신 분들이 밖에 돌아다니면 안 되는데!
중재 (헤드셋을 완전히 빼고 일어선다) 이상하다, 아까 분명히 방으로 들어가신 거 보았는데.

중재와 중철이 문을 열고 거실로 나온다. 둘은 함께 집안 여기저기를 둘러본다.

중재   큰일이네, 엄마한테 또 깨지게 생겼네!

중철   그건 그렇고, 넌 학교 안 간다고 맨날 게임이나 하냐?

중재   대학교에서 등교를 못하게 하고 원격 수업한다는 말은, 학생들에게 그걸 들으면서 게임 등으로 소일하라는 거 아냐?

중철   허어, 코로나 바이러스가 끝나면 다시 예전으로 돌아갈 터인데, 그때를 미리 대비해야지. 특히나 지방대 출신은 취직하기가 하늘에 별 따기 수준인데.

중재   (기분 나빠 하며) 걱정하지 마. 서울에서 대학 나왔다고 말끝마다 지방대, 지방대 하지 마! 나도 다 생각이 있어.

중철   무슨 생각? 설마 아직도 프로 게이머가 되겠단 건 아니겠지?

중재   그건 사춘기 때 얘기야. 그나저나 형 일은 잘 돼?

중철   잘 되지. 조만간에 원룸 생활을 벗어날 수 있을 것 같다.

중재   형도 '영끌'이나 코인 투자 같은 거 하고 있어?

중철   아직은 아냐. 하긴 우리 회사 안에서도 다들 그런데 투자들 하는 낌새를 봤지만 난…….

중재   영끌 대열에도 못 끼는 걸 보니 형도 별 볼일 없잖아? 나도 100원 짜리 코인 수천 개 갖고 있는데 말이야. 히힛.

중철   내가 용돈 준 걸로?

중재   에게! 추석 때 와서 겨우 5만 원짜리 두 장 준 것 가지고. 내가 편의점 알바해서 번 돈으로 코인에 투자한 거야. 난, 회사 자랑은 무등산만큼이나 크게 하고 동생 용돈은 병아리 눈물만큼이나 주는 형과는 달라.

중철   야, 학생이 학교도 안 나가면서 무슨 용돈 타령이나? 쓸 데 없이 코인이나 사고.

중재   허어, 형은 버젓한 IT 회사 직원이 되어 갖고도 이렇게 세상 물정에 어두워서야! 생각 좀 해 봐. 자아, 코로나 바이러스 때문에 시장 가게도 장사가 안 되지, 그러니 학교에 안 나간다고 엄마가 내게 아예 용돈을 한 푼도 안 주지, 가게들이 장사가 안 되니 아르바이트 자리는 가뭄에 콩 나는 수준이지. 그나마 있는 알바 자리를 두고 학교 안 가는 고등학생, 동네 건달들까지 가세하지. 내 호주머니가 늘 비어서 PC(피시)방은 엄두도 못 내지. 내 컴퓨터는 구려서 롤(LOL:League Of Legend)도 제대로 안 돌아가지. 어쩌다 오늘처럼 저격수 게임인 고스트 워리어(Ghost Warrier)로 남는 시간을 때우고 있지만 그것마저 버벅거리지. 게다가 내 혀와 목구멍은 치킨 맛을 잊은 지 오래지…….

중철   (오른손 검지로 중재의 입을 막으며) 좋은 수가 있다. 실은 그것 때문에 일부러 집을 들렀어. 중재야, 내가 너한테 제안 하나 할게.

중재   뭔데, 돈 되는 거야?

중철   그것과 진배없어. 근데 너, 메타시티 연맹이라는 메타버스 들어봤니?

중재   메타시티 연맹? 글쎄 어디선가 본 것 같기도 한데…….

중철   (기가 차다는 표정을 지으며) 야, 너, 대학교 원격 강의는 듣긴 듣는 거야?

중재   그게 대학교 수업과 무슨…….

중철   야, 그 메타버스 안에 너희 대학교 캠퍼스가 구현되어 있고, 네가 강의 듣고 있는 강의실도 거기에 있는데도 여태 그걸 몰랐단 말이야?

중재   쳇, 요즘 강의 들으러 가는 데 누가 그런 델 관심 가져? 회사 소개나 게임 인트로 화면 따위는 빛의 속도로 건너 뛰어 버리는데.

중철   (중재의 어깨를 감싸 안으며) 가서 자세히 들여다보자.

      둘이 컴퓨터 앞에 앉는다. 중철이 민첩하게 마우스를 움직인다.

중철   네 아바타는 어디 있냐?
중재   강의실에 붙박이로 출석시켜 놓았지, 히힛.

      차이코프스키 작곡, 호두까기 인형의 '꿈의 왈츠' 음악이 흐른다.
      컴퓨터 모니터에 해당하는 문틀에서 한 아바타가 튀어 나와 춤을 춘다. 그 아바타는 조선 시대 머슴의 모습과 비슷하다. 머리띠를 두르고 붓(bot)짐을 메고 있으며 팔과 다리에 모서리지지 않은 토시를 끼고 있다.

머슴 아바타   메타시티 연맹에 오신 걸 환영합니다. 메타시티 연맹은 여섯 개의 메타시티들로 이루어졌습니다. 연맹은 큰 강의 도시, 바다의 도시, 고원의 도시, 들녘의 도시, 갯벌의 도시 그리고 빛의 도시 등 6개 메타시티가 있습니다. 이 도시들은 철저한 계획도시들입니다. 중앙에 시청과 의회건물이 있고 각 도시의 특색에 맞게 상업지구, 거주지구, 대학교, 영화관, 공연장. 이동 수단 등을 만드는 공장, NFT나 가상 화폐를 다루는 은행, 게임장 등이 잘 조성되어 있습니다. 또한 연맹은 각 메타시티의 자치 기능을 인정하며 독자적인 군대와 경찰도 운영될 예정입니다. 연맹에서 군인이나 경찰이 되려는 아바타 시민들은 약정서를 제출하시고 홀수 번째 무료 게임장이나 지정된 훈련장에서 별도의 교육과 훈련을 받아야 합니다. 약정서를 접수할 곳은……

중재는 아바타의 말을 끊기 위해 마우스를 움직인다. 아바타가 정지 자세로 서 있으며 침묵한다.

중재   메타시티는 뭐고 도시는 또 뭐야?
중철   메타시티는 메타버스의 도시란 거지. 내가 이름 붙인 거야.
중재   쳇, 별로 창의적인 게 아니네. 그리고 연맹이라고 한다면 차라리 메타에 도시국가를 뜻하는 폴리스를 붙이는 게 낫지 않아?
중철   네가 뭘 안다고?
중재   어헛, 형이 게임이나 제대로 해 봤어? 이래뵈도 컴퓨터 가상 세계는 내가…….
중철   그래, 알았다, 알았어. 조금만 더 들어보자.
중재   (조금 듣고 있다가 하품을 하며) 아, 지루해. 형. 이렇게 인트로(intro) 화면이 지루하니까 마우스를 움직여 지나쳐 버리는 게지. 그런데 저 머슴 아바타는 NPC야?
중철   NPC? 그게 뭔데?
중재   하, 역시 형은 게임에 대해 문외한이구먼! Non Player Character. 롤플레잉 게임에서 플레이어가 직접 조작하지 않는 캐릭터야. 게임에 따라 그냥 구경꾼일 수도 있고 경비병 따위의 형태로 등장하지. 이렇게 무식한 형이 어떻게 IT 기업에 근무하는지 이해가 되지 않는군.
중철   흐흣. 게임이나 만드는 IT 회사엔 유럽의 중세 성이나 그릴 줄 알지. 나처럼 현대 세계의 도시나 도로를 직접 설계해 봤거나 민주주의 메커니즘을 제대로 이해하는 인재가 없으니까. 현실 세계를 쏙 빼닮은 메타버스를 만들고자 한다면 나 같은 전공자가 필수지, 하핫!

중재　또 그놈의 잘난 체하는 병이 도지기 시작하네! 내게 제안한다는
　　　게 뭔지 모르지만 갑자기 하기 싫어졌어.

중철　야, 조금만 기다려 봐.

중철이 마우스를 거칠게 움직인다.

머슴 아바타　(퇴장하며) 흥! 어차피 저를 다시 부르게 될 거예요.

중재　저놈의 아바타가 군소리까지 하네!

중철　그래, 메타버스 내 아바타들과 소통하기 위해 희로애락이 담긴
　　　간단한 표현들을 할 수 있도록 프로그래밍 되었다고 하더군. 저
　　　렇게 어수룩하게 보여도 저 놈의 봇짐 안에 상당한 게 들어있지.
　　　근데 너희 대학교 가상 캠퍼스는 어디 있는 줄 알지?

중재　아, 그건 알아. 빛의 도시인가 뭐지. 하지만 대학생들은 로그온과
　　　동시에 그냥 강의실로 직행해 버리지만. 아마, 다른 재미있는 게
　　　임이 지천에 널려 있는데 저 지루한 메타버스에서 시간 죽이며
　　　놀고 있는 바보, 멍청이는 없을 걸.

중철　짜아식! (중재의 어깨를 불만스럽게 치며) 베타버전이니까 점차
　　　좋아질 거야. 그런데 너, 아까 용돈이 부족하다고 안 했냐?

중재　그게 저거와 무슨 상관이야.

중철　회사에서 베타버전 테스터들을 모집하고 있어.

중재　나보고 테스터를 하라고?

중철　그래, 테스터들에게 주는 혜택이 상당해. 우수 테스터로 선발되
　　　면 회사의 간판 게임인 두 개의 RPG(롤플레잉게임)를 무료로 즐
　　　길 수 있고, 실적에 따라 포인트나 게임 아이템도 주지.

중재　그러면 그걸로 가상화폐를 구입할 수도 있겠군.

중철   그런가? 머리 잘 돌아가는데! 아마 그 포인트로 우리 회사와 계약을 맺은 일부 편의점이나 프랜차이즈 치킨 점에서 사용할 수 있다고 들었어.

중재   두 말하면 잔소리지!

중철   (검지를 들어 보이며) 그런데 여기서 가장 중요한 포인트! 내가 그 회사의 메타버스 기획팀 대리라는 걸 잊지 마라. 테스터로서의 너에 대한 평가를 내가 관여할 수도 있다는 점!

중재   쳇, 기분이 찜찜하구먼!

중철   현실을 받아들여, 아우야! 용돈 부족하다면서?

중재   (퉁명스럽게) 알았어.

둘이 중재의 방에서 나와 무대 중앙으로 나온다.

중재   그런데 가상 도시에서는 대통령이나 시장 등은 누가 하지?

중철   회사 직원들의 아바타가 임시로 맡고 있지.

중재   그건 유저(user)를 중시하는 가상 세계의 특성에 맞지 않은 것 같아.

중철   너도 뭔가를 알고 있긴 하군! 그래서 난 거기서 민주적인 선거를 기획하고 있어.

중재   선거라고?

중철   그래, 민주적인 선거를 통해서 메타시티 연맹은 공화제 국가가 될 거야. 그 정도까지 생각할 줄 아는 걸 보니 너는 이미 베타버전 테스터로서 관문을 통과한 셈이다.

중재   민주적인 선거라……. 과연 그게 가능할까? 어쨌든 그 메타시티 연맹인가, 뭔가 하는 곳엔 핵심적인 게 빠져 있어.

중철   뭔데?

중재   설정이야.

중철   설정?

중재   그래, 일종의 배경 스토리지. 모든 게임들은 다 설정이 있어. 형 회사의 메타버스가 하늘에서 뚝 떨어진 게 아니라 이러저러한 스토리를 통해 탄생하는 거지.

중철   할아버지가 우리 어렸을 때 선물로 준 휴대용 게임기로 하는 것처럼?

중재   형은 아직 그 수준에 머물러 있군. 그런 비디오 게임뿐만 아냐. 모든 게임은 설정이 있어야 해. 난 메타버스도 예외가 아니라고 생각해.

중철   제법인데.

중재   게임 등 가상공간에서는 내가 형보다 한 수 위라는 걸 잊지 말라고!

중철   그럼, 오늘부터 테스터 역할은 시작하는 거지?

중재   수단과 방법을 가리지 말고 포인트나 듬뿍 줘 봐!

　　중철이 팔로 중재의 어깨에 얹지만 중재는 형의 손이 부담스러운지 자꾸 털어내려고 몸짓한다. 둘이 함께 퇴장한다.

제1막 3장

같은 집.
어둠 속에 늙은 탁재용이 비틀거리며 서 있다. 무대가 점차 밝아진다.

탁재용   아아, 하느님! 차라리 80 넘은 나를 데려가시지. 나는 그 친구들
          처럼 총도 맞지 않고 감옥에 끌려가 고문도 당하지 않았는데! 지
          난번에 그 친구들이 나를 보고 싶다고 전화했을 때 가서 만났어
          야 했는데……. 바이러스 방역 조치 지킨다고 예전처럼 자주 얼
          굴을 못 보니까. 그 친구들은 외로웠을 거야. 그런 고통을 겪지
          않은 사람들은 몰라, 암 결코 알 수 없지! 내가 미리 눈치 채야
          했어! 평생 육체적 고통과 정신적 트라우마에 시달렸던 그 친구
          들은 늘 무서운 결단을 염두에 둔다는 것을.
          오오, 하느님. 대통령까지 해 처먹은 그 두 나쁜 놈들이 살았을
          때 갖은 호사 속에 파묻혀 그것도 부족해 천수까지 누리며 갔는
          데 저희들 입으로 아무런 사과도 하지 않았지요. 그게 왜 저 친구
          들이 죽음을 선택할 이유가 될 수 있단 말입니까? 못난 나를 때
          론 친형님처럼 때론 친삼촌처럼 따랐던 저 천사 같은 후배 동지
          들의 목숨을 쉽게 거두셔야 했단 말인가요? 참으로 원통하고 분
          합니다.
          (잠시 침묵)
          아아, 40여 년 전 그날이 없었다면 그 친구들도 제 명대로 살고
          내 딸들도 이런 가난과 고통을 겪지 않았을 텐데!

무대가 어두워진다.

정혜(목소리) 아니, 아버지 또 술을 마셨어요! 큰일 났네, 밖에 돌아다니
　　　시면 안 되는데, 정재, 이놈은 어디로 갔어? 아아, 아버지!

막

제 2 막

제2막 1장

제2막은 현재와 과거의 사건이 번갈아가며 전개된다.

배경이 자주 바뀌는 게 번거롭다면 연출자의 의도에 따라 적절하게 순서를 바꾸어 공연하거나 과거 사건의 일부를 흑백 영상으로 처리할 수 있다.

1980년 광주시 계림동의 한옥집. 조명 빛이 현재와 확실한 차이가 난다. 한옥에 마루가 있는데 한 가운데 기둥을 사이에 두고 주인집과 임자 댁이 사는 상하방이 나뉘어져 있다.

새가 지저귀는 소리.

임자 댁이 마당에서 세탁이 끝난 옷을 통에서 꺼내든다.

임자 댁　　　(빨래를 널며 '개나리 처녀'라는 가요를 콧노래로 부른다.)
　　　　　　　오늘 날씨가 좋으니 빨래가 금방 마르겠네.

주인아주머니 등장.

주인아주머니 (마루에서 마당으로 들어서며) 어이고, 임지 댁이 신나는 소
　　　　　　　리가 안방까지 들린다니까.
임자 댁　　　어머, 제 흥얼거리는 노래가 거기까지 들렸나요? 죄송해요.
주인아주머니 죄송하긴. 경사가 있으면 노랫소리가 저절로 나오는 법이라
　　　　　　　요. 그런데 딸 결혼식 날짜는 언제죠?

임자 댁	21일이요.
주인아주머니	21일? 그러면 4월 초파일.
임자 댁	네, 부처님 오신 날.
주인아주머니	에구, 이걸 어쩌나. 나는 그날 신자들과 함께 무등산 뒤 규봉암에 가기로 했는데. 그날은 중봉 기지를 지키고 있는 군인들이 거기 가는 길을 특별히 허락해 주는 날이라서.
임자 댁	일부러 안 오셔도 돼요. 장소도 사진관 2층 예식장이라 비좁기도 하고.
주인아주머니	그래도 한 지붕 아래 사는 사람끼리 그게 아닌 법인데…….
임자 댁	아주머니께선 제게 한복도 빌려주셨잖아요? 그것만도 얼마나 고마운지 몰라요.
주인아주머니	뭘 그런 걸 가지고……. 근데 신혼방은 어디에 얻었다고 했소?
임자 댁	저어기 전남대 후문 가는 쪽에.
주인아주머니	그러면 정숙이가 다니는 그 밧데리 만드는 회사가 가까운 데네. 결혼하고도 그 공장엘 계속 다닐 생각인가 보네.
임자 댁	예, 약혼자 정 군이 나중에 호텔 주방장으로 옮기기 전까지는 정숙이는 공장에 계속 다닐 작정인가 봐요.
주인아주머니	좌우지간 임자 댁은 좋겠소. 정숙이 밑으로 정혜라고 했던가?
임자 댁	예, 걔는 내년에 광주 여상으로 진학시키려고요. 애들 아빠가 공사판에서 정식 철근공이 되면 그 수입으로 정숙이 아래 동생들은 고등학교 보내는 데는 문제없나 봐요.

주인아주머니 목포에서 이사 오길 잘했구먼.

임자 댁　　 네에, 거기 부두 일은 수입이 일정치 않아서 딸 셋 키우
　　　　　　는 데도 무척 힘들었어요. 애 아빠가 반대했지만 제가
　　　　　　광주로 이사 가자고 우겨서 왔는데 지금까지 일이 잘
　　　　　　풀리고 있어요. 광주는 막 커지고 있어서 그런지 일자
　　　　　　리도 많아요.

주인아주머니 한 시름 놓았네, 임자 댁은……

멀리서 시위대의 '훌라송'이 들린다.

시위대(목소리)　 우리들은 정의파다 훌라훌라
　　　　　　　 같이 죽고 같이 산다 훌라훌라
　　　　　　　 무릎 꿇고 살기보다 훌라훌라
　　　　　　　 서서 죽기 원하노라 훌라훌라
　　　　　　　 독재자는 물러가라 훌라훌라
　　　　　　　 전두환은 물러가라 훌라훌라.

최루탄 쏘는 소리와 시위대의 구호 소리와 아우성이 들린다.

임자 댁 (빨래를 다시 거두며) 아이고, 오늘도 데모하는가 보네! 빨
　　　　　래를 방안에 널어야겠네.

　임자 댁이 빨래를 걷고 있을 때 40대 초반의 탁재용이 기침을 하며 대
문으로 들어선다. 그는 주인아주머니를 보고 인사를 한다. 키가 크고 떡
벌어진 어깨가 인상적이다. 수건을 어깨에 걸치고 있다.

탁재용   (기침을 하며) 쿨럭, 아이고, 뭔 놈의 최루탄을 그렇게 쏘아대는
         지!
임자 댁   용케도 시간 내서 왔네요.
탁재용   며칠 전부터 작업반장에게 시간을 빼 달라고 부탁했어.
주인아주머니 뭔 일로 이렇게 일찍?
임자 댁   아, 결혼식에 입을 양복, 가봉을 해야 하거든요.
탁재용   금남로 쪽에서 시위가 심해서 충장로 5가에 있는 양복점 가려
         면 멀리 돌아가야 할 것 같아.
주인아주머니 군인들도 왔다고 하던데……. 세상이 어떻게 돌아가려는
         지!
탁재용   그러게 말이에요. 멀리서 보니 군인들이 도청 앞에서 시위대와
         대치하고 있던데, 쿨럭.

   탁재용이 상하방으로 들어간다.
   그때 갑자기 뛰어가는 발소리, 저놈 잡아라, 하는 소리가 들린다.
   객석 뒤편 출입구가 갑자기 열리며 '살려줘요!'하며 젊은 장발의 청년
이 객석 통로로 뛰쳐나온다.

청년   (극장 뒤편 출입구에서 객석 통로를 지나 무대로 오르며) 살려줘
         요!

   잠시 후 철모를 쓴 공수부대원 세 명도 등에 총을 멘 채 방망이를 들
고 역시 객석 뒤편 출입구에 나타나 무대 쪽으로 달려간다.

공수부대원 1,2,3   저 빨갱이 새끼 잡아!

청년이 무대 위로 올라 탁재용이 들어갔던 방으로 들어간다.

2,3초 정도 지나자 탁재용이 방에서 나와 방문 앞을 지킨다.

이 다음부터는 흑백 영상으로 처리해도 상관없다. 다만 실제 무대 위의 인물들과 영상이 자연스럽게 연결시켜야 하는 연출 상의 문제가 남아 있을 것이다.

공수부대원 세 명이 마루 위로 뛰어 올라가 한 명은 주인아주머니를 밀치고 안방으로 들어가고, 두 명은 탁재용이 버티고 있는 상하방 쪽으로 들어가려고 한다. 주인아주머니는 털썩 주저앉아 기둥에 기대어 오들오들 떨고 있다.

공수부대원1 (탁재용을 보고) 비켜, 새꺄!

탁재용 (막아서며) 아니, 왜들 이러십니까? 이렇게 군화를 신고 마루에 올라오시면…….

공수부대원1이 몽둥이로 탁재용의 어깨를 내려치지만 탁재용은 움찔거리기만 할 뿐, 꼼짝 않는다.

공수부대원2 (몽둥이를 내리치며) 뭐야, 이 개새끼는!

탁재용 (양손을 올리면서 고개를 숙이고) 아이고오, 왜 이렇게…….

공수부대원1 (머리를 가격하며) 아, 이 새끼가 죽을라고 환장했냐?

두 공수부대원이 연거푸 탁재용의 머리와 어깨를 가격하지만 그는 비틀거리면서도 쓰러지지 않는다. 그때 청년은 무대 뒤로 도망친다. 안방을 뒤졌던 공수부대원3이 나온다. 주인아주머니는 문설주 옆에 쪼그려 앉아 벌벌 떨고 있다.

공수부대원3 여긴 없어……. (탁재용이 버티고 있는 모습을 보고) 뭐야,
          저 새끼는? 어어이, 비켜어!

  공수부대원3이 몸을 날려 그때까지 버티고 있는 탁재용의 가슴팍을
군화발로 차 버린다. 어이쿠우, 하는 소리와 함께 탁재용이 마침내 쓰러
진다. 세 명의 공수부대원이 쓰러진 탁재용에게 몽둥이질과 발길질을
마구 해 댄다. 혼비백산한 임자 댁이 그들을 막으려고 남편 옆으로 기
어간다. 이때 대문을 열며 집으로 들어서는 중학생 정혜와 초등학생
정미가 이 장면을 본다.

정혜, 정미   (울부짖으며) 아버지이!
임자 댁 (쓰러진 남편을 붙들며 고개를 쳐든 채) 아이고오, 이놈들아 너희
          는 애비, 에미도 없냐? 이렇게 나이든 사람을!
공수부대원3 (임자 댁을 발로 걷어차며) 이건 또 뭐야?

  공수부대원1,2가 대문간으로 가는데 공수부대원3은 자신의 발을 악
착같이 붙들고 있는 임자 댁의 가슴을 다시 한 번 걷어찬다. 임자 댁은
아이고오, 소리를 내며 고꾸라진다.

공수부대원1 야, 강 중사, 가자! 그 빨갱이 새끼는 도망갔어.
공수부대원2 잡아 족쳐야 할 놈들이 이놈의 광주 바닥에 널려 있어!
공수부대원3 재수대가리 없으니까, (침을 뱉으며) 퇴엣! 어떻게 된 일인
          지 전라도는 남녀노소 불문하고 빨갱이로 가득 찼구먼!

  공수부대원1,2,3이 퇴장한다.
  고꾸라져 있던 임자 댁이 가슴팍을 움켜쥐며, 피투성이가 되어 널브

러져 있는 탁재용 쪽으로 기어간다. 정혜, 정미도 아버지 옆으로 가서 통곡한다.

임자 댁 (가슴팍을 쥐며) 아이고오, 정혜야, 밖에 누가 있는가 봐라. 아버질 병원에 데려가야겠다. 거기 밖에 누구 없소? 좀 도와주세요. 여보세요! 거기 누구 없소오?

　　주인아주머니는 여전히 문설 주 옆에 바짝 붙어 벌벌 떨고 있다. 넝마주이 둘이 등장하여 대문 앞에 서성인다.

임자 댁 (둘을 발견하고) 아이고오, 총각들, 우리 좀 도와주세요!

　　넝마주이들은 집 안에 들어오기를 주저한다.

임자 댁 오메, 빨리 들어와서 우리 좀 도와주세요. 이 양반 좀 병원으로 데려가야 하니까!

　　두 넝마주이가 쭈뼛쭈뼛 마당에 들어서고 나서 쓰러져 있는 탁재용에게 다가간다. 넝마주이1이 피를 흘리고 있는 탁재용을 일으켜 세우려고 하지만 힘이 부친다.

넝마주이1 (어깨에 멨던 넝마 바구니를 벗으며) 돌석아, 안 되겠다. 네가 업어야겠다!
넝마주이2 (바구니를 벗어 던지며 널브러져 있던 탁재용을 업는다) 끄응차!
임자 댁 (한 손으로 가슴을 움켜쥔 채 주저앉으며) 정혜야, 울지 말고　밖에 나가서 택시 좀 잡아라. 응?

　정혜가 울먹이며 대문간을 거쳐 퇴장한다.
　넝마주이 둘이 널브러진 탁재용을 업고 가고 그 뒤를 임자 댁과 정미
가 따라가며 퇴장한다.
　정미의 울음소리가 무대를 꽉 메운 채 80년 5월 광주의 금남로 영상
이 상영되다가 어두워진다.

제2막 2장

중철의 사무실과 중재의 방. 현재

무대 왼편에는 중철의 사무실은 어둠 속에 잠겨 있고

오른편에는 중재가 컴퓨터 앞에 앉아 있다.

중재 앞에는 컴퓨터 모니터에 해당하는 대문 크기의 대형 틀이 설치되어 있다.

중재가 마우스를 움직이자 대형 틀 안의 모습이 밝아진다.

틀 뒤에 현대식 건물들과 도로 등 가상공간의 모습이 보인다.

영화 스타워즈 테마 음악과 비슷한 음악이 흘러나온다.

백팩 디자인을 모방한 기이한 봇짐을 멘 머슴이 중재 앞 문틀을 넘어서며 무대 앞으로 나온다.

머슴 아바타 여러분, 메타시티 연맹에 오신 걸 환영합니다. 이곳은 근대의 다른 많은 국가들처럼 이웃나라의 식민 지배를 받기도 하고 나라가 분열되어 전쟁을 겪었습니다. 그 비극이 끝나갈 무렵에 야망으로 가득한 한 군인이 나타났습니다. 그는 자신의 패거리들을 거느리고 무력을 이용해서 이제 막 부상하기 시작한 민주주의의 씨를 군홧발로 밟았습니다. 그는 정치 지도자를 감옥에 가두고 의회를 해산하여 스스로 권력을 잡았습니다. 그는 20년 동안 독재 정치를 실시하면서 채찍과 당근의 양면 전략으로 메타시티 연맹을 이끌어 갔습니다. 또한 그는 과거의 적국으로부터 원조를 받아 경제 개발을 시도하는 한편, 자신에게 반대하는 무리들은 무자비하게 탄압했습니다. 연맹의 한편에서는 그 독재자를 가난을 면하게 해 준 지도자로 칭송했고, 다른 한 편에서는 그를 '공포의 살인자(Dreadful Killer)' 또는 어둠의 왕(Dark King), 약칭 DK라고 불렀습니다. 시간이 갈수록 그 독재자의 폭정이 포악해졌고, 상당수 독재자의 말로가 그렇듯이 그는 자신의 심복에 의해 살해되고 맙니다. 이에 대해 메타시티 시민들은, 다양한 반응을 보였지만 새로운 지도자와 민주적인 의회가 필요하다는 의견에는 일치를 보았습니다. 이제 각 메타시티 시민들은 새로운 지도자를 선출하여 민주적인 연맹 국가를 건설하고자 하는 열망에 휩싸여 있습니다…….

중재　그래, 바로 이거야! 역시 난 천재야. 형 같은 공부벌레들은 감히 이런 걸 상상할 수 없지. 하하하! (잠시 멈췄다가) 그런데 설정에 적국이 빠져 있잖아? 그래, 적국은 이렇게 설정하면 어떨까? 미사일과 폭탄 그리고 똑같은 병정만 가득한 곳…….

　중재가 있는 오른쪽 무대가 어두워지고 중철의 사무실이 있는 왼쪽 무대가 밝아진다.
　문틀 뒤에는 멀리 메타시티 연맹의 적국을 나타내는, 비현실적인 수많은 군사들과 미사일과 폭탄과 전차 배경이 보인다.
　사무실에는 팀장과 중재와 다른 직원이 책상에 앉아 있다. 전무가 입장한다.

전무　대단해, 대단하다구! 기획팀장!
팀장　(일어서며) 아, 전무님.
전무　이 아이디어를 낸 친구가 누구랬지?
팀장　그건 꼭 누구 한 사람이 아니라 우리 기획팀이…….

전무	아니, 메타시티 배경 스토리를 만든 친구 말이야!
팀장	한 테스터의 제안을 받아서 처리했다고 하던데요?
전무	의견이나 아이디어가 아무리 많아도 그것을 채택해 직접 구현 시킨 직원은 보통이 아니지.
팀장	그게 우리 기획팀이…….
전무	어허, 아무리 그래도 누군가 있을 거 아니야? 내가 얼핏 들었는데……. 이 아무개라고 하던데?
팀장	이중철 대리 말씀입니까?
전무	맞아! 이 대리. 그 친구 좀 불러줘.
팀장	(마지못해) 저어기, 이 대리, 이중철 대리!

중철은 아무 소리도 못 들었는지 책상 앞에 앉아 모니터를 보며 꼼짝도 않고 있다.

| 팀장 | 아니, 저 친구가? |

팀장이 중철에게 다가가 그의 어깨를 주먹으로 다소 세게 친다.

팀장	졸고 있는 거야, 응?
중철	아, 아닙니다.
팀장	(화난 목소리로) 전무님이 와서 부르시잖아!
중철	아, 예.
팀장	그깟 성과를 냈다고 벌써부터 안일해진 거야?
중철	아, 아닙니다.

중철이 자리에서 일어나서 전무에게 다가간다.

전무	(중철에게 손을 내밀며) 자네가 바로 이 대리인가?
중철	(얼떨결에 내민 손을 마주 잡으며 고개를 조아린다) 예, 전무님.
전무	(중철의 어깨를 토닥이며) 자네가 우리 회사 메타버스를 구했어. 하루에 수십, 수백 명의 가입자에 불과했던 메타시티연맹에 가입자 수가 폭증하고 있어. 잘하면 이 달 안에 천 만 명도 노려볼 수 있을 거야. 어떻게 그런 스토리를 생각해냈지?
중철	제가 독창적으로 한 게 아니라 한 테스터의 제안을 받아들여…….
전무	그 스토리도 대단하지만 이 대리가 기획한 메타시티 연맹 대통령 선거 아이디어도 대박이야! 그 선거가 현재 우리나라 지방자치 선거와 대통령 선거에 맞물려 실시하는 바람에 온, 오프라인을 막론하고 우리 메타버스에 대해 떠들고 있어. 우리가 장안의 화제를 독차지하고 있단 말일세. 이 대리, 자네는 조만간에 특별한 포상이 있을 걸세.
팀장	현실 세계 선거가 상대방 후보 까기로 치닫고 있으니까 우리가 그 반사 이익을 보는 거 아닐까요…….
전무	어허, 무슨 소리야? 자넨 부하 직원의 업적을 과소평가하는군.
팀장	아, 그럴리가요. 그래도 제가 명색이 이번 프로젝트의 기획을 총괄하는 데.
전무	팀장, 앞으로 이 대리가 원하는 것을 뭐든지 해 줘요. 그리고 메타버스 중역 회의에도 참석시키고.
팀장	중역 회의까지요? 거기는 팀장 급 이상이 참여하는 데요?
전무	이 대리는 이번에 여느 팀장 못지않은 활약을 보여주었어.

전무 퇴장.

팀장　　(중철에게) 이 대리, 위에서 칭찬한다고 너무 기고만장하지 마. 잘 나가다가도 한 번만 삐끗하면 팽 당하는 게 이곳 IT 업종 세계니까! (핸드폰을 확인하며) 이런, 늦었네. (몸을 돌이켜서 나가려고 한다.)

중철　　어디 가십니까?

팀장　　(무시하며) 자넨, 알 필요 없어!

　팀장 퇴장.

중철　　(양 주먹을 불끈 쥐며) 야호, 성공이다. 드디어 나도 출세가도를 달리는가? 이젠 프로그램 개발 팀에서 투표 모듈만 각 메타시티 선거관리위원회에 보내면 일사천리야……. (뭔가 생각난 듯이) 중재는 뭘 하고 있지?

　중철이 전화를 건다. 중재가 있는 곳에 조명이 들어온다. 중재, 헤드셋을 낀 채 한 손으로 치킨을 뜯고 한 손으로 마우스를 움직이고 있다. 핸드폰 벨소리.

중철　　왜 이렇게 전화를 안 받는 거야?

　치킨 상자가 놓인 책상 위에서 핸드폰이 진동하며 빛을 내고 있는 것을 중재가 발견한다.

중재　　(헤드셋을 벗고 휴대폰을 든다) 여보세요.

중철　　나야 나, 네 형.

중재	아, 그렇지 않아도 형에게 뭘 좀 물어보려고 했는데…….
중철	야, 대박이다, 대박이야, 중재야! 어쩌면 조만간에 우리 메타시티연맹 가입자 수가 천만 명을 넘을지 모른다.
중재	국내 메타버스 선발업체들 곧 따라 잡겠네.
중철	그래. 네가 제안한 스토리를 다듬어서 삽입하고 내가 기획한 민주적인 선거를 실시한다고 하니 온, 오프라인을 막론하고 우리 메타버스, 메타시티 연맹에 대한 여론이 폭증하고 있어.
중재	현실 정치가 상대 후보 안티 위주의 선거로 가니까 대중들이 식상해서 그런 게 아닐까?.
중철	너도 꼭 누구와 같은 소리 하는구나. 그런데 네가 현재 정치 판도에 대해 아는 게 있냐?
중재	어허, 형은 내가 아직도 어린애인 줄 알아? 유권자가 된 지 2년이 넘었다고! 두고 봐, 이번 대통령 선거판에서는 내 나름대로 계획이 있어.
중철	특정 거대 정당들 소속의 노련한 정치꾼들이 판치는 그곳에서 너 같은 애송이가 할 게 뭐가 있을까? 하핫, 그건 그렇고, 내가 보내 준 돈으로 치킨 잘 사먹고 있냐, 그래픽 카드도 바꾸고?
중재	그래. (치킨을 치우며) 그런데…….
중철	(말을 끊고) 할아버지는 좀 어떠시냐?
중재	그날 조문 갔다고 오시고 난 뒤로 코로나 바이러스 검진 센터로 가서 체크했는데 다행히 안 걸리셨더라고. 감기 기운이 있어 약 드시고 누워 계셔.
중철	다행이다. 앞으로도 활발한 테스터 활동을 부탁한다. 사랑하는 아우야.
중재	낯 간지러운 소리 말고……. 아참, 아까 말하려다가 잊었네. 1,3,5,7,9,11 등 홀수 번째 무료 게임장 있잖아? 그 앞에 왜 아

바타들이 줄서고 있지?

중철 줄 서고 있다고? 그거 의외인데. 그 홀수 게임장은 다른 무료 게임장과는 달리 향후 메타시티 연맹의 군대가 창설되면 거기서 일정 기간 근무한다는 약정을 한 아바타들만 입장을 할 수 있는데?

중재 홀수 번째 무료 게임장 말고도 20번째 게임장도 그런 거야? 내가 언젠가 한 번 들어가 보니 거기서는 성능과 그래픽이 구리지만 2D 장갑차나 탱크를 사용할 수 있던데…….

중철 그래, 거기도 회사 측과 군인 근무를 약정한 친구들이 입장 가능한 곳이지. 하지만 거기 게임들은 모두 2D 구닥다리 게임들로서 1인칭 슈팅 게임, 격투기, 두더지 게임 따위야. 군인 근무에 따르는 포인트를 노린 친구들이 많이 갔을까? 포인트 양이 쥐꼬리만한 걸로 알고 있는데……. 근데 혹시 너도 그쪽에 갈 생각 있냐?

중재 내가 왜 그런 후진 게임을 하러 그리 가겠어? 테스터들에게 RPG 무료입장 혜택을 준 덕택에 최신 3D 게임을 즐기고 있는데! 비록 롤(LOL)보다는 못하지만, 꿩 대신 닭이라고 하잖아?

중철 하긴……. 그런데 너, 회사에서 우수 테스터라고 포상으로 준, 포인트나 사이버 머니는 어디다 쓰고 있냐?

중재 그것까지 내가 형에게 보고해야 해?

중철 아니, 뭐. 그럼. 앞으로도 잘 부탁한다.

중재 오키(ok). (전화 끊고 나서 혼잣말로) 아무래도 이상해. 그 무료 게임장 입장을 대기하고 있는 아바타들 중에는 여러 RPG에서 나하고 몇 차례 팀을 이루었던, 아이디(ID)를 사용하는 이도 꽤 보이던데? 만약 그들이라면 게임 티어(tier)가 상당한 수준급인데…….

중재 모니터에 해당하는 문틀 뒤로 군인 아바타들이 줄을 서있는 모습이 보인다. 무대가 어두워진다.

제2막 3장

중철의 사무실과 중재의 방.

무대 왼편에 중철의 사무실이 있고 오른편에는 중재의 방이 있다. 두 군데 모두 컴퓨터 책상과 의자 그리고 모니터에 해당하는 커다란 문틀이 있다. 막이 열리면 중철의 사무실만 조명이 들어온다. 팀장이 중철에게 다가선다.

팀장   (중철에게) 이 대리, 중역회의 참석할 준비하게.

중철   예? 아, 예.

팀장   (혼잣말로) 하필 저 친구를 콕 집어 참석시키라고 하다니!

중철   이번 회의는 아바타 사이에 있던 총격전과 관련 있나요?

팀장   자네도 뭔가 알고 있군. 제법인데.

중철   두 명의 테스터가 그 사실을 보고했다고 들었습니다. 그런데 우리 메타시티연맹의 아바타에는 불사(不死)의 방어 모듈이 적용되어 있지 않나요?

팀장   그렇게 되어 있지. 하지만, 자넨 잘 모를 테지만 모든 프로그램은 바이러스가 있거나 해커 등에게 공격당할 소지가 있는 거야. 그런 전문적인 건 자네가 알 필요 없고, 자넨 도시 건물과 도로 등의 설계에만 집중하면 돼. 아참, 선거도 자네가 맡은 일이지? 어디 가지 말고 대기하고 있어! 회의는 10분 뒤야.

팀장 퇴장

중철　　도대체 이게 어찌된 일인가? 아바타끼리 총격전이라니! 어떻게 게임장 총을 꺼내 메타버스 안에서 사용할 수 있었지? 그리고 총에 맞은 아바타가 보통 게임처럼 프로그램 밖으로 튀어 나가지 않고 '검은 잎'으로 변해 남았다니, 기형도의 시가 생각나는군! 아무튼 끔찍한 일이야. 뭔가 중대한 문제가 생긴 게 틀림없어. 프로그램 전문가에게 물어 봐야겠군.

　　중철이 퇴장하고 왼편 무대 어두워지고 중재가 있는 무대 오른 편만 밝아진다.

　　중재가 자신의 방에서 마우스를 부지런히 놀린다. 커다란 모니터에 해당하는 문틀 뒤에 병정 아바타들이 총을 등에 멘 채 몽둥이를 들고 자동인형처럼 지나간다. 그들 대부분은 짐승 가면을 쓰고 있다. 그들의 신체는 마치 유명 메타버스인 '로블럭스' 아바타와 '레고' 블록 병정의 모습을 합쳐 놓은 듯하다. 머슴 아바타도 총을 메고 따라간다. 그들이 무대 가운데를 지나자 중재는 일어선다.

중재　　엥, 이게 뭐야? 홀수 번 째 게임장에서 나온 병사 아바타들이 무장한 머슴들을 데리고 5대 메타시티로 내려가고 있잖아? 간단한 봇(BOT) 프로그램이 탑재된 NPC는 통상 인공지능(AI)이 제어한다고 하던데, 어떻게 일부 아바타가 수족처럼 부려먹을 수가 있지? 잉, 이건 또 뭐야! 20번째 게임장의 탱크와 장갑차도 동원됐잖아? 안 되겠다, 형에게 연락해야지……. (잠시 생각한다) 아냐, 지난 번 아바타끼리의 총격전에 대해 형에게 말했어도 별로 달라진 게 없는 것 같아. 이번엔 테스터들 관리 팀장에게 내가 직접 상황 보고를 해야겠어. 그래, 포인트나 가상 화폐를 단기간 내에 많이 축적하려면 그게 좋겠어!

중재가 모니터 앞에 다시 앉자 그쪽 무대가 어두워진다. 다시 중철 사무실이 있는 쪽이 밝아진다. 중철의 모니터에 해당하는 문틀 뒤에도 군인 아바타들이 지나간다. 중철 등장하여 자신의 모니터를 들여다본다.

중철   (놀라며) 젠장! 원인을 알 수 없다고? 결국 일이 걷잡을 수 없게
        되어 가고 있어. DK 후예라고? 어떻게 메타버스 설정 상으로
        만든 인물의 후예가 될 수 있냐? 뭐? 적국의 동조자인 '붉은
        이'들을 없애려고 자신들이 나섰다고? 웃기고 있네. 적국이란
        게 단순히 미사일과 포탄으로만 가득 채우고 그 사이사이에 저
        급한 그래픽의 군인 아바타들로만 채워 놓았는데 어떻게 그게
        적국이 될 수 있냐? 그래, 난 저놈들의 수괴가 어떤 일을 꾸미
        는 줄 대강 알 수 있을 것 같아. 그들은 민주적인 선거를 방해하
        려는 게 틀림없어! (일어서며 사무실을 왔다 갔다 한다.) 무엇
        때문에? 권력 때문에? 이건 단순히 메타버스잖아! 권력을 잡아
        봤자……. (손바닥으로 이마를 탁 친다) 아, 연맹 대통령과 시장
        에게 공공건물 블록에 있는 건물 임대료의 0.01%를 준다는 회
        사 측의 약속이 있었지! 아무리 그래도 그 이권 때문에 그들이
        이런 반란을 획책한다는 것은 말이 안 돼! 민주적인 선거를 통
        하지 않은 권력을 회사 측에서 인정할 리 없지. 아무렴, 내가
        기획자인데, (갑자기 천장을 보며) 너희 DK 후예들, 그런 일은
        꿈도 꾸지 마! 너희들은 미친놈들이야! 이 과대망상증 환자 같
        은 놈들아……(외치다가 말고 입을 벌린 채 멍하니 있다가 잠시

후 고개를 떨구며) 아, 그러나 어떡하지. 당장에 급한 불은 꺼야 하는데, (팀장 자리를 돌아보며) 팀장님은 또 어딜 간 거야.(다시 사무실을 배회하다가 멈추며 주먹을 불끈 쥔다) 그래, 이렇게 당할 수는 없어. 광수에게 가 보자. 그는 나하고 입사동기지만 벌써 개발실에서는 천재로 소문날 정도로 비상한 개발자가 아닌가?

중철 퇴장. 스타크래프트 게임 비슷한 전략 게임 영상이 상연되고 나서 무대가 천천히 어두워진다.

제2막 4장

메타시티 내 빛의 도시.

　무대 배경으로 메타시티 건물들이 보이고 무대에는 커다란 문틀이 설치되어 있다. 문틀 오른쪽 구석에는 중재가 마우스를 놀리고 있다. 문틀을 통해 여성과 노인으로 보이는 시민 아바타를 포함한 서너 명의 젊은 아바타들이 웅성거린다. 그때 극장 뒷문이 갑자기 열리며 시민 아바타 한 명이 헐떡이며 객석 사이를 뛰어가서 무대 위로 올라와 이미 등장한 시민 아바타들 뒤에 숨는다. 짐승 가면을 쓴 군인 아바타 3명이 '민주주의 수호'라는 머리띠를 두른 시민 아바타의 뒤를 쫓아 역시 무대 위로 올라간다. 아바타들의 동작이 모두 자동인형처럼 부자연스럽다.

시민 아바타　살려주세요!
가면 아바타1,2,3　저놈 잡아라!

　무대 위 문틀에서 또 다른 가면 아바타들 서너 명이 튀어나와 다른 가면 아바타들과 합세해 시민 아바타들을 몽둥이로 두드리거나 총검으로 찌른다. 그들의 가면은 늑대, 하이에나, 악어, 호랑이, 사자, 원숭이, 독수리, 켄타우루스 등 각양각색의 짐승들의 형상을 띠고 있다. 가면 아바타들이 시민 아바타들을 구타하거나 끌고 문틀로 사라지자 권총을 허리춤에 찬 두 명의 가면 아바타가 문틀에서 나와 허리에 손을 얹은 채 관객을 감시하듯이 둘러본다. 그들은 오랑우탄 얼굴 형상에 뿔이 달린, 반인반수(半人半獸)의 가면을 쓰고 있다. (여기에서 지정한 종류의 가면을 구하거나 만들기 힘들다면 적절한 다른 짐승들 가면으로 대체할 수 있다.)

반인반수 가면 아바타1 　　 왜 유독 이 빛의 도시 놈들만 반항하는 거지? 다른 메타시티 놈들은 쥐새끼처럼 숨었는데 말이야!

반인반수 가면 아바타2 　　 이 도시 놈들을 때려잡지 못하면 우리의 거사가 실패로 돌아갈 수 있어! 수단과 방법을 가리지 말고 족쳐야 돼.

반인반수 가면 아바타1 　　 암은. 큰일을 도모하기 위해선 이깟 도시쯤이야 싹 쓸어버릴 수 있어야 해! 이 도시는 온통 붉은 제국의 끄나풀들로 가득 차 있어!

반인반수 가면 아바타1,2 　　 여기서 물러서면 우린 끝장이야!

　반인반수 가면 아바타1,2가 퇴장하면 배경은 영상 장면으로 바뀐다. 스타크래프트 게임 장면에 이어 저격수 게임 영상이 이어지다가 무대는 어두워진다.

제2막 5장

중철의 회사 사무실과 중재의 방(현재)

무대 왼쪽이 밝아지면 김광수가 컴퓨터 책상 앞에 앉아 있고 중철이 등장해 김광수에게 다가가는 모습이 보인다. 김광수가 컴퓨터 앞에서 중철에게 뭔가를 설명하고 있다. 이 시간이 약 1분 정도 소요된다.

둘이 있는 무대 왼쪽이 어두워지고 무대 오른쪽이 밝아지면 중재가 책상 앞에 앉아 마우스를 움직이고 있는 모습이 보인다. 그의 옆에는 모니터에 해당하는 커다란 문틀이 있다.

중재   (일어나며) 됐다! 우리가 DK후예들에게 맞설 수 있게 됐어. 비록 지난번에 우리가 메타버스의 탈 것으로 저항했지만 이젠 우리에게도 총이 있어! 비록 플래시 게임에서 사용하는 소총이지만, 형의 친구가 그것을 우리 시민 아바타들이 사용할 수 있게끔 잠금 장치를 해제했어. 그는 아마 천재인 거 같아. 이세 내가 빛의 도시 시민 아바타들을 데리고 그것들을 꺼내 가지고 오면 그놈들도 어쩔 수 없지……. 근데 왜 그 DK 후예란 놈들이 빛의 도시에서만 유달리 잔인한 행동을 하는 거야! 마치 이곳의 모든 아바타 시민들을 싹 쓸어버릴 것처럼.

중재가 모니터에 해당하는 문틀 안으로 들어가며 퇴장한다.

잠시 후 중재 아바타가 시민군 아바타와 함께 총을 들고 나온다. 중재 아바타는 사지가 로봇 팔처럼 되어 있고 방석모 모자에 마스크를 하고 있다. 마스크에는 '민주주의 수호'라고 씌어져 있다.

오른쪽 무대 어두워지고 왼쪽 무대 다시 밝아진다.

중철   (양팔을 높게 쳐들고) 만세! 만세! 그놈들이 물러갔다. DK 후예
       들이 도망갔다! 하마터면 끔찍한 일이 벌어질 뻔 했어. 세상에,
       그놈들이 가상 건물주나 거기에 입점해 있는 아바타들에게 포
       인트나 가상 화폐 따위를 뜯고 있었어. 그놈들은 인간의 선한
       의지를 바탕으로 한 민주주의를 완전히 파괴하려고 작정한 듯
       싶었어. 천만다행이야. 휴, 근데 왜 몇 시간 동안 빛의 도시에
       입장이 안 되는 거야? 도대체 빛의 도시에서 무슨 일이 일어나
       고 있는 거야? (허공을 쳐다보며) 광수야, 고마워!

무대 어두워진다.

제2막 6장

계림동 한옥 (과거)

이 장도 끝 부분을 흑백 영상으로 처리할 수 있다.

   임자 댁이 마당에서 머리를 수건으로 싸맨 채 한 손으로 가슴팍을 움켜쥐고 한손으로 뭔가 나르고 있다. 정봉기가 '민주주의 수호'라고 쓰인 커다란 스카프로 만든 마스크를 쓴 채 칼빈 총을 메고 마당에 들어선다.

임자 댁 (놀라며) 정 군, 아니 정 서방 아닌가? 마스크는 뭐고 어깨에 멘 것은 또 무엇이야?

정봉기 (마스크를 벗으며) 아, 아버님께서 다치셨으니 제가 정숙 씨네 집을 지켜야죠.

탁재용 (머리와 팔에 붕대를 감고 방에서 기어 나오며) 아아, 안 돼! 정 군. (힘들게 말한다.) 그 총은 내가 어렸을 때 빨치산 토벌대 경찰들이 갖고 다닌 총이구먼. 그 따위 낡은 총으론 잘 훈련된 계엄군들을 상대할 수 없어! 그건 고물이야. 그리고 비록 내가 이렇게 돼서 결혼식은 못 올렸지만 자넨 이제 자유로운 총각이 아니네. 자네는 엄연히 책임져서 보살펴야 할 아내가 있고 책임져야 할 가정이 있네. 내 몸뚱이만 조금 나아지면 다시 날짜를 잡아서 식을 올리세.

   정봉기가 머뭇거리고 있는데 젊은 정숙이 대문을 열고 등장한다.

임자 댁 (정숙을 보고) 마침 잘 왔다. 정숙아, 저 정 서방 총 좀 빼앗아
라, 무서워 죽겠다!

정숙   (그의 손에서 스카프를 뺏어 들고 나서 어깨에 맨 총을 손으로
붙든다) 아, 봉기 씨, 이게 도대체 무슨 일이에요?

정봉기 (총의 띠를 단단히 붙잡으며) 아버님이 저리 되셨으니 내가 정
숙 씨네 집을 지켜야죠..

임자 댁 아이고오, 정 서방, 자네에게 무슨 일이 일어날까 봐 사지가 떨
리네. 빨리 그 총을 갖다 주게나!

탁재용 (여전히 말을 하는 데 힘겨워 하며) 그래, 그 총 수습위원횐가
어딘가에 갖다 주게나. 그리고 자네, 이제부터 시내 어디 나돌
아 다니지 말고 직장에만 가만히 있게. 조만간에 조용해지면 결
혼식 날짜를 다시 잡세.

정봉기 (마지못해) 그래도……

임자 댁 우리 정숙이 좀 봐서라도 자네가 혈기를 좀 누르고 있으소. 그
러다 큰 일 나네.

정숙   (정봉기의 팔짱을 끼며) 그래요, 엄마 아빠 말씀대로 총을 갖다
줘요.

    정숙과 정봉기가 퇴장하고 임자 댁과 탁재용이 긴 한 숨을 내쉰다.
또는 정숙과 정봉주가 퇴장하는 장면을 영상으로 비추는 것으로 마무리
할 수 있다.   무대 어두워진다.

제2막 7장

중철의 사무실과 메타버스 내 빛의 도시.

무대 왼 쪽에는 팀장이 앉아 있고 그 옆에 중철이 양손을 모으고 서 있다.

팀장 뭐야, 이 중철 대리! 지금 당신이 무슨 일을 했는지 아나? 자넨 지금 불난 집에 부채질 하고 있는 거야. 회사에서 막대한 투자를 한 메타버스를 망치고 있단 말야. 어떻게 그럴 수가 있지? 감히 팀장인 내 결재도 없이 개발팀에 지시를 내릴 수 있냔 말이야! 지난번에 시험 운용 중인 탈 것들을 움직인 것도 자네와 자네 입사동기인 김광수가 공모한 것이지? 허참, 요즘 신입들은 겁대가리가 없다니까! 그리고 그깟 플래시 게임용 총을 시민 아바타들에게 풀어준다고 해서 2D 게임에서는 가장 막강한 무기를 가진 정규 아바타 군인들을 이길 수 있다고 생각한 거야? 순진한 친구들 같으니라고!

중철 DK후예라고 떠드는 작자들의 만행을 도저히 두고 볼 수가 없어서······.

팀상 (벌컥 화를 내며 일어선다.) 뭐라고! 이게 게임이야, 게임이냐고? 이 메타버스가 이중철 대리에겐 한낱 단순한 게임으로밖에 여겨지냐고? 자넨 책임져야 해, 자네의 그 섣부른 행동 때문에 만약 이 프로젝트가 실패라도 하게 되면!

중철 사표를 제출하겠습니다.

팀장	자네 한 명 사표로는 해결될 일은 없어. 이건 막대한 돈이 투자된 사업이야. (잠시 사이를 두고) 아니, 사표라니, 사표를 제출할 정도로 이 일이 이 대리에겐 심각했어?
중철	민주주의 근간을 해치는 행위를 두고 볼 수는 없었습니다. 더구나 그 민주적인 선거는 제가 기획한 것입니다.
팀장	자네가 기획했으나 자네가 책임진다? 어허헛, 민주화 운동 투사 나왔네, 21세기 메타버스에서 민주주의를 수호하다가 산화한 이중철 대리! 오, 위대한 MZ세대의 투사여! 과연 사람들이 이렇게 자네를 기릴까? 자넨 그걸 원하는 거지? 꿈 깨 이 사람아, 자넨 결국 메타버스에서 일어난 사소한 사건에 지나친 대응을 해 회사에서 잘려지고 막대한 손해배상을 책임 진 채 감옥으로 끌려갈 돈키호테에 불과해. 자넨 다 된 밥에 재를 뿌린 친구야!
중철	재를 뿌리는 놈들은 DK 후예들입니다.
팀장	(분노를 참지 못하며 중철을 때릴 것처럼 주먹을 들며) 뭐라고? 자네 미친 것 아냐? 이봐, 그들은 메타버스 속에 있어. 자넨 잘 나가는 IT 회사에 있고. 설마 자넨 내 자리를 노리고 이번 일을 잘 수습해서 회사 측에 잘 보이려고 했던 것 아니겠지?
중철	그럴리가요!
팀장	(비아냥조로) 제발 꿈 깨세요, 이 중철 대리님. 당신은 도시 공학 전공자에 불과해. 잘 들어, 우리가 몸담고 있는 IT 업계에서는 컴퓨터 공학이나 개발자가 아니면 미국 MBA 석사 출신이라고 해도 임원이 되는 것은 하늘의 별따기라고. 그러니 내 말을 명심해! 자넨 지금 이 시각부터 발령 대기 상태야. 광수인가 뭔가 하는, 개발부서의 자네 입사 동기인 그 친구도 게임 부서로 좌천되었어. 앞으로 내 지시 없이는 아무 일도 하지 마!

팀장, 벌떡 일어나서 퇴장한다.

중철   광수가 좌천됐다고?

중철이 홀로 고개를 숙이고 있는 가운데 왼쪽 무대 어두워지고 오른쪽 무대 밝아진다.

문틀 안 멀리 옛 전남도청 같은 건물이 보이고 그 뒤 안개 속에 탑이 어렴풋이 보인다. 중재 아바타가 두 명의 다른 무장 시민 아바타의 호위를 받으며 한 손에 총을 들고 있다. 호위 아바타 중 한 명은 방석모를 쓰고 있고 다른 이는 장발의 머리에 띠를 두르고 있다. 군중의 함성 소리가 멀리서 들린다.

중재 아바타   친애하는 빛의 도시 시민 여러분. 우리가 이 빛의 캐슬을 지켜야 합니다. 민주주의를 파괴하는 저 DK세력에 맞서 우리가 나서야 합니다. 나, 0518_light는 DK 후예들의 아바타 시민 학살과 민주주의 파괴 행위에 맞서 목숨을 걸고 빛의 도시를 수호할 것입니다. 우리는 비록 패배하겠지만, 우리의 희생으로 DK 후예들의 만행을 역사에 남겨질 것입니다. 우리가 검은 잎으로 변하는 것을 두려워하지 않았을 때 민주주의를 수호하려고 했던 우리의 정신은 영원할 것입니다. 빛의 도시 만세!

무징 시민 아바타들   민주주의 만세! 빛의 도시 만세!

무대는 어두워지지만 함성은 계속 들린다. 이어서 무대는 80년 당시 금남로에 모여든 광주시민의 영상으로 전환된다.

제2막 8장

과거의 한옥과 현재의 메타버스.

여기에서도 과거의 사건 부분을 흑백 영상으로 처리할 수 있다.

마당에는 임자 댁이 한 손을 가슴에 손을 얹은 채 바구니를 들고 방을 들락거리고 있고 마루에는 주인아주머니가 문설주에 기대어 앉아 있다.

공원복을 입고 헝클어진 머리를 한 젊은 정숙이 대문을 열고 마당에 들어선다.

정숙   엄마, 그이가 없어졌어요! 아무 데도 없어요. 그이의 직장인 일
          식집에도, 그이 친구 집에도, 관광호텔 근무 준비한다고 다니던
          동구 청 뒤 2층 어학원에도, 요즘 들어 잘 가던 구두닦이 센터
          에도 없어요. 담양 사는 그이 엄마에게 전화해도 거길 안 왔다
          고 하고 혹시 몰라서 시체들이 있는 도청 앞 상무관에도, 총상
          환자들이 입원해 있다던 전대병원이나 기독병원에도 그이 모습
          이 보이지 않아요, 엄마! (임자 댁에게 안긴다.)

임자 댁   에고, 정신 차려라, 이것아. 그때 분명히 총을 반납했지?

정숙   (흐느끼며) 도청에 들어가는 것까지는 봤는데…….

임자 댁   시내에는 며칠 간 계엄군도 없었는데 설마 정 서방에게 무슨
          일이 있겠냐?

주인아주머니 계엄군들이 도시 외곽을 지키고 있으면서 그 앞을 지나가
          는 사람이나 차를 보면 무조건 총을 쏴 댄 대요.

임자 댁   아이고 아주머니, 불길한 소리 마세요! 우리 정 서방에게 말 못
         할 무슨 사정이 생긴 거겠지요. (정숙에게) 혹시, 정 서방이 너
         에게 담양 간다고 말했냐?
정숙   아뇨, 결혼식 날짜가 다시 잡혀지면 나중에 그때 친척들에게 알
         리러 간다고는 했어요.

    탁재용과 정혜와 정미가 방에서 나온다.
    탁재용은 여전히 붕대로 머리와 팔을 감싼 채 기어서 나온다.

임자 댁   밥 빨리 먹고 집단속을 하자. 오늘밤에 그놈들이 다시 쳐들어올
         지도 모른다고 하니 아예 밖에 나갈 생각은 말고.

    무대 어두워진다. 잠시 후 발자국 소리.
    멀리서 들리는 총소리와 비명.
    이하 어둠 속에서 목소리들만 들린다.

정미   엄마, 무서워
임자 댁   꼼짝하지 마라,잉!
탁재용   정혜야, 이 떨지 마라!
정혜   아,아빠, 군화 발자국 소리가 들려요!
탁재용   걱정 마라, 겁에 질려 도망간 놈들이 어둠의 세력한테 등 떠밀
         려 오고 있단다!

    전차와 장갑차의 무한궤도 소리와 헬기 프로펠러 소리가 크게 들린
다. 헤드라이트 불빛이 무대와 객석을 가로지른다. 총소리와 함께 유리
창이 깨지고 장롱에 총알이 박히는 소리가 들린다.

정혜, 정미　　엄마아!

정미　　아빠, 유리창이 깨졌어요!

탁재용　　딸들아, 미쳐 날뛰는 봄바람은 금방 지나간단다!

정혜　　아빠, 장롱에 총알이 박힌 것 같아요!

탁재용　　정혜야, 영혼 없는 군인들의 마구잡이 총질에 가슴에 희망을 품은 사람들은 결코 죽지 않는단다. 곧 동이 튼다, 그 쇳덩어리들로는 우리 가족의 사랑을 꿰뚫지 못한다!

임자 댁　　(건넛방을 향해 외치는 듯) 정숙아아, 이불 뒤집어쓰고 누워 있냐아? (탄식하며) 아이고오, 괜히 내가 광주로 오자고 해갖고! 목포 선창에서 버려진 생선 토막이나 주워 먹고 살았더라면 이런 일은 없을 텐데,잉!

탁재용　　여보, 원망할 대상은 당신이 아니요! 자신의 주인을 향해 잔악무도한 짓을 멈추지 않는 저 어둠 속의 무리들이야말로 지탄받아야 할 놈들이요. 빛이 오면 어둠은 사라진다오!

　　어둠 속에서 철모를 쓴 80년대의 계엄군들이 등장하여 객석을 향해 총을 겨누며 나타났다가 퇴장한다.

　　무대 오른쪽 모니터 문틀을 통해 메타시티의 군인 아바타들이 자동인형처럼 나타나 역시 객석을 향해 총을 겨누다가 퇴장한다.

　　총소리와 전차의 무한 궤도, 헬기의 프로펠러, 군화 발자국 소리 등이 무대를 메운다.

제2막 9장

며칠 뒤, 80년 계림동 집 (과거)

정숙이 방에서 급히 나온다. 그녀가 마루에 내려서려고 하는데 머리를 싸맨 채 가슴에 한 손을 얹은 임자 댁이 방에서 나오며 붙잡는다.

임자 댁   정숙아, 어디 가냐? 작업복 입고 회사 가야지!

정숙   저기 교도소 쪽에서 젊은 시신 한 구가 발견됐다기에 가 보려구요…….

임자 댁   공연히 그런 불길한 데 쫓아다니지 마라. 정 군은 살아 있을 거야. 정 서방이 나타날 때까지 기다리면서 너나 우선 착실히 공장에나 출근해라. 네 아버지가 저리 몸져누웠으니 너라도 돈 한 푼이라도 벌어야 않겠냐? 지금 나도 가슴과 옆구리가 결려서 음식점 허드렛일도 못 나가고 있는데. 이러다간 식구들 끼니조차 잇기도 힘들겠다.

정숙   엄마, 지금 돈이 문제예요? 그이가 어디로 사라졌어요! 소식이 없는 지 벌써 보름이 지났다고요! 그이가 없는 세상에 제게 무슨 의미가 있겠어요. 그이는 며칠째 직장에도 나오지 않고, 시골집에도 오지 않았대요! 어젯밤 꿈에 그이가 나타났는데. 컴컴한 곳에서 아무 말도 하지 않고 늘 그랬던 것처럼 제게 웃어 보이지도 않았어요.

임자 댁   대학생과 시민들이 상무대 영창에 많이 갇혀 있다고 하니 나중에 면회가 되면 그리로 가 보자. 조금만 기다려라. 우선 회사에 출근해서…….

　정숙, 엄마를 뿌리치고 밖으로 나간다. 퇴장.
　중학생 교복 입고 정혜 등장. 울면서 집안으로 들어선다.

임자 댁　정혜야, 너는 또 왜 그러냐?
정혜　　나, 내일부터 학교 안 갈 거야! 우리 반 친구들은 모두 고등학교
　　　　진학한다고들 하는데…….
임자 댁　(한숨을 내쉬며) 글쎄, 내가 몇 번이나 알아듣게 말했냐? 우선
　　　　아쉬운 대로 방직공장에 취업했다가 나중에 네 아버지가 몸이
　　　　좋아져 공사장에 나가게 되면 그때 다시 여상고로 진학시켜 준
　　　　다고.
정혜　　(주저앉으며) 잉, 그 소리 백 번도 더 들었단 말이야. 나도 지난
　　　　번에 병원에서 의사가 한 말을 다 들었단 말이야! 아버지 치료
　　　　가 완전히 끝나려면 1년은 걸린다고 했잖아? 난 이제 고등학교
　　　　가기 틀렸어, 잉잉.
임자 댁　(마루에 털썩 주저앉으며) 아이고오, 이 일을 어쩔거나. 하필이
　　　　면 그 청년이 우리 집으로 그 무지막지한 공수부대원들을 달고
　　　　들어와서!

　　머리를 땋은 초등학생 정미가 대문에서 마당으로 들어온다. 주저앉
아 울고 있는 정혜를 발견하고 그 옆에 쪼그려 앉는다.

정미　　(정혜의 어깨에 손을 얹으며) 언니야, 울지 마. (정혜가 통곡을
　　　　그치지 않자 자신도 울먹이며) 언니야, 울지 마, 내가 중학교
　　　　안 갈게. 내가 안 가면 되잖아, 응? 언니야, 울지 마아!

머리와 팔에 붕대를 감은 탁재용이 방에서 기어 나와 울고 있는 가족들을 바라본다. 무대 어두워졌다가 밝아지면 무대 오른편에서 공원복을 입은 정숙이 등장한다.

　　정숙이 왼쪽에서 오른쪽으로 걸어가자 맞은편에 뉴스보이 모자를 쓴 구두닦이와 고등학생이 다가온다. 그 둘은 모두 머리 뒤에 후광이 있다. 정숙과 그들은 서로 한참 대화를 하고 나서 퇴장한다. 정숙은 다시 맞은편에서 오는 장발의 한 젊은이를 만나 대화를 한다. 장발의 젊은이는 고개를 여러 차례 흔들고 퇴장한다. 잠시 후 정숙은 맞은편에서 걸어오는 아주머니와 대화를 나눈다. 아주머니는 돌아서서 자신의 뒤를 손가락으로 가리킨다. 세 사람이 등장한다. 그들은 맞은편에서 뭔가 물어보는 정숙에게 자신들이 지나쳐 온 무대 귀퉁이를 가리킨다. 정숙은 황급히 그들을 비집고 달려가며 퇴장한다. 잠시 후 정숙이 다시 등장하며 무대 앞에 털썩 주저앉는다.

정숙　　봉기 씨, 어디 계신가요? 살았는가요, 죽었는가요? 살아 계시면 왜 저나 담양 어머니한테 오시지 않는 거예요!

막

제 3 막

제3막 1장

중철의 회사 사무실

전무 이 대리, 사건의 전모가 밝혀져서 다행이야. 회수 내부에서 다
 수가 관련되었으니 우리 회사 자체 조사만으로는 한계가 있을
 수밖에. 경찰 사이버 수사대의 도움이 컸어.

중철 그럼, 팀장님은…….

전무 자네가 출장 가서 몰랐나 보군. 그는 경찰서 유치장으로 출근했
 지. 곧 재판을 받게 될 거야. 참, 등잔 밑이 어두웠지. 이번 반란
 사건은 자네 팀장을 비롯한 게임과 개발 부서에 각각 두 명 그
 리고 포인트와 NFT 담당 등 총 다섯 명이 공모한 거야.

중철 무엇 때문에…….

전무 글쎄, 자세한 것은 수사에서 밝혀지겠지만 얼핏 듣기론 그 친구
 들 모두 아파트 영끌과 코인 투자에 나서서 상당한 피해를 봤다
 고 하더군.

중철 메타버스 안에서의 권력 장악이 그들이 모험을 걸 정도로 경제
 적 이득과 상관이 있나요?

전무 생각하기에 따라 상상을 초월한 이득이 발생할 수도 있지. 우선
 그들은 반란군 아바타를 움직였던 유저들에게 회사의 포인트와
 NFT 배분의 혜택을 보장하면서 금전적인 거래를 했어. 그리고
 아바타 방어 기제를 해제하여 공포 분위기를 조성해 직접 선거
 를 간접 선거 방식으로 바꿔 반란군 아바타 중의 한 명을 대통

령으로 만들었지. 게다가 그들은 선출직인 시장들을 사실상 임명직으로 바꾸었어. 물론, 그 자리에 보장된 이득을 해당 유저들에게 추가로 챙겨주었지. 뿐만 아니야. 그들은 자신들에게 상납하지 않는 주인들이 있는 일부 사이버 건물 앞에 군인 아바타와 조잡한 탱크 등을 배치해 가상공간에서의 활동에 제약을 가하는 치졸한 방식 따위를 사용하여 건물주나 입점주들에게 포인트 따위를 긁어모았어. 그리고 건더기는 자신들이 차지하고 국물 방울에 해당하는 것으로 홀수 번째와 스무 번째 게임장에서 나온 군인 아바타들의 충성을 이끌어냈지. 아주 고약하고 지능적인 친구들이야.

중철   그럼 사태를 수습하려면 먼저 간접 선거로 선출된 대통령 직을 박탈해야겠군요.

전무   아니지, 모든 아바타에게 새 방어 모듈부터 입히는 것부터 시작해야지. 지난한 작업이지만.

중철   회사 내에서 메타버스 서버 셧다운 얘기도 들리던데?

전무   셧다운? 무슨 소리야? 자칫하다간 천 만 유저들이 허공으로 날아가 버리는데! 셧다운 같은 극단적 조치 없이 개발 팀에서 완벽한 3D 정식 버전을 준비하고 있어.

중철   대통령직은요?

전무   당분간 그들이 권력 놀이를 하게 놓아 둘 거야. 어차피 정식 버전에서는 새로 선출해야 하니까

중철   안 됩니다!

전무   뭐가?

중철   그들은 인간의 선한 의지를 바탕으로 한 민주주의를 파괴한 자들입니다. 그들은 자신들의 권력을 위해 이미 확보한 가상공간 안에서의 자본력을 가지고 메타시티연맹을 추악한 이기주의로

물들일 것입니다.

전무   이봐, 이 대리. 우리가 만든 메타버스는 다른 사업체와 그것과 크게 다르지 않아. 그것들은 인간의 이기심과 자본에 대한 탐욕이 없으면 모래성이나 신기루에 불과해. 정식 버전이 출범하면 그때 가서 자네의 이상을 최대한 실현해 보도록 하게. 그 동안 정식적인 버전에서 민주적인 선거 방식이 이루어질 수 있도록 사전에 철저히 준비를 하게나.

중철   전무님, 그게 아니라 당장 셧다운 같은 조치를……

전무   (손을 내저으며) 그 건에 대해서는 더 이상 말 말게. 그 사악한 무리를 따르는 아바타들도 무시 못 할 정도로 많아. 우선 당장 처리해야 할 일이 산더미 같으니 그것부터 하나씩 해결해 나가세. (퇴장한다)

중철   (주먹을 쥐며) 안 돼! 이대로 물러설 수 없어.

중철이 퇴장하고 무대 어두워진다.

제3막 2장

중철의 사무실과 중재의 방.

무대 좌우가 나뉘어져 있고 왼편에는 중철의 사무실, 오른편에는 중재의 방.

두 방 모두 모니터에 해당하는 문틀이 놓여 있다.

중철이 모니터 앞에서 마우스를 움직이고 있다. 두 개의 뿔이 달린, 반인반수(半人半獸)의 아바타1이 측근으로 보이는 늑대와 원숭이 가면을 쓴 아바타 둘을 대동하고 중철의 모니터 문틀을 넘어 무대 가운데로 나온다.

늑대 가면과 원숭이 가면 아바타의 노래

오소서 구국의 영웅이시여, 비탄에 잠긴 시민들을 구원하시고
온 도시마다 당신을 기다리니 우리에게 어서 오소서.
맞이하라, 왕국의 신민이여. 그의 머리가 반짝이도다.

오소서 왕국의 지도자시여, 임의 영도에 목마른 저희를 굽어보시고
어둠 속에서 헤매고 있는 가엾은 중생에게 어서 오소서.
기뻐하라, 메타시티 시민들이여. 신군의 목소리가 천지에 진동하도다.

오소서 DK후예의 으뜸이시여, 사악한 무리들을 단숨에 물리치시고
황금의 눈발들이 펄펄 흩날리는 메타시티에 어서 강림하소서

찬양하라, 아바타 시민들이여. 그의 눈빛이 하늘을 찌르도다.

반인반수 가면 아바타1   하하핫, 아무리 회사라고 해도 저희들이 별
     수 있나? 빛의 도시를 평정하고 나니 연맹의 모든 메타시티들
     이 모두 내 수중에 들어온 마당에.

늑대 가면 아바타   (상자를 든 채) 아무렴요. 회사 측에서 섣불리 모험을
     할 수 없죠. 최소한 백만 명 이상의 아바타 시민들이 추종하는
     각하를 어떻게 하겠어요?

원숭이 가면 아바타   게다가 다른 시민 아바타들도 모두 각종 포인트
     를 올리는 데 혈안이 되어 있습니다. 그들은 게임, 영화, 공연
     등만 펼쳐 놓으면 거기에 미친 듯이 달려들지요, 하핫.

늑대 가면 아바타   (상자에서 왕관을 꺼내며) 각하! 이제 그 거추장스런
     가면을 벗고, 대통령 놀이 따위는 제쳐두고 . 이제 왕으로 등극
     하시는 게…….

반인반수 가면 아바타1   됐다, 마! 지금도 왕이나 다름없는데, 구태
     여 거추장스럽게…….

원숭이 가면 아바타   각하! 그래도 대통령은 어쩐지 초라하게 들립니
     다. 그러나, 왕이라면 상황이 달라지죠!

반인반수 가면1아바타   왕이 되면 뭐가 달라지나?

늑대 가면 아바타   이 메타버스의 모든 게 전하의 소유가 되는 것입
     니다.

반인반수 가면 아바타1   지금도 그렇지 않나?

원숭이 가면 아바타   차원이 달라지지요! 이젠 메타시티 연맹 국가는
     왕국이 되는 것입니다. 그리고 각하는 이제 최초로 메타버스의
     왕이 되는 것입니다. (고개를 숙이며) 전하, 왕의 충성스런 백성

들이 전하의 즉위를 기다리고 있습니다.

반인반수 가면 아바타1   왜 메타 시티 시민들은 대통령으로 만족하
            지 않고 절대 군주를 기다리는 거지?

늑대 가면 아바타 그들은 DK 시절에 길들여져 있습니다. 그때 위대하신
            DK도 사실상 왕 노릇을 했죠.

원숭이 가면 아바타   이 우매한 놈들은 끊임없이 충성을 맹세할 우상
            을 찾거나 기다리고 있습니다. 각하는 DK의 환생입니다.

반인반수 가면 아바타1   그렇다면 이 멍청한 시민들은 내가 떠나도
            다시 왕정복고에 매달릴까?

늑대 가면 아바타   두 말하면 잔소립니다!

원숭이 가면 아바타   그들 유전자에는 절대자를 추종하고 받들어 모
            셔야 한다는 코드가 각인되어 있어서 몇 명만 모여도 멧돼지든
            통나무든 왕으로 모시려고 하지요.

반인반수 가면 아바타1   그럼, 나도……. 어흠!

   반인반수 가면 아바타1이 가면을 벗는다. 그의 대머리가 유달리 번쩍
인다.

늑대 가면 아바타 (반인반수 가면 아바타1에게 왕관을 씌우며) 전하, 즉
            위를 감축드립니다. 이젠 온 천하가 전하의 소유입니다.

늑대와 원숭이 가면 아바타 (양팔을 높이 들어 올리며) 만세, 왕이 돌아
            왔다! 메타시티 연맹을 구원할 제왕이 귀환했다!

왕관 쓴 아바타   (그들의 찬사가 거북한 듯이 손을 앞으로 길게 내뻗으
            며) 어흠, 이것도 과히 나쁘지 않군! 그렇다면 이제 그대들도 거
            추장스런 가면을 벗어버리게.

늑대와 원숭이 가면 아바타 둘이 가면을 벗고 별이 달린 군모와 선글라스를 쓴다.

왕관 쓴 아바타   아니, 아직도 자네들은 군모를 갖고 있었나?

군모 쓴 아바타1 저희들은 이게 편합니다. 게다가 모자에 별이 몇 개씩 이나 달려 있으니, 가문의 영광이죠!

왕관 쓴 아바타   하기야 난세의 국가를 건져낸 게 군인들이니 구태여 본색을 숨길 필요는 없지. 그러고 보니 자네들은 우리의 우상인 DK를 코스프레한 것 같군.

군모 쓴 아바타1 역시 각하 아니 전하는 눈치가 빠르십니다. 우리도 이제 더 이상 깡패 같은 행동, 아니 거친 폭력 따위를 쓰지 않고 DK처럼 선정을 베푸는 제스처를 취해야 합니다.

군모 쓴 아바타2 그렇습니다, 전하, 저 가련한 백성들에게 푼돈에 해당하는 포인트 따위만 조금 나눠 줘도 그들은 감지덕지하며 DK처럼 전하의 기념관을 세우고 업적을 길이길이 찬송할 것입니다.

군모 쓴 아바타1 지금 메타시티 연맹의 시민 아바타들은 거름덩이에 똥파리가 몰려 들 듯이 우리가 벌여 놓은 투기판이나 쇼에 미친 듯이 달려들고 있습니다. 전하 같은 성군이 다스리실 것이니 이제 메타시티 왕국은 태평할 것입니다. 그런데 전하, 저희들에게 하사품은 언제 내리시렵니까? 헤헤.

왕관 쓴 아바타   그래? 자넨 어떤 선물을 받고 싶나?

군모 쓴 아바타1 그냥 자리 하나만 주시면 됩니다, 헤헤.

왕관 쓴 아바타   그렇군. 영혼 없는 관료들을 다스리려면 자네 같은 난세의 영웅이 맨 윗자리에 앉아 있어야 하지. 자넨, 국방장관 자리를 내리겠네.

군모 쓴 아바타1 (머리를 조아리며) 황공하옵니다, 전하.

왕관 쓴 아바타 (군모 쓴 아바타2를 보며) 자넨?

군모 쓴 아바타2 헤헤, 저는 좀 더 실속 있는 자리를 원하옵니다, 전하.

왕관 쓴 아바타 돌려 말하지 마라! 우리 군바리들, 아니 우리 무적의 사나이들 사이에서. 그대가 원하는 것은 무엇이든 지금 당장 말하렷다!

군모 쓴 아바타2 건설부 장관입니다, 전하.

왕관 쓴 아바타 그게 왜 실속 있지?

군모 쓴 아바타2 메타시티 연맹, 아니 이 메타버스 왕국의 가상 건물 따위를 관리하다 보면 아무래도 떡고물이 많이 생길 것 같아서…….

왕관 쓴 아바타 오호라, 자넨 머리가 제법 잘 돌아가는군. 그대가 뜻하는 대로 즉시 이루어졌도다!

군모 쓴 아바타1 (다급해 하며) 장군님 아니 각하 아니 전하. 가만히 생각해 보니 제게 다른 자리를 주십시오. 아무래도 국방 장관은 아무런 영양가가 없을 것 같아서…….

왕관 쓴 아바타 허헛, 이런 변덕스런 사람을 봤나. 군수 산업도 황금알을 낳는 노른자 알인데! 그래, 자네가 새로 원하는 게 뭐야? 빨리 말하라! 우리 같은 군인, 아니 사나이들은 솔직한 게 좋아.

군모 쓴 아바타1 기업들을 종처럼 부리고 세금을 마구잡이로 걷어 들이는 상공부 장관입니다.

왕관 쓴 아바타 그래? 상공부장관이 그 일을 모두 할 수 있다고? 세금을 뜯는 일은 국세청장의 업무가 아니던가? 하긴 모로 가든 서울로 가기만 하면 되니까! 아무튼 지금 즉시 그대들의 뜻이 이루어졌도다!

군모 쓴 아바타1,2 성은이 망극하옵니다, 전하!

    무대 왼쪽에서 시민 아바타 두 명과 경찰 모자를 쓴 아바타 세 명이 등장한다. 시민 아바타는 포승줄에 묶여 경찰 모자 아바타들에게 끌려 그들 앞을 지나가며 퇴장한다.

왕관 쓴 아바타   허어, 이 태평스러운 왕국에서 저 무슨 해괴망측한 모습인가?

군모 쓴 아바타1   맑은 물을 유지하기 위해서는 더러운 부유물을 먼저 치워야 하는 법이죠.

군모 쓴 아바타2   위대한 왕의 즉위에는 제물이 필요하기도 하고요.

왕관 쓴 아바타   그런데 저런 놈들이 왜 계속 생겨나는 거지?

군모 쓴 아바타1   재물에 눈이 어둡지 않은 변종 바이러스에 오염된 아바타들이죠.

군모 쓴 아바타2   유식한 말로 해서 버그입니다.

왕관 쓴 아바타   그렇군. 모든 프로그램에는 버그가 있는 법이지, 암. 어쨌든 이 왕국에서 순종하는 자에게는 상을 주고 반항하는 자들은 가혹하게 처리하라!

군모 쓴 아바타1,2 지당하신 말씀이십니다.

왕관 쓴 아바타   이제 첫째도, 둘째도, 셋째도 짐이다. 짐이 곧 나라고 짐의 말이 곧 법이다. 신민들의 안위와 복지는 그 다음이다, 이 말이 무슨 뜻인지 알겠느냐?

군모 쓴 아바타1   그래서 어리석고 가엾은 백성들이 해바라기처럼 전하를 우러러 볼 수 있도록 채비를 갖추었나이다.

왕관 쓴 아바타   호오, 어떻게?

　군모 쓴 아바타1이 손바닥을 마주치자 모니터 문틀을 통해 세 명의 아바타가 점잖은 모습으로 등장한다. 한 아바타는 베레모를 쓴 채 파이프를 들고 있고, 다른 아바타는 끝이 펜대처럼 뾰족한 지팡이를 짚고 있으며 또 다른 아바타는 사각모를 쓴 채 책을 들고 있다.

왕관 쓴 아바타   저 해괴한 모습의 친구들은 또 뭔가?
군모 쓴 아바타1   저리 봬도 저놈들은 입만 살아 있는 정치가들보다는
　　　　　　　　　나은 놈들이죠.
군모 쓴 아바타2   자칭 예술가, 언론인, 지식인들이죠.
왕관 쓴 아바타   아직도 그런 놈팽이 같은 직업이 남아 있단 말인가?
　　　　　　　　잘난 체하고 말 안 듣는 건달 같은 놈들은 모조리 가두거나 군
　　　　　　　　부대로 데리고 가서 본때를 보여주라고 했는데?
군모 쓴 아바타1   저 치들은 충성스러운 개들입니다, 전하.
군모 쓴 아바타2   제가 증명을 해 보이겠습니다!

　군모 쓴 아바타2가 그들에게 다가가 파이프를 뺏고, 지팡이를 발로 차고 책을 빼앗아 내용을 훑어본다. 세 명의 아바타는 당황한 모습이 역력하다.

군모 쓴 아바타2   무엄하다, 전하 앞에서 그런 똥품을 잡고 으스대다니!
　　　　　　　　차렷, 열중 쉬엇!

　세 아바타가 우물쭈물하자 군모 쓴 아바타1이 그들에게 다가가 정

강이를 걷어찬다.

군모 쓴 아바타1   이것들이 군기가 빠져 가지고!
군모 쓴 아바타2   무엄하도다, 여기가 어느 안전이라고 으스대고 걷다니!
군모 쓴 아바타1   차렷, 전하를 향해 경례!

  세 아바타가 거수경례를 붙이며 '충서엉!'이라는 구호를 외친다.

왕관 쓴 아바타   (손을 내리라는 몸짓을 하며) 어허, 여기는 군대가 아니
               라고! 여기는 새로운 왕국이야. 그래, 그대들은 짐을 위해 뭐를
               준비했나?
예술가 아바타   전하는 우리의 태양이십니다.
언론인 아바타   전하는 구국의 영웅이십니다.
지식인 아바타   전하는 역사적인 인물이십니다.
왕관 쓴 아바타   상투적이고 입에 바른 말들이구먼!

  대통령 아바타가 못 마땅한 듯 손을 내저으며 고개를 갸우뚱하자 군
모 아바타1이 다시 그들에게 다가가 정강이를 걷어찬다. 셋이 절룩거린
다.

군모 쓴 아바타1   다시 한 번 기회를 주겠다!
예술가 아바타   전하가 이름을 불러주기 전에는 꽃은 꽃이 아니었습
               니다. 전하의 영도가 있기 전에는 우리는 한낱 들쥐 떼에 불과
               했습니다. 한 의자가 있습니다. 그 의자는 옥좌라고 불립니다.
               우리 중생들은 그 자리에 앉을 분을 단숨에 알아봤습니다.

언론인 아바타   한 시인은 노래했습니다. 한 송이의 국화꽃을 피우기 위해 봄부터 소쩍새는 그렇게 울었듯이 전하의 등장을 위해 / 아주 오래 전부터 시민들은 숱한 노래와 기도를 바쳤습니다. 이제 전하의 모습을 위대한 초상화와 동상으로 만들어서 어리석은 백성들이 우러러보게 할 것입니다.

지식인 아바타   공화제 따위는 개나 줘 버려! 한강을 넓고 깊고 또 맑게 만드신 이여/ 이 나라의 역사의 흐름도 그렇게만 하신 이여/ 이 겨레의 영원한 찬양을 두고두고 받으소서. 우리 후손들은 전하가 만든 새 역사를 두고두고 기릴 겁니다.

왕관 쓴 아바타   (고개를 끄덕이고 나서 손을 앞으로 뻗으며) 됐다, 마!

군모 쓴 아바타1   마음에 드십니까, 전하?

군모 쓴 아바타2   (왕관 쓴 아바타가 고개를 끄덕이는 것을 보고 나서, 세 아바타를 향해) 썩 물러들 가라! 앞으로 더운 분발하라!

예술인, 언론인, 지식인 아바타   예이, 황공무지로소이다!

세 아바타가 절룩거리며 중철의 모니터 문틀을 통해 퇴장한다.

왕관 쓴 아바타와 군모 쓴 아바타들은 대사 없이 관객들을 보고 깔보는 듯한 몸짓을 하다가 거드름을 피우며 중철의 모니터 문틀을 통해 퇴장한다. 잠시 후 그 문틀에서 반인반수(半人半獸) 가면 아바타2가 등장한다. 그는 뿔이 하나만 달려 있다.

반인반수(半人半獸) 가면 아바타2   메타시티 제국의 다음 왕위 세습자는 바로 내가 되겠군, 하하! 이런 상황을 두고 흔히들 손 안 되고 코 푼다고 말하는 거야!

반인반수(半人半獸) 가면 아바타2가 문틀을 통해 퇴장한다.

중철, 마우스를 멈추며 의자에서 일어나 무대 앞으로 나온다.

중철   왕이라고? 맙소사! 어쩌다가 일이 이 지경이 되었나? 회사 측의 우유부단한 조치 때문에 원대한 민주주의의 이상이 한 순간에 물 거품으로 돌아갔어!

    중철이 좌절하고 있을 때 금발에 벽안의 외국인 등장한다.

중철   아, 미스터 지미(Jimmy). 마침내 반란군 아바타들 무리가 그들의 수괴를 왕으로 참칭하는데 회사 측에서 어떤 조치를 취할 생각이 없으신가요?

지미 팀장   (한국말을 잘 못 알아 듣는 듯 어눌한 어조로) 참칭이 무슨 뜻이에요?

중철   반란군들이 왕 놀이를 하고 있다는 거예요.

지미 팀장   그게 무슨 놀이인지 모르지만 간부회의에서는 그 아바타들의 유저들이 사이버 수사대에서 조사를 받고 있으니 우선 지켜보겠다는 방침을 확정지었습니다.

중철   지켜보다니요, 민주주의가 땅바닥으로 곤두박질하고 있는데요?

지미 팀장   곤두박질? 곤두박질이 뭐예요?

중철   (답답한 듯이 가슴팍을 치며)민주주의가 훼손되고 있다는 뜻이에요.

지미 팀장   이중철 대리, 답답해하지 말아요. 우리 사람, 생각이 달라요. 그들보다 적국에서 난리치면 그게 더 위험한 거예요.

중철   적국이라뇨?

지미 팀장   그야 당연히 붉은 제국이죠!

중철   아, 팀장님. 그건 어디까지나 스토리로 설정된 가상의 적이에
          요, 실존하는 적이 아닙니다.

지미 팀장   (어눌한 말투를 바꾸어) 어차피 이 메타버스도 가상의 세
          계이니 그 설정에 따른 규칙을 준수해야 하는 것 아닌가요? 우
          리 회사에서는 급격한 변동으로 인해 가입자가 빠져 나가는 것
          을 원하지 않아요. 이제 각 도시 시민 아바타들은 게임이나 공
          연에 몰두하고 있고, 연맹의 가상 건물과 NFT 등에 경쟁적으로
          투자하고 있어요.

중철   (어안이 벙벙해져서) 왜, 왜 갑자기 한국말을 잘 하시죠?

지미 팀장   우리 사람, 돈과 실적과 권력에 관한 말이라면 여느 나라
          말도 능통하답니다. 이제 우리는 곧 인간의 원초적 욕망이 지배
          하는 메타버스를 보게 될 것입니다. 그게 바로 자본주의의 정수
          죠. 이 대리님, Can You speak English? 이제부터 회사 내에
          서는 영어로 소통해요. 촌스런 한국말은 사랑 타령이나 욕하는
          데나 사용하고. (퇴장)

중철   아, 가상 세계에서 정의와 민주주의를 구현하려는 내 꿈은 이대
          로 허무하게 무너져야 하는가?

     중철이 고개를 숙이고 나서 왼쪽 무대 어두워지고 오른쪽 무대의 중
재 방이 밝아진다.
     중재 모니터 문틀 뒤에 왕관 쓴 아바타와 군모 쓴 아바타들이 지나간
다.

중재   산 넘어 산이군! 이제 난 어떡하지?

　　그때 갑자기 객석 뒤쪽 문이 열린다. 거기에서 넥타이를 찬 아바타 셋이 나타나 객석 통로로 달려가 무대 위로 올라간다.

넥타이 아바타들   민주주의 만세! 우리에게 자유를 달라!
넥타이 아바타1   더 이상 두고 볼 수는 없어! 반란군의 수괴가 왕이라 니?
넥타이 아바타2   그래, 지금은 전제군주 시대가 아니야. 우린 불상한 백성이 아니고 어엿한 공화국의 시민들이라고!
넥타이 아바타3   빛의 도시에서 민주주의를 위해 수많은 아바타들이 희생되었다는 사실을 우린 잊어서는 안 돼!
넥타이 아바타들   (폴 엘뤼아르의 시, '자유'를 돌아가면서 낭독한다. 또 는 김지하 시인의 '타는 목마름으로'를 노래할 수도 있다. 상황 에 따라 일부분만 낭독하거나 노래할 수 있다.)

　　황금빛 조각상 위에
　　병사들의 무기 위에
　　왕들의 왕관 위에
　　나는 너의 이름을 쓴다.

　　밤의 경이로움 위에
　　일상의 흰 빵 위에
　　약혼 시절 위에
　　나는 너의 이름을 쓴다.

잠에서 깨어난 오솔길 위에
뻗어 나간 큰길 위에
넘쳐 나는 광장 위에
나는 너의 이름을 쓴다.

욕망 없는 부재 위에
헐벗은 고독 위에
죽음의 계단 위에
나는 너의 이름을 쓴다.

되찾은 건강 위에
사라진 위험 위에
기억 없는 희망 위에
나는 너의 이름을 쓴다.

그 한마디 말의 힘으로
나는 내 삶을 다시 시작한다.
나는 너를 알기 위해 태어났다.
너의 이름을 말하기 위해.

자유여.

그들이 낭독을 마치자 다시 객석 뒤편의 출입구가 열리고 최루탄이 장전된 총과 방망이를 든 경찰 모자 아바타 셋이 등장한다. 이 장면은 87년 6월 항쟁을 상징화한 것이다.

경찰 모자 아바타들 (객석 통로를 달려가며) 저놈들 잡아라!

경찰 모자 아바타들이 무대로 올라가자 당황한 넥타이 아바타들이 구석으로 몰리며 대치한다. 이윽고 경찰 모자 아바타1이 최루탄을 발사한다. 총소리와 함께 연기가 무대에 가득하다. 연기 속에서 넥타이 아바타1이 쓰러지는 모습이 보인다. 넥타이 아바타2,3이 쓰러진 넥타이 아바타1을 껴안는다. 그들은 양쪽으로 흩어져 중철과 중재의 모니터 문틀을 통해 퇴장한다.

중재 뭐야? 새로운 아바타는 다치거나 죽지 않는다고 했는데……. (벌떡 일어나며) 형에게 물어봐야겠다. (전화를 건다.)

중철 (전화를 받으며) 아, 중재야. 나도 방금 그 장면을 봤어. 아직 방어 모듈이 적용되지 않은 아바타가 남아 있는가 봐. 그 아바타들은 여전히 외부 자극에 민감하게 반응하고 있어.

중재 근데 한 아바타는 아무래도 죽은 거 같아. 지난번처럼 혀 모양의 검은 잎으로 변했어.

중철 왜 이런 일이 반복되는 건지…….

중재 형, 근데 왜 형의 회사 측에서는 반란군 주모자들을 색출했다고 했는데 왜 그들의 아바타들은 그대로 방치한 거야? 그거 알아? 지금 DK후예들의 아바타 유저들이 대폭 교체되고 있다는 걸.

중철 뭐야, 그럼 현새 왕 놀이를 하고 있는 그 아바타를 다른 유저가 운용하고 있다는 거야?

중재 그래, 그들의 후계자가 서로 될려고 줄을 설 정도야. 이전 아바타가 지닌 부와 권력이 대물림되는 거지.

중철 말도 안 돼, 이 가상공간은 현실의 대한민국이 아니야, 엄연한 메타버스 안이라고.

중재 유저(user)들이 한국 사람이라는 걸 잊었어?

중철 아무리 그래도 이곳은 가상공간인데……. 근데 넌 지금 뭐하냐? 큰 강의 도시보다는 빛의 도시에서 더 저항해야 하는 거 아냐? 지난번에 회사 측에서 빛의 도시에서 죽거나 부상당한 아바타 유저들에게 상당한 포인트와 함께 새로운 아바타 생성 권한을 부여해 주었잖아?

중재 글쎄 빛의 도시에서도 일부 아바타들이 나서서 시위를 하고 있긴 하지만……. 여긴 그럴듯한 기업체가 없어서 그런지, 이른바 넥타이 부대가 없지.

중철 회사 측에서는 급격한 변화를 원하지 않은 것 같아. DK후예들을 지지하는 세력도 만만치 않다고 여기고 있어.

중재 회사가 그렇게 소극적인데 우리들이 시위한다고 달라질 게 있을까? 더욱이 DK 세력들이 이미 확보한 자본 그리고 그것의 후계 구도가 공고하게 굳어지는 마당에?

중철 야, 이중재! 무슨 소리를 하는 거야? 너, 아니, 네 아바타는 한때 빛의 도시에서 영웅이었잖아?

중재 영웅은 무슨…….

중철 네가 앞장서서 빛의 도시에 흩어져 있는 검은 잎들을 한 군데 모아 거대한 나무로 만들었고 빛의 캐슬을 민주화의 성역으로 지정했잖아? 우리 회사가 어떤 조치를 취하든 말든 간에 너는 현재 메타시티 연맹에서 일어나고 있는 민주주의 말살 행위를 최대한 저지해야 하는 의무가 있다고!

중재 글쎄, 뭔가 해 보긴 하겠지만……. 근데 이놈의 베타버전은 언제 끝나는 거야?

중철 정식 버전 준비가 거의 다 됐어. 그렇게 되면 선거가 다시 시작 하면 그놈들의 왕 놀음은 끝나는 거지.

중재 형, 그런데 베타버전의 포인트나 가상 화폐 등이 정식 버전으로 이양되는 거 확실하지?

중철 갑자기 웬 엉뚱한 소리야? 시스템을 셧다운하는 조치 따위는 취하지 않는다고 하니, 그게 유지는 되겠지. 너, 혹시 그 가상 건물이나 화폐 투자 열풍에 휩쓸렸어?

중재 그냥 해 본 소리야. 나, 바쁘니까 전화 끊을게.

중철 아니, 끊지 마. 중재야, 중재야! (뚜뚜, 하는 전화기 신호만 듣고 는) 민주화에 대한 불꽃이 이렇게 쉽게 꺼져 버리면 안 되는데, 안 되는데!

무대 어두워지며 87년 6월 항쟁 당시의 모습이 담긴 흑백 영상이 상영되는데 배경음악으로는 김민기의 '아침 이슬'이 흐른다.

막

제 4 막

제4막 1장

광주 망월동 묘역.

임을 위한 행진곡이 울려 퍼진다.

중철, 탁재용 영정을 들고 있다가 평장묘의 묘비 앞에 놓는다.

그 주변에 중재, 나이든 정혜와 정미 부부가 고개를 숙이고 있다.

그들 뒤로 중철의 친구 셋과 부상자회 회원들과 탁재용의 고향 친구 등이 서 있다. 무대 뒤 편에는 '근조, 5.18 민중항쟁의 투사, 탁재용의 영면을 빕니다'라는 플래카드가 걸려 있다.

부상자회 회원1   참으로 원통하네. 그 두 대통령 놈들도 천수를 누리고 갔는데!

부상자회 회원2   그러게. 우리 재용이 형님도 족히 10년은 더 살 수 있었는데.

부상자회 회원3   글쎄, 요즘 동지들이 저승에 있는 그놈들을 기어이 처단한다고 앞서거니 뒤서거니 떠나가네.

고향 친구   아실런가 모르시겠지만, 재용이는 장사였어요. 우리 동네뿐 아니라 주변 마을의 씨름대회를 싹쓸이할 정도였지요. 목포 부둣가에서도 힘이 좋은 일꾼으로 유명세를 떨쳤지요.

부상자회 회원1   공수부대원들에게 잔인하게 맞지만 않았어도……

부상자회 회원2   나도 그때 전남대 병원에 누워 있으면서 들었는데, 의사 말로는 그렇게 무차별적으로 몽둥이찜질과 발길질을 당하고서도 살아있는 것만도 기적이라고 하더라니까!

중재, 자기 친구 중 하나의 전화기를 건네받는다.

중재   예? 예, 알겠습니다. 대표님. 외할아버지 장례 치르고 곧바로 올
        라가겠습니다.

중재, 전화기를 든 채 통화하며 제 친구 셋과 함께 무대 뒤로 퇴장한다.

중철   (퇴장하는 중재 쪽을 바라보며) 어디 가? 요즘 아무래도 쟤
        가…….

중재와 그의 친구들이 사라진 쪽에서 흰 머리를 산발한 정숙 등장. 손
에는 '민주주의 수호'라고 쓰인 스카프가 들려 있다.

정숙   아무리 돌아다녀도 봉기 씨가 보이질 않아!
정혜   (한숨을 내쉬며) 언니!

중철이 장례객들을 배웅하느라 그들과 함께 퇴장한다. 정혜와 정미는
무대에 남아 장례도구를 정리한다.

정숙   애들아, 정혜야, 봉기 씨 오지 않았지?
정혜   언니! 이제 그만해. 집에 가서 좀 쉬자, 응? 오늘은 아버지를
        보내드리는 날이잖아, 제발, 언니, 이제 좀 쉬어. 언닌 몸이 아
        프잖아?
정숙   (객석을 보고) 여러분, 여러분도 제가 아프다고 생각해요? 난
        아프지 않아요. 다만 그이를 찾고 있을 뿐이에요. 생각해 보세

요. 그이는 나하고 손을 잡고 총을 반납하러 도청까지 함께 갔어요. 그로부터 이틀도 되지 않아 그이는 어디론가 감쪽같이 사라졌지 뭐예요. 그런데 제가 가만히 앉아 있겠어요? 그때부터 온 광주 바닥을 헤매고 다니며 그이를 찾았는데도 왜 지금까지 나타나지 않는 거예요? 그이의 어머니와 함께 온 천지를 다 헤매고 돌아다녔는데도 도무지 그이를 찾을 수 없었어요.

생각나나요, 봉기씨! 우리가 걷던 시내의 회화나무 가로수 길, 귀가 시리도록 들었던 광주천의 물소리, 남들 보란 듯이 손을 잡고 드나들었던 극장들……. 생각나나요, 봉기씨. 우리가 서방 시장에서 찐빵과 만두를 사서 담양 장날에 갔던 때가? 아직도 눈에 선해요, 우거져서 가지가 쳐진 관방정 후조나무 길이! 당신은 장터에서 산 대나무로 만든 브로치를 사서 제게 선물해 주었지요.

생각나나요, 봉기씨. 운천 저수지에서 흔들흔들 보트를 타다 버드나무 가지가 얼굴들을 때리자 우린 미친 듯이 깔깔거렸죠.

봉기 씨, 생각나나요, 양동 시장에 가서 신접살림에 쓸 베개와 이불을 사 들고 나오다가, 장차 태어날 아기 옷까지 한두 벌 샀잖아요? 우린 신혼살림 방을 꾸미느라 틈만 나면 시간을 내어 만났지요. 제주도 신혼 여행지를 두고 우린 말다툼까지 했잖아요?

사랑하는 봉기씨, 생각나지요, 분명히? 그때 우리가 가는 곳마다 어디선가 아카시아 꽃향기가 흘러나와 우리를 둘러쌌고 사람들은 저의 볼을 보고는 장미 꽃봉오리 같다며 예뻐해 주셨지요. 봉기 씨를 두고 친구들은 놀려댔지요, 지가 마치 임금의 부마라도 되는 양 뻐긴다고 말이예요. 이제 결혼식만 올리면 모든 게 완벽했어요. 모든 게! 아아, 모든 게 어제처럼 선명해요. 그 행복한 꽃길을 앞에 두고 봉기 씨는 도대체 어디에 계시나요?
그래요. 이건 분명 꿈이지요?

　　정혜와 정미는 계속 장례용품을 치우고 있는데 정숙의 눈에 정봉기를
닮은 혼령이 나타난다. 총을 멘 정봉기 등장했다가 퇴장한다.

정숙　　아, 거기 있군요. 봉기 씨, 제가 옳았어요! 당신을 만날까 하고
　　　　오늘은 병원에서 준 약을 먹지 않았는데 여지없이 당신이 나타
　　　　나는군요. 당신에 대해 세상 사람들이 이러쿵저러쿵 말을 해도
　　　　나는 믿지 않아요. 봉기 씨, 이젠 우리 결혼식을 올리고 행복하
　　　　게 살아요. 우리, 아이들 낳고 알콩달콩 살아요. 천 년 만 년
　　　　검은 머리가 파뿌리 될 때까지 우리 행복하게 살아요. 봉기 씨
　　　　가 호텔 주방장이 되고 제가 조금만 더 공장에 다니면 우리 아
　　　　이들은 더 좋은 집에서 살 수 있을 거예요. 봉기 씨, 총은 빨리
　　　　줘 버리고 와요. 그깟 계엄군이 우리 행복을 방해할 순 없어요.
　　　　봉기 씬 우리집 안 지켜도 되요. 우리 아버진 힘이 장사거든요.
　　　　어디 가요? 봉기 씨. 이리 와요, 혼자 가지 말고 저하고 함께
　　　　가요. 난 오월의 신부가 될 거예요. 장미꽃처럼 아름다운 신부
　　　　복을 입고 화려하게 뽐낼 거예요, 사랑하는 봉기 씨!

정봉기(목소리) 오오, 정숙씨. 왜 그리 슬퍼하고 있어요? 저, 여기 있잖아
　　　　요? 이리 와요. 이제 우리 결혼 준비는 다 됐어요. 식만 몰리면
　　　　돼요. 담양 어머니와 친구들도 결혼식장에 오기로 했어요. 신혼
　　　　여행 갈 제주도 호텔도 예약됐어요. 신방 장판도 새로 깔고 새
　　　　로 도배도 끝났어요. 우리 앞날에 꽃길만 남아 있지요. 그러니
　　　　정숙 씨가 슬퍼할 이유가 없잖아요? 나는 멀쩡해요. 비록 내 몸

뚱이를 보지 못하는 게 조금 안타깝지만. 정숙 씨 알다시피 나는 결혼식 올릴 채비를 완벽하게 갖췄어요. 양복도 새로 맞추었고 구두 한 켤레도 불광을 번쩍번쩍 내서 내 방 윗목에 신문지를 깔아 모셔 두었지요. 사랑하는 정숙 씨, 모두 기다리고 있어요. 우리 어머니도 와 계시고 방금 도착하신 정숙 씨 아버지도 신부를 데리고 입장하려고 식장 입구에 서 계세요. 우리의 결혼을 축하기 위해 내가 잘 모르는 하객들도 왔어요. 그날 금남로에 모여 있던 광주 시민들이 모두 와 계신 것 같아요. 정숙 씨, 빨리 와요. 그리고 사람들이 많아 몰라 볼 수 있으니 내 스카프를 목에 단단히 메고 와요. 저어기 '5.18 영령 추모'라고 써진 플래카드 보이지요? 그것이 걸려 있는 나무 아래에 플래카드를 걸고 남은 끈이 있을 거예요. 그걸 나무에 매달고 그 스카프를 단단히 묶어요. 그럼 준비가 다 된 거예요. 눈만 감으면 이곳에 올 수 있어요. 여기에 면사포와 신부복이 다 준비되어 있어요. 정숙 씨, 아무 걱정하지 말고 와요. 더 이상 슬픔이나 고통은 없어요. 우리 천년만년 행복하게 살아요.

정숙이 정봉기 혼령을 따라가며 퇴장하자 정혜가 좇으려다 말고 객석을 바라보고 한숨을 내쉬며 말한다. 이 대사는 변형하거나 일부분만 말할 수 있다.

정혜 아이고오, 이젠 아버지도 이 세싱에 안 계시는데, 어떡해! 언니를 어떻게 내가 혼자 돌봐야 하는거야! 아이고오, 내 신세야! (잠시 멈췄다가 허공을 바라보며 한숨을 내쉬며) 정말 5분도 채 안 됐을 거예요! 대학생처럼 보이는 장발의 청년을 쫓아 공수부대 하사관 세 명이 우리집에 들어왔다가 대문을 나간 시간은 정말 5분도 안 걸렸을 거예요. 그 공수부대원 세 명의 몽둥이질과 발길질에 당한 아버지는 두개골이 함몰되고 늑골과 갈비뼈들이 부러지고 콩팥이 파열되었어요. 기골이 장대하고 힘이 장사였던 아버지는 이후 거의 1년간 병원을 오가며 치료하느라 아무런 일을 하지 못하셨지요. 어머니도 그 공수부대원 (아아, 저는 그 사람의 인상착의와 성 씨를 분명히 기억하고 있어요!)의 발길질에 갈비뼈가 세 개 나가서 한동안 병원 신세를 졌어요. 하루아침에 우리 가족은 배터리공장에 다니는 정숙 언니의 벌이로만 연명하게 되었지요. 그때 혼례를 며칠 앞둔 정숙 언니는 겨우 스물 한 살이었지요. 아버지가 그리 되시니 결혼식은 제때 올리지 못하고 제 형부가 될 사람은 꽃 대신에 우리 가족을 지킨다고 총을 들었다가 수습위원회에 그것을 갖다 주고 나서 어디론가 사라졌어요. 정숙 언니는 그 형부 될 사람을 찾는다고 회사를 건성으로 다니며 사방 천지를 헤맸고요. 아아, 그 뒤의 세월을 말로 어떻게 표현하겠어요. 아버지는 부상 후유증으로 그나마 벌이가 좋았던 노동 현장을 못 나가시고, 창고 경비원 등의 일자리를 전전하시게 되었고, 어머니는 심장병을 심하게 앓으시면서까지 토끼탕 음식점의 허드렛일을 하셨는데 그마저도 오래 지속하지 못하시고 시름시름 앓다가 제가 5.18 부상자회 회원 동생에게 시집가기 전에 돌아가셨죠. 물론 저는 집안 형편 때문에 여상고로 진학을 포기하고 당시 임동에 있는 방직공장에 취업했었지요. 한참을 지난 뒤에서야 막내 정미는 겨우 상업고등학교를 졸업할 수 있었는데 그 동생은 시집가고 난 후 광주가 무섭다고 줄곧 전남의 시골에서만 살고 있어요. 정숙 언니의 형부 될 사람은 자신의 친어머니께서 돌아가실 때도 나타나지 않았어요. 방금 여러분이 봤다시피 그 5월의 신부가 되었을 정숙 언니는 여전히 정신병원과 겨우 입에나 풀칠하는 일자리를 오가며 머리가 파뿌리가 되어가고 있구요. (한숨을 내쉬며) 아아, 그날이 없었다면, 우리가 세 들어 사는 그 집 마당에 장발 청년이 뛰어들지 않았다면, 그리고 그를 쫓아 그 세 명의 계엄군들이 대문을 통해 들어와 마루에 올라서지 않았더라면! 아아, 우리 가족은 단 5분만에 40년 동안 저 깊은 나락으로 떨어져 버린 거예요!

정혜가 대사를 끝낸다. 그녀가 다시 정미와 함께 장례도구를 챙기고 있을 때 중철이 헐레벌떡 등장한다. 그의 손에는 정숙이 들고 있던 스카프가 들려 있다.

중철   엄마, 큰일 났어요! 큰이모가 목을 매 달았어요!

정혜가 바닥에 털썩 주저앉는다. 정미는 중철이 온 쪽을 향해 부리나케 뛰어가며 퇴장한다. 중철은 '민주주의 수호'라고 쓰인 스카프를 던진 채 어머니에게 달려든다.
임을 위한 행진곡이 느리고 애잔한 가락으로 들리고 망월동 묘역의 영상을 보여준다.
연출자의 의도에 따라 4막에서 연극을 끝낼 수도 있다.

막

제 5 막

5막 1장

중철의 사무실. 중철이 모니터에 해당하는 문틀을 앞에 두고 작업하고 있다. 외국인 지미(Jimmy) 팀장이 그에게 다가온다.

지미 팀장   이 대리님, 선거가 잘 진행되고 있나요?

중철   (고개를 돌리며) 예, 잘 진행되고 있습니다.

지미 팀장   명심하세요. 회사 관리자들은 메타버스 내 선거에 개입하면 안 된다는 것을! 정식 버전에서 처음 실시하는 선거라 온, 오프라인 할 것 없이 세간의 이목이 선거 결과에 집중되고 있어요. 혹시라도 부정 선거 시비가 있게 되면 끝장이에요!

중철   잘 알고 있습니다.

지미 팀장이 퇴장하자 다른 직원이 등장한다. 그가 손가락으로 출입문을 가리키며 중철에게 말을 건넨다. 중철이 일어나서 출입문 밖으로 나간다.
중재와 그 또래의 양복쟁이 두 명이 등장한다. 중재의 손에는 보따리가 들려 있다.

중재   (못마땅한 듯이) 내가 서울 간다고 하니 엄마가 형에게 김치 갖다 주라고 하더군. 엄마는 형밖에 몰라!

중철   그렇지 않아도 너를 만나려고 했는데 잘 왔다. 요즘 내 전화도 통 받지 않고 말이야.

중재　　바쁜 일이 있었어.

중철　　(주위를 돌아다보며) 왜 메타버스 선거판에 너와 너희 그룹이
　　　　통 안 보이냐?

중재　　바쁘다고 했잖아? 그리고 어차피 내가 나서도 안 돼. DK 후예
　　　　를 표방하는 후보는 단일 후보인데 반해 빛의 도시 정신을 이어
　　　　받겠다는 후보들은 서로들 잘났다고 난립해 있는 마당에.

중철　　그러니 너라도 나서야지. 넌 여전히 메타시티연맹에서 유명 인
　　　　플루언서잖아?

중재　　메타버스는 그냥 가상 세계일 뿐이야. 현실 세계가 아니라고!

중철　　뭐라고! 너, 그게…….

　입을 다물지 못하는 중철에게 중재는 보따리를 건네주고 돌아서려고
한다. 중철은 받은 보따리를 내려놓고 중재를 데리고 무대 가운데로 나
선다. 중재와 함께 온 젊은 양복쟁이들은 멀찌감치 전화 통화하거나 휴
대폰에 열중하고 있다.

중철　　(중재를 위 아래로 훑어보며) 야, 지난번에 티비에서 광주 이대
　　　　남들이 기자회견하는 장면에 꼭 너 같은 애가 마스크 쓰고 서
　　　　있었는데, 그게 혹시 너…….

중재　　그렇게 보였다면 아마 그게 맞을 거야.

중철　　너, 그러면 이대남?

중재　　그래, 내가 우리 지역 대표야.

중철　　그럼, 여기 올라오게 된 것은…….

중재　　내일, 여기서도 기자회견이 있어.

중철　　야, 이중재! 어떻게 그럴 수 있니? 너희 이대남들이 미는 후보
　　　　는 광주의 정신과 맞지 않는 정당의 후보라고!

중재　그게 무슨 말이야? 그렇게 단정적으로 편을 가르지 마. 그 후보가 망월동 묘역을 참배하려고 했을 때 막은 사람들은 광주 사람들이었잖아?

중철　그는 민주화 투쟁과 아무 관련이 없는 사람이야. 너는 메타버스 내 빛의 도시에서 유명한 민주화 투사이고!

중재　형, 가상공간과 현실 세계를 혼동하지 마! 그것도 베타 버전에서의 지나간 사건을 가지고 말이야. 현재 메타시티 정식 버전에서 어떤 일이 벌어지고 있는지 형도 알 게 아냐? 시민 아바타들은 모두 자본을 축적하려거나 거저 주는 감각적 놀이에 빠져 있어. 자본에 여력이 있는 아바타들은 형의 회사 측에서 새롭게 만든 가상 건물을 선점하려고 몰려들거나, 앞 다퉈 예술 작품의 NFT나 유통 코인에 대규모로 투기하고 있어. 그럴 능력이 안 되는 아바타들은 게임이나 쇼핑으로 소일하거나 드라마나 가수의 홀로그램 쇼 등에 몰입하고 있는 실정이야. 그러니 그 안에서 이루어지는 연방 대통령 선거는 뒷전으로 밀릴 수밖에. 그런 와중에 내가 할 수 있는 게 뭐가 있겠어?

중철　넌 메타버스 내에서 너에게 부여된 소임을 방기하고 있어! 게다가 세월호 생각 안 나냐? 이 형이 그 사고 때문에 고등학교 때 수학여행도 못 간 거……

중재　그게 지금 현실의 대통령 선거와 무슨 상관이야?

중철　민주화를 이룩하는 데 아무런 고통을 겪지 않은 무리들이 정권을 잡게 되면 그들은 국민의 안위보다는 자신들의 권력놀음에만 집착할 거야. 또 다시 대형 사고가 일어나지 않으리란 법이 있냐?

중재　말도 안 되는 소리, 하지 마! 마치 형은 자신이 민주화의 오랜 과정을 거친 정치인처럼 얘기하는군. 사람들이 보기엔 형도 나처럼 단지 세상 사람들이 말하는 MZ세대에 불과해. 현실을 직시해! 그리고 메타시티 연맹 안에서 내 역할은 지나갔어. 적어도 난 과거에 발목 잡힌 삶을 살기 싫어. 그게 온라인이든 오프라인이든 마찬가지야. 우리는 코앞에 놓인 삶도 헤쳐 나가기엔 벅차단 말이야. 형도 과거의 이데올로기로 젊은 세대를 희생시켰던 기성세대의 행태를 되풀이하지 마!

중철   내가 기성세대처럼 군다고? 네 말대로 나도 이제 겨우 30대 초반이야! 내가 너에게 요구하는 것은 딱 하나야, 너의 정체성을 잃지 말고 행동하라는 거!

중재   내가 언제까지 형에게 내 정체성을 강요받아야 돼? 나는 내 자신의 미래를 위해 움직일 수 있는 권리가 있어! 나, 바빠서 더 이상 형과 논쟁할 시간도 생각도 없어.

     중재, 휙 돌아서서 또래 양복쟁이들에게로 간다. 중철이 쫓아가며 팔을 붙들지만 중재는 뿌리치고 나간다. 중재 일행 퇴장한다.

중철   중재야, 멈춰 봐. 그건 안 돼, 그 길을 우리가 갈 길이 아니라고! (부르짖듯이) 그건 옳지 않아, 네 선택과 행동은 옳지 않다고!

     무대, 어두워진다.

5막 2장

서울 용산의 한 거리.
양복을 입은 중재와 역시 양복을 입은 이대남 세 명이 등장한다.

중재　　보라, 우리가 마침내 일을 이루었도다.
우리는 마침내 황무지에 새 길을 내었다.
세상의 모든 이대남(二代男)들이여,
이제 잔뜩 움츠린 어깨를 펴라.
더 이상 꼰대들과 페미니스트들의 눈치를 보지 마라.
우리가 권력을 쥐었도다!
불임의 도시, 무덤과 추모비로만 가득찬 도시들에서
우리는 신세계를 위한 불씨를 되살렸다.
들리는가, 무한히 견고하게만 보였던
이대남에 대한 공격을 멈추지 않았던 성들이 무너지는 소리가!
군대와 학교에서 갖은 수난을 당했던 우리가
사소한 농담 부스러기로 성폭력의 칼날을 빚기에만 바쁜 이들을 왜
　　두려워해야 하는가?
우리는 대양의 거친 파도처럼 그들의 낡은 배를 단숨에 삼켜버릴 것
　　이다.
우리는 거대한 날개로 창공을 힘차게 가를 것이다.
그들이 저 낮은 곳에서 이를 갈고 있을 때.

중재와 이대남들1,2,3   이대남이여, 이 시대의 진정한 영웅들이여!

역사가 기억하리, 그대들의 불굴의 투지와 용기를!

이대남이여, 영원하라!

이대남1   근데, 대장. 우리 대표와 대통령 사이가 삐끗한 게 사실이야?

중재   그런 것 같아, 아무래도 대통령이 뭔가 착각하고 있는 게야. 모든 성공에는 잡음 같은 논공행상이 따르는 법이지만.

이대남2   잡음 정도가 아니라 천지를 울리는 굉음에 가까운 것 같던데.

이대남3   그래, 대장. 이러다간 우리도 낙동강 오리알 신세가 되는 거 아냐?

이대남1   이미 됐어. 이젠 대표가 용산에 올 필요가 없다고 말하는 걸 보니.

중재   왜들 갑자기 물에 빠진 생쥐처럼 떨고 있는 거야? 만약 대통령 당선자가 우리 대표를 헌신짝처럼 내팽겨쳤다간 그만한 대가를 치르게 될 걸. 제 스스로의 힘에 취한 권력은 의외로 나약하다는 걸 역사가 증명해.

이대남1   역사가 증명할 때까지 우린 뭐하지?

중재   니들 왜 이래? 너희들 나를 못 믿는 거야? 우린 비록 현실에서 영끌은 못했지만 메타버스에서의 투자는 상당한 성과를 거두고 있잖아? 베타버전 때 투자해 놓았던 게 정식 버전에서도 그대로 승계가 되었어. 우린 그나마 온라인에선 잘 나가고 있는 거야.

이대남2   메타시티 연맹의 정식 버전에서도 DK 후예를 자칭하는 세력들이 선거에서 이길 거라고 하던데?

중재   누가 가상공간의 우두머리가 되는 게 중요하지 않아. 그건 아바타끼리의 놀음에 불과해. 영원불변한 것은 다른 데 있지.

이대남3   그게 뭔데? 설마 부동산이나 코인은 아니겠지, 대장?

중재	글쎄 두고 보면 무엇이 이 세상을 지배하고 있는지 알게 돼. 자아, 친구들, 심약한 논쟁은 그만 하세. 우리가 몇 차례 정권 인수위원회에 참여하니 마니, 하면서 서울에는 뻔질나게 왔지만 정작 이곳 젊은이들의 문화는 접해 보지 못했지. 이번에 마지막 상경 여비도 두둑이 받았으니 한판 놀아볼까? 어디가 좋지?
이대남1	젊음이라면 역시 홍대 앞이지.
이대남2	핼러윈 축제가 있는 이태원도 있지.
이대남3	한 소셜 미디어에서 봤는데 거기 회원들이 이태원에서 메타시티에 등장하는 아바타 복장들을 하고 행진할 예정이라던데?
중재	그래? 그거 구미가 당기는 소식이군. 일단 이 근처 어디서 요기 좀 하고 놀러갈 장소를 결정해 보세.

이대남1,2,3이 퇴장한다. 중재는 퇴장하다가 멈춘다. 그는 돌아서서 객석을 향해 말한다.

중재	왠지 무언가에 속은 느낌이 들어. 우리 대표는 나를 일부러 피하고 멀리 돌아다니며 언론플레이만 하고 있고. 내가 저 친구들에게 둘러대는 것도 한계가 있어. 게다가 내가 알기론 저 친구들 중 한 명은 내색은 안 했지만 이미 부모 돈으로 영끌 투자를 했어. 투자 규모에 있어서 천지 차이지만 우리 모두 코인에도 손댔는데…… (큰소리로) 도대체 대통령 당신은 우리에게 무엇을 해 줄 수 있는 거야? 당신의 당선을 위해 온몸으로 뛰었던 우리 이대남에게! 벌써 권력이라는 아편에 취했는가요? 설마 당신은 우리가 모두 소시오 패스처럼 되는 것을 바라지는 않겠지요? 이렇게 우릴 팽개친다면, 우린 어디로 가라고! (퇴장)

5막 3장

수원(동탄)의 한 술집.
요란한 비트음과 함께 래퍼 지코(ZICO)의 믹스 음악이 흐르고 있다.
세 개의 탁자가 보인다. .
한 탁자에 세 명의 젊은 직장인들이 앉아서 술을 마시고 있고 그 옆에 있는 탁자에 중철이 혼자 앉아서 마시고 있다. 젊은 직장인들은 가슴에 'MZ'라고 쓰인 커다란 목걸이 명찰을 차고 있다. 음악 소리가 잦아진다.

중철   (술잔을 탁자에 거칠게 놓으며 관객을 바라보며 독백) 뭐야? 죽써서 개 준 셈이네! 진보는 분열로 망한다더니 어떻게 여러 후보들이 난립하여 결국 DK후예를 자처하는 후보가 당선되게 만들 수 있단 말인가? 이젠 이곳에선 정의와 참된 민주주의 이념은 사라지고 돈과 쾌락의 축제만 시작되겠군. (큰소리로) 돈과 쾌락이 지배하는 세상이여!

중철이 비장하게 술을 따라 마시지만. 옆 자리의 MZ 세대 직장인들은 잔뜩 들뜬 표정으로 서로들 잔을 부딪힌다.

MZ직장인들   건배! 우리가 승리했어.
MZ직장인1   부동산의 승리야!
MZ직장인2   서울의 아파트는 불패야!

MZ직장인3   코인이여, 영원하라, 위대한 영끌의 자손들이여!

MZ직장인1   이제 우리가 선택한 대통령이 우리 재산을 잘 지켜주는 조
           치를 취하는 것만 지켜보면 되겠지?

MZ직장인2   물론이지. 만약 낙선한 후보가 당선되었더라면 우린 본전
           도 못 찾고 빚더미 위에 눌러 앉게 되었을 거야.

MZ직장인3   암, 무주택자에게 저렴한 주거 공간을 마련한다는 자신의
           발상이 얼마나 시대착오적이란 걸 깨달았을 거야!

MZ직장인1   근데, 자넨 자가용 안 바꾸나? 아파트만 있다고 한국 여자
           들이 쉽게 달려들겠어? 최소한 나처럼 억대 외제차는 굴리고
           다녀야 혼인발이 서지.

MZ직장인2   원룸에서 24평 아파트로 옮기는 데도 3억이나 빚냈는데,
           또?

MZ직장인3   허참, 자네가 그러니 서른둘이 넘도록 결혼을 못하는 거지.
           한국 여자들의 눈높이를 모르는군. 그들의 머릿속은 온통 드라
           마 속 남자 주인공을 배우자감으로 가득 찼어. 미남에 건장한
           체격, 재벌 2세나 3세, 신비한 출생의 비밀, 억대의 외제 승용
           차, 명품 의류와 가방 등등.

MZ직장인2   자네들이 그런 조건을 모두 갖춰서 결혼한 건 아니잖아?

MZ직장인1   무슨 소리야? 난 그런 비슷한 조건을 갖추려고 빚을 5억이
           나 냈어. 지금 내가 코인 투자에 매달리고 있는 거 안 보여?

MZ직장인3   (MZ직장인2에게)난, 그 정도는 아니지만 내 빚도 상당해.
           어쨌든 나는 미남이라는 강점을 지니고 있었기에 겨우 결혼에
           골인할 수 있었지. 하하.

MZ직장인2   (MZ직장인3에게) 자네가 미남이라니 지나가는 소가 웃겠
           군.

MZ직장인3   (MZ직장인2에게) 이봐, 자넨 결혼 적령기를 넘기고 있어.

부지런히 머리카락을 앞으로 넘겨 감추고 있지만 앞이마가 벗
겨지고 있는 걸 감출 수는 없어.

MZ직장인1　　가소롭군. 나를 두고 서로 미남 여부를 다투다니!

MZ직장인2,3　자넨 얼굴 성형했잖아?

　　그들이 옥신각신하고 있는 사이 중철은 다시 술을 벌컥 마시고 잔을
탁자에 소리를 내며 놓는다. MZ직장인들이 그 소리에 놀라 중철을 바
라본다.

MZ직장인1　　(자세를 낮추고 다른 MZ직장인들만 들으라는 듯이) 저 친
　　　　　　구, 아까부터 왜 저래? 낙선자를 지지했나?

MZ직장인3　　보나마나 저 친구는 원룸에서 살면서 국산 중고차나 몰고
　　　　　　있을 거야.

MZ직장인2　　그게 몇 년 전의 우리 모습이었잖아? 위로주나 한잔 건네
　　　　　　주자고!

　　MZ직장인2가 술병을 들고 중철에게 다가간다.

중철　　　　(혼잣말로) 이럴 수가! 엄청난 희생을 치러서 이룩한 민주주의
　　　　　　의 성과를 하루아침에 물거품으로 만들고 말았어!

MZ직장인2　　거, 형씨. 마음이 좋지 않은 일이라도 있나 보네요? 자아,
　　　　　　제가 위로주 한잔 드리겠습니다. (술을 따른다)

중철　　　　(그를 돌아보며) 아, 뭐 괜찮습니다.

MZ직장인2　　세상사 다 그렇지요. 우리가 그 인물을 보고 찍었겠습니
　　　　　　까? 지금 이 내리막길에선 우리를 붙잡아 줄 누군가가 필요했
　　　　　　어요.

중철   (일어서며) 아니, 저는 지금 대한민국 선거가 아니라……

MZ직장인2   대한민국이고 뭐고 중요하지 않아요. 사람들은 영끌이니 코인 투자니 하고 비웃었지만 거기에 우린 목숨을 걸었어요. 이전의 집권 여당은 코로나 바이러스나 잡을 줄 알았지, 우리 재산을 지켜주지는 못했어요. 우리에겐 선택의 여지가 없었어요.

MZ직장인1,3   (일어나서 중철을 향하여) 그래요. 선택의 여지가 없었어요!

중철   아니, 내 말은 이 현실이 아니라 저 가상 도시…….

MZ직장인2   여기도 저기도 마찬가지에요.

MZ직장인1,3   그래요, 여기도 저기도 마찬가지에요.

중철   (잠시 뜸을 들이다가 그들의 대화 맥락을 수용하기로 한다.) 아니, 적어도 80,90년대는 그렇지 않았어요. 우리 선배들은 돈보다 이 사회의 정의를 위해 싸웠어요. 자유와 민주주의를 위해 투쟁했어요!

MZ직장인2   전체주의와 독재의 시대는 지나갔어요. 그건 메타시티인가 뭔가 하는 가상공간에서나 있을 법한, 까마득한 구닥다리 역사지요.

MZ직장인1,3   까마득한 구닥다리 역사지요.

중철   아니, 당신들은 역사 발전을 믿지 않는군요! 우리 이전 세대는 단순히 돈이 아닌, 인류의 멋진 이상의 실현을 꿈꿨어요.

MZ직장인2   그 최종 결과는 무엇이죠? 겨우 가난에서 벗어난 우리는 이제 극심한 빈부 격차에 시달리고 있어요. 반세기 넘게 아이들은 입시 경쟁에 내몰리고 있고, 청년들은 적은 일자리를 찾아 아득바득 갈팡질팡하고 있어요. 힘겹게 얻은 일자리는 10년 남짓이면 끝나버리죠. 아무도 노후를 책임 안 지죠. 노인 빈곤율, 자살률은 세계 1위죠.

헛되도다, 가엾도다, 한국인의 끝없는 열정들이여!

우리 아버지 세대들은 이념의 신기루를 향해 내달렸죠!

MZ직장인1,3   그래요, 우리 이전 세대들은 이념의 오로라 같은 것을 꿈꾸고 허망한 무지개다리를 건너려고 했어요!

중철   무지개가 아니에요. 그렇다면 당신들은…… 신이나 인간의 선한 본성도 믿지 않겠군요.

MZ직장인2   학창 시절 윤리 교과서에 나오는 구절을 오랜만에 들어보는군요. 이것 봐요, 인간은 그냥 조금 더 진화된 동물일 뿐이에요. 우리 주변을 돌아봐요. 어디서나 빈익빈부익부, 약육강식의 법칙이 지배하고 있죠.

MZ직장인1,3   빈익빈부익부, 약육강식 법칙이 지배하지요.

중철   인간은 동물과는 달라요! 인간은 수준 높은 문화와 종교를 만들고 우주의 비밀에 접근하는 학문을 달성했어요.

MZ직장인2   문화, 종교, 학문에는 자본이 뒷받침되어야 해요.

MZ직장인1,3   자본이 있어야 하지요.

중철   아니, 그것만 가지고는 부족해요! 우리에겐 가족에 대한 사랑과, 건강을 향한 열망과, 친구에 대한 우정과, 이웃과 함께 자유롭고 평화롭게 살아가고자 하는 사회적 욕구가 있단 말입니다!

MZ직장인2   지금도 가난 속에서 허덕이고 있는 아프리카의 여러 나라들을 보세요! 끝이 없는 기아, 전쟁……, 당신이 말하는 가족애와 사랑 등에도 자본이 필수적입니다.

MZ직장인1,3   인간적인 삶을 사는 데 자본이 필수적이랍니다.

MZ직장인2   돈이 이 세상을 지배한답니다. 돈이 주인이고 인간은 노예에 불과하죠.

MZ직장인1,3   돈이 주인이고 인간은 노예에 불과하죠.

중철   아니, 돈은 단지 수단에 불과할 뿐이에요. 그렇다면 지구 환경

을 보전하고, 거기서 예술을 창작하고 더 나은 세계를 이루고자
하는 인간의 고차원적인 활동 등은 무엇으로 설명할 수 있죠?

MZ직장인2　고차원? 그건 관념이 만든 착각이에요. 이 지구에 인류가
등장한 이후 지구는 더 뜨거워지고 자연재해는 더 심각해졌어
요. 핵폭탄은 인류를 멸종시키고도 남을 정도죠. 인간들은 그냥
일개미처럼 살아가고 있는 거예요. 우린 문명이니, 예술이니,
도덕이니, 떠들면서도 그냥 각자 나름대로의 생존을 위해 하루
하루 살아가고 있답니다.

MZ직장인1,3　하루하루 살아가고 있답니다.

　중철은 마침내 포기하듯 손을 내저으며 의자에 털썩 앉는다.
　MZ직장인 세 명이 보들레르 시집 '악의 꽃'에 나오는 시(황현산 번
역) '독자에게'의 일부 내용을 돌아가며 낭송한다. 그들은 '악마'와 '권
태'와 '독자' 라는 시어를 변형한다.

MZ직장인1,2,3　(관객들을 향하여) 여러분, 노래를 들어 보세요!

MZ직장인1　(술병을 들며) 어리석음, 과오, 죄악, 인색이
우리의 정신을 차지하고 우리의 몸을 들볶으니,
우리는 친절한 뉘우침을 기른다.
거지들이 그들의 이를 기르듯.

MZ직장인2　(술잔을 들며)우리의 죄는 끈덕지고 후회는 무르다.
우리는 참회의 값을 톡톡히 받고
희희낙락 진창길로 되돌아온다.
비열한 눈물로 때가 말끔히나 씻기기나 한 듯이.

MZ직장인3　(술잔을 들며)줄을 잡고 우리를 조종하는 것은 저 돈!
역겨운 것에서도 우리는 매혹을 찾아내어,

날마다 지옥을 향해 한걸음씩 내려간다.

두려운 줄도 모르고, 악취 풍기는 어둠을 건너.

MZ직장인1,2,3   (술잔들을 들어 관객을 향해)그대는 알고 있지, 관객이여, 이 까다로운 괴물인 돈을,

위선자인 관객이여, 우리와 똑같은 자들이여, 내 형제여!

낭독을 끝낸 MZ직장인1,2,3이 술잔을 놓고 돌아서서 출입문 쪽으로 간다, 그들은 더치페이로 술값을 치르는 듯 각자 핸드폰을 빼내고 계산대로 간 뒤 퇴장한다.

중철은 고개를 숙인 채 한동안 앉아 있다가 무언가 생각난 듯이 일어나서 무대 앞으로 나온다. 이 부분은 연출자가 관객의 집중도가 떨어졌다고 판단하면 생략할 수 있다.

중철   저들은 분명히 중재처럼 특정 후보에게 투표를 했어! (관객을 바라보며) 여러분, 여러분도 저들의 주장에 동의하십니까? 여러분도 이번 대통령 선거에서 내 돈을 지켜주거나 내 재산을 불려줄 수 있다고 판단되는 후보를 선택했습니까? 혹시 이런 기준을 근거로 기표하지는 않았습니까? 진보와 보수, 민주화의 기여 여부, 이도저도 아니라면 북한의 위협으로부터 나를 지켜줄 수 있는지 여부 등으로?

중철이 관객들과 토론을 끝내고 의자에 다시 앉으면 김광수가 무대에 등장한다.

광수   여어, 늦었네, 회의가 길어져서. (손을 내밀며 중철과 악수한다.)이 대리, 그 동안 고생 많았지?

중철	고생은 무슨…….
광수	나나 내 주변의 다른 동료들도 예상 못했어. DK후예를 표방한 후보가 당선될 줄을. DK 후예들에게 가혹한 조치를 취하지 않은 회사 경영 측이 방조한 결과일까? 놀라운 점은, 메타시티 연맹 안에 그들을 추종하는 세력이 상당한 수준으로 뿌리를 내렸다는 사실이야.
중철	회사 측이 너무 안일했어. 벌써 메타시티 연맹 내 여기저기 부작용이 나타나고 있는 조짐이 보여. 기존의 메타 시티들을 두고 그 외곽에 새로운 도시를 건설한다고 난리인가 하면. 애초에 내가 구상했던 이상적인 도시들이 난개발로 인해 그야말로 투기판이 되어 가고 있어. 더구나 자네는 그들의 만행을 저지하고자 강제로 다른 부서로 전출까지 당하는 희생을 치렀는데 말이야.
광수	중철이, 아직도 몰라? 난 강제로 전출된 게 아니야! 이미 회사 내에서 알 만한 사람은 다 아는 사실인데.
중철	뭐라고? 그럼 자네가 게임 부서로 자리를 옮긴 게…….
광수	겉으로 보기엔 나는 메타버스 개발 부서에서 게임 개발 부서로 방출된 거지.
중철	그게 무슨 말이야?
광수	중철이, 실은 난 내부고발자야. 자네 팀장과 우리 메타시티 개발 부서 직원들 일부가 작당하고 일을 저지르고 있을 때 난 그들의 이상한 낌새를 눈치 챘어. 그들은 간과했어. 나를 메타버스의 이동 수단 속 탈 것 따위나 개발하고 있는 애송이로 간주하고, 마치 내 존재가 없는 듯이 행동했어.
중철	뭐야? 그럼 DK후예들이 등장할 때부터 알고 있었다는 얘기잖아?
광수	아니, 내가 그들의 음모를 눈치 챘을 때는 이미 반란이 상당히

진척됐을 때였어.

중철   그럼, 자네가 내 부탁을 들어 무료 플래시 게임장에서 게임용 소총 보관소의 잠금 장치를 해제해 준 것은…….

광수   자네가 내게 부탁하러 왔을 때는 이미 회사 경영진과 상의해서 조치를 취해 놓은 직후야.

중철   그럴 수가! 그럼, 왜 빛의 도시에서만?

광수   다른 도시의 것에도 잠금 장치를 해제했지만 빛의 도시를 제외한 다른 도시의 시민 아바타들은 겁에 질려 아무런 저항을 하지 못했던 거야.

중철   그럼 자네가 게임 부서로 전출된 것은?

광수   겉으로 보기에는 좌천된 모양새지만 실제로는 몸만 게임 부서로 옮겨온 셈이지. 내 도움 덕택에 회사는 자네 팀장을 비롯한 회사 내 반란 세력들을 일망타진할 수 있었지. 그리고 최근 난 이곳에서 두 명의 유능한 신입 사원과 함께 메타시티 시민 아바타 방어 모듈 작업을 성공리에 마쳤어. 진작에 자네에게 미처 말하지 못한 것은 회사 측에서 내게 보안을 요구했기 때문이야.

중철   세상에, 나는 허수아비였군!

광수   오해하지 마, 자넨 자신의 역할을 과소평가해선 안 돼. 우린 새로운 아바타 방어 모듈을 프로그래밍할 때 빛의 도시 아바타 시민들의 의지를 반영했거든.

중철   무엇을?

광수   전제 군주제나 독재 정치에 민감하게 반응하는, 일종의 유전자 같은 패치(patch) 프로그램을 아바타 방어 모듈에 집어넣었어.

중철   그래서 메타시티 연맹을 왕국처럼 만든다고 하니 아바타들의 대규모 항거가 일어났군!

광수   그렇다고 볼 수 있지!

중철 그럼 빛의 도시 아바타들의 유전자 같은 게 여전히 메타버스에서 살아 있는 셈이네?

광수 제대로 짚었네. 평소 자유선거나 민주주의 방식을 적용하면 그 반항 패치 프로그램은 전혀 작동을 하지 않다가 독재 정치 등이 부활하려고 하면 그 프로그램이 활성화되는 거지. 그런 때엔 자네 동생처럼 소셜 미디어의 리더가 두각을 나타내지.

중철 내 동생이라고? 자네가 그걸 어떻게 알았지?

광수 (중철의 어깨를 치며) 자넨 진짜 어리숙한 친구군. 그것도 회사 내에선 알 만한 사람은 다 알아. DK 후예들의 반란 이후 빛의 도시를 민주화의 성역으로 만드는 데 앞장선 아바타의 유저가 자네 동생이란 걸. 그 이후 메타버스 정식 버전에 이르기까지 자네 동생 아바타는 메타시티연맹의 가장 강력한 소셜 미디어를 대표하게 되었어. 그런데 웬일인지 자네 동생 아바타는 이번 메타시티 연맹 선거에는 소극적이더군. 자네 동생 아바타 같은 인플루언서(influencer)가 나서서 대통령 선거에 나섰더라면 선거 판세에 상당한 영향을 끼쳤을 텐데.

중철 걔는 오프라인 선거에 뛰어들었어.

광수 무슨 일이 있던 거야? 아무튼 자네 동생 아바타와 그 팔로워들은 메타시티 연맹의 선거에 관심을 보이지 않고 메타버스 내 건물들과 예술 작품의 NFT 등에 투자하는 게 눈에 띄더군. 당연히 그가 가는 곳마다 투자 붐이 일어났지.

중철 내 동생은 투자할 자본노 없을 텐데?

광수 강력한 인플루언서 뒤에는 큰손 투자자가 있는 법이지. 근데 아까 자네는 동생이 오프라인 선거에 뛰어 들었다고 했는데, 그렇다면 혹시 이대남?

중철 (머리를 움켜쥐며) 말도 마!

광수   그래도 대단하군! 이번 대통령 선거에선 자네 동생 또래들이 대
       거 나서서 미세한 차이밖에 없는 선거 판도를 뒤집는 역할을
       했다고 하던데, 그 친구들은 순간적인 기회를 놓치지 않는, 게
       이머(gamer)의 속성을 그대로 보여주었어. 자네 동생도 게임
       을 잘 하는가 보군.

중철   그래, 하지만 내 동생은 메타버스에서 보여줬던 자신의 정체성
       을 부정하는 선택을 했어. 지금 정국 돌아가는 걸 보니 내 동생
       과 그들의 패거리도 곧 토사구팽당하는 신세가 될 것 같아. 견
       고한 기성 정치판에선 그들은 한낱 이용만 당하는 조무래기들
       에 불과해.

광수   이것 봐, 중철이, 온라인이든 오프라인이든 정치적 선택은 영원
       한 진리도 정의도 없어. 정치든 뭐든 실질적으로 세상을 지배하
       고 있는 것은 다른 데 있지.

중철   돈?

광수   아니, 그게 다가 아냐.

중철   (일어서며) 그렇지! 역시 자넨 나와 통하는 게 있어. 이 세상에
       중요한 것은 돈이 전부가 아냐!

광수   글쎄 흥분하지 알고 들어 봐!

   광수가 폰을 만지자 오른 편 무대의 문틀을 통해 부채를 든 머슴이
등장한다. 그가 멘 봇짐이 현대의 백팩처럼 화려하다. 베타 버전 때와는
달리 행동이 자연스럽다.

광수   저 NPC를 DK 후예들이 용병처럼 만들어 버렸을 때 나는 알아
       챘어. 내 주변의 동료 개발자들이 그 반란에 깊숙이 관여됐다는
       것을!

중철   그랬군.

광수   (머슴에게) 이봐, 자네의 봇짐을 풀어 메타시티 연맹 안의 사회
        현상을 판소리로 만들어서 불러 봐.

머슴   (고개를 끄덕이고 나서 백팩을 내려놓는다.) 동편제로 놀아볼까
        요? 서편제로 할까요?

광수   동편제, 서편제? 그게 뭔데?

중철   (소리치며) 동편제로. 굵직한 남자 소리꾼의 목소리로!

머슴   주인님께서 직접 말씀하시지 않고 친구분께서 말씀하시니 거기
        에 동의하시는 걸로 알겠습니다. 시작합니다.

        (부채를 펼치며) 시골 촌놈 이내 몸이 큰 강의 도시 올라와 좌우를
        돌아보니 참으로 가관이로구나! 여기선 쇼와 드라마 구경, 저기
        선 게임과 스포츠, 옳다구나 지피티(gpt), 이놈도 저놈도 귀에
        는 리시버, 눈깔들은 크고 작은 화면에 처박고 무엇들 하고 자
        빠졌단 말인가? 서로서로 흉내 내기 바쁜데다 돈 되는 것은 마
        구잡이로 만들어서 아무렇게나 파는구나. 어화, 좋다, 이놈의
        세상! 많구나, 많아, 욕망이 많구나. 포인트 쌓고 가상 화폐 벌
        어 볼까, 이것저것 탈 것 골라 타고 이 옷 저 옷으로 치장해서
        너도나도 뽐내 보세. 공정, 분배 따윈 깊고 깊은 동해 바다에
        던져 버려. 이긴 놈이 독차지하는 게 정의지. 서로 밟고 올라서
        면 왕과 귀족 되기는 일사천리네. 암은, 새 건물 차지합네, 아바
        타 버그 치료합네, 아바타들 명품으로 치장합네, 애완 아바타
        키우네, 이 짓거리 못해서 서로 환장하는구나. 거, 여보게들, 가
        상공간이 유한하단 말, 들어 본 적 있는가? 벽돌 대신 메모리들
        증가시켜 영차영차 건물들을 쌓아 올리세. 컴퓨터에서 불이 나
        든 말든, 지구가 뜨거워 빙하가 녹든 말든, 바닷물이 넘쳐흘러
        가난뱅이들 익사하든 말든, 바벨탑처럼 건물들을 쌓아 올리세.

팔릴까 말까 걱정하지 마소. 만년 호구 애송이들 부추기면 만사형통. 가상 화폐론 부족하다. 오만가지에 블록체인 붙여보세. 어서 어서 서두르게. 굼뜨게 움직이면 놈의 것이 되고 만다네. 어화, 죽기 살기로 투기판에 뛰어 들세. 무한대로 빚을 내세. 아랫돌 빼서 윗돌 괴세. 온 아바타들이 광란의 칼춤을 추는 데 나라고 빠질 소냐! 돈 버는 데 남녀노소가 따로 있고 양반 상놈이 따로 있고 이 아수라판에 왕후장상 따로 있나? 이놈의 세상, 잘도 돌아간다. 한 줄 서기, 무한 경쟁, 약육강식, 알코올 중독, 마약 중독, 약자 무시, 신상 털어 매장하기, 우상 숭배가 만연하네. 너도나도 스타, 게임에서도 노래에서도 드라마에서도 스타 열병, 요놈의 가상공간에도 스타들이 넘치는구나. 지옥불이 지척인데도 아귀다툼 천지로구나. 아바타 버그 치료사, 아바타 미용사, 아바타 분쟁 변호인, 메타버스 정치인, 메타시티 관료……. 모두들 죽자 살자,로 덤벼드는데 아바타 몇 놈 사라진 게 대수냐? 여기 남든, 여기서 뛰쳐나가든, 죽어나가든, 내 상관할 바 있나? 넋 빼놓고 사방에 돌아다니고, 이놈저놈 무시하고 뻐기고, 배 내밀고, 배 두드리며 자아 도취하니, 태평성대로다! 듣도 보도 못한 쇼와 게임이 얼마나 즐비한가? 관람할 공연과 경기장이 지천에 널려 있네. 마약 같은 드라마와 술 같은 영화가 넘쳐나지. 차암, 미치게 잘도 돌아간다! 넘치는 욕망들 몽땅 지고이고, 서버가 셧다운할 때까지 갈 때까지 가 보세. 지적인 문학, 우아한 예술, 마음의 평온, 지혜 따위는 가식에 불과해.   그런 이상한 말들은 몽땅 가난뱅이 철학자 무리가 지어낸 거야. 문자 텍스트는 영상의 시녀가 된 지 오래야. 그림 없는 책은 고물상에나 처박혀 있지. 세상은 온통 0과 1뿐이지. 감각만이 진정한 세계야. 노년의 경륜이란 터무니없는 소리지. 젊은 놈들 혈기 못 이기니 비명처럼 내뱉은 소리에 불과해. (중철과 광수를 가리키며) 이보오, 뭐하고들 있는 건가? 자아, 빨리빨리, 미친 듯이 가 보세. 에헤야, 좋은 세상 온갖 쾌락을 누리며 오래들 살고 보세. 싼 똥을 벽에 바를 때까지 아득바득 질기게 살아보세! (잠깐 멈추고 난 뒤 광수와 중철을 부채로 가리키며) 어야, 여보게들, 이내 소리 들어보니 어떠한가? 장단을 맞춰주고 추임새를 넣어야 이 소리꾼이 신명날 게 아닌가?

중철　(광수를 마주보고 웃으며) 얼쑤!

광수　(박수를 치며) 암은, 잘 한다아! 그런데 가상공간에 어떻게 알코올 중독, 마약 중독이 만연하냐?

머슴　그런가요? 거기에도 그보다 더한 중독성 있는 게 널려 있긴 합니다만. (머리를 고개를 긁으며) 제가 잠시 오프라인 세계와 혼동해서.

광수　이번 메타시티 연맹에서 일어난 선거 결과를 풍자하는 내용도 빠져 있고……. 좌우지간, 계속해 봐.

머슴　그럼……. (접었던 부채를 다시 펼치고) 어화 벗님네야, 꽃피는 봄이 왔네. 만물이 꿈틀거리는 시절이네. 선거철이 돌아왔네. 우리가 남이가, 끼리끼리 어울려 보세. 우리 편이 아니면 모두가 적이지! 암은, 말귀 못 알아듣는 놈들은, 미사일 제국의 끄나풀이 틀림없지. 그런 붉은 이들은 벼락맞아 죽어야 해. 그놈들은 모두 평생동안 넘게 차디찬 감옥에 가둬야지. 암은, 그렇구 말구! 왕년에 빛의 도시에서 누가 죽었든, DK 후예들이 온갖 난리 법석을 피웠든, 내 포인트에 상관없으면 지나간 것은 바람에 휘날리는 먼지라네. 이보게들, 윷판에선 모 아니 도라네! 개나 걸 따윈 비렁뱅이 개에게나 줘 버리소. 우매한 아바타들 권력 아래서 굽신, 굽신거리는 것 좀 봐라. 빈익빈 부익부, 약육강식, 아따, 뉘 집 아들이냐? 유식하다, 그놈의 메타시티 머슴! 선거 끝나면 담들 높이 쌓고 철조망을 화악 둘러 쳐! 천한 것들과 어울리지 마랬지? 식탁 아래 찌꺼기만 던져 줘도 감지덕지하는 놈들 따윈 저 멀리 팽개쳐 버려. 멧돼지, 두더지, 독사, 말뚝, 돌멩이, 통나무 따위가 우리의 지도자라네. 아나, 민주화, 아나, 자유, 아나 개똥! 천한 것들은 건물 값만 올려주면 득달하듯 투표해서 본전들 뽑으려고 달려드는 판에! 누가 모르랴, 변소 갈 때 속마음과 나올 때 마음 다르다는 것을? 오늘의 지도자가 내일은 감옥에 가고, 어제 방송 탄 놈이 오늘은 시체로 발견되지. 자고 일어나면 새로운 투사, 한 밤 더 자고 일어나면 위대한 지도자, 그 잘난 민주화 패거리들 모두 어디로 갔단 말이냐? 내비 둬라, 인기 연예인이 사라진다고 어느 누가 그를 그리워한단 말가? 정치 스타들도 안개처럼 피어오르다 물거품처럼 사라지는 법. 우리 안에는 뛰어난 유전자 있어, 잊을 만하면 독재자나 전제군주 만드는 것은 식은 죽 먹기. 이전 세대가 피와 땀으로 쌓아올린 금자탑들, 자유, 민주주의, 평화의 성채들은 어디 가고 삭막한 도시 안에 단말마의 비명만 가득하네! 끝도 갓도 없이 지치지 않고 뛰고 달려가는 아바타들아! 이제 그 RPG(Role Playing Game)를 멈출 때가 되지 않았냐? 오호, 애재라……

광수   (폰을 부리나케 만지고 나서 손을 내저으며) 그만! 너무 적나라 해. 들을수록 괴롭구먼!

중철   한국의 치부가 메타시티에 그대로 옮겨진 듯해서 그런지 머리 가 돌아 버릴 지경이야.

  머슴, 부채로 얼굴을 가리고 서 있다.

광수   (폰을 만지며) 수고했어, 이젠 들어가도 돼.

머슴이 백팩을 챙겨 메고 문틀로 퇴장한다.

중철   한국의 현실과 가상 세계인 메타시티 연맹의 그것이 도무지 구
         분이 되지 않는군! 요즘 유행하는 챗(chat) GPT 기술이 적용됐
         을까?
광수   아마도. 회사 개발팀은 저 백팩처럼 보이는 머슴의 봇짐에 수십
         여 개의 봇(bot) 프로그램들을 탑재했어. 등급을 매겨 저 머슴
         들을 판매하고 있지. 물론 그것을 조종하는 건 생성형 AI야.
중철   AI도 자네 같은 개발자들이 프로그래밍한 거 아닌가?
광수   설계는 우리 사람이 했지만 생성형 AI는 자체적으로 진화하고
         있어. 그 AI에 정보가 대량으로 축적된 데이터베이스가 연계될
         때마다 이른 바 특이점이 나타나고 있어.
중철   특이점?
광수   AI가 단순히 데이터베이스를 처리하는 정도가 아니라 인간의
         두뇌를 닮아 스스로 진화하고 번식하고 있는 현상이 발견됐어.
         머지않아 메타시티는 물론, 인류 문명도 AI가 지배하는 왕국이
         될 거야.
중철   AI 왕국? 말도 안 돼. 어쨌든 그걸 끝내려면 시스템 전체를 셧
         다운하는 수밖에 없겠군.
광수   어쩌면 그것도 궁극적인 해결책이 될 수 없어. 어쩌면 메타시티
         AI는 셧다운에 대비해 클라우드를 통해 다른 IT 회사 서버 등에
         자신의 복제 AI를 만들었는지 몰라. 이미 여러 메타시티에서 아
         바타들이 마치 AI에 조종되고 있는 현상이 목격되었어.
중철   엥, 뭐야? 그러면 유저들의 자유롭고 선한 의지로 움직이는 메

타버스는 물 건너 간 거야?

광수   자넨 가상공간에서 너무 이상적인 걸 바라는 것 같군. 그 세계를 움직이는 원동력도 현실 세계처럼 인간의 이기심이니까. 자네 부장이나 우리 개발 부서 동료들이 쇠고랑 찬 것도 따지고 보면 이기심의 발로가 아닌가?

중철   그런 이기심을 조장했던 게 AI란 말이 되는군. 오프라인 세계가 AI들의 영향력 아래 들어갈 수 있단 말이 실감나군!

광수   이미 생성형 AI들은 현실 세계에 깊숙이 파고 들었어. 머지않은 장래에 자네와 난 일자리를 잃게 될 수도 있겠지. 그때가 되면 아마 AI는 온. 오프라인을 막론하고 인간들에게 왕처럼 군림하게 될 거야. (의자에서 일어나며) 자아, 어쨌든 이제 우울한 얘기는 그만하고 자리를 다른 곳으로 옮기는 게 어때?

중철   그럴까? (같이 일어나서) 결국 우리도 마치 멈추지 않는 욕망들을 품은 저 메타시티연맹의 아바타들이나 다름없이 행동하는군, 하핫.

광수   메타시티 아바타만 그런 게 아니지. 우리 한국인에게도 중도(中道)에 결코 만족하지 않는 유전자가 있으니 말이야, 하핫.

중철, 광수   (둘이 어깨동무를 하고 관객을 향하여) 오옷, 왕국의 신민들이여! 끝도 갓도 없이 내달리는 욕망의 덩어리들이여! 정녕 그대들이 안착할 곳은 어디메뇨?

　중철과 광수, 어깨동무한 채로고 퇴장한다. 오른 쪽 문틀 안에서 머슴 아바타가 슬그머니 나타나 팔짱을 끼고 그들을 지켜보다가 퇴장한다.

5막 4장

광주의 연립주택과 동탄의 한 원룸.

무대 전면은 정혜의 방이고 오른쪽 귀퉁이에 있는 높은 곳엔 중철의 방이 있다.

무대 정면 탁자 위에 커다란 촛불이 켜져 있고 정혜는 그 앞에 잠시 앉았다가 다시 일어선다. 전화기를 들고 전화를 걸었다가 다시 놓기를 두어 차례 반복한다. 휴대 전화 벨 소리가 들린다.

정혜   (주먹으로 가슴을 치며) 아아, 속이 타 들어간 것 같네! 아들들, 왜 전화 안 받는 거냐? 제발들 좀 전화 좀 받아 봐라. 어떻게 된 거냐, 응? 아, 답답해 속이 미치겠다. 왜 너희들까지 이 어미 속을 썩이는 게냐?

중철   (어둠 속에서 누운 채 전화를 받으며) 여보세요. 아, 엄마.

정혜   아들, 왜 여태 전화를 안 받았냐? 아침부터 지금까지 몇 차례나 전화를 걸었는데! 큰일 났다, 네 동생이 연락 안 된다. 네 동생이 전화를 안 받는다고! 뉴스 안 봤냐? 지금 이태원에서 난리가 났다던데, 사람들이 죽었다던데, 그리로 간 네 동생이 전화를 안 받는다고! 엊저녁에 나하고 통화할 때 이태원에 간다고 했는데, 혹시 너한테 안 들렀냐? 어째 형제간에 그 모양이냐? 그깟 대통령 선거가 무어라고 몇 개월째 형제가 서로 남남처럼 대한단 말이냐? 아무래도 네가 먼저 이태원에 가 봐야겠다. 나도 지금 네 아버지하고 서울로 올라갈 테니 네가 먼저 그리로 가서 경찰서든 병원이든 어디든지 가서 알아 봐라. 어째 전화를 안 받는다냐, 이놈의 자식이?

중철, 어둑한 방에서 일어나 퇴장한다.

정혜   (무대 앞으로 나오며) 요즘 유행하는 말로 흙수저에 불과한 내가 자식 욕심이 지나친 것도 아닌데, 내가 우리 중재한테 특별히 뭘 바라지도 않았는데, 왜? (고개를 숙였다가 다시 들고 나서) 욕심이 딱 하나 있었다면 못 배운 나처럼 시장 통에서 장사 같은 거 하지 말고 공부 열심히 해서 대학 졸업 후 그럴 듯한 직장을 잡아 제 식구들 잘 먹여 살리는 것인데, 그것마저 내 처지에 과한 것일까? (한숨을 길게 내쉬며) 어휴, 나는 왜 이리도 복이 없을까? 그날 아버지가 공수부대에게 당하지만 안 했어도 여상고에 진학해서 은행 같은 데 취업해서 보란 듯이 살았을 텐데 ……. (뒤를 돌아다보며) 여보, 아직 준비 덜 됐소? 아, 빨리 나오라니까! 자식 새끼 생사 여부도 모른 마당에 아비가 되어갖고 아직도 술이 덜 깨 헤매고 있단 말이요? 그놈의 대통령 선거가 끝난 지 몇 달이 되었는데 허구헌 날 술타령이요? 당신 큰형이 금남로에서 총에 맞아 죽었는데 왜 당신이 나서서 5.18 유공자처럼 선거 때만 되면 망월동으로, 어디로 쏘다닌단 말이요? 요즘 당신이, 다른 대통령 후보의 선거 운동을 하고 돌아다닌다고 매정하게 구니까 아들 중재가 더 밖으로만 돌아다닌 거 아니오? 우리 아들이 그 기생오라비 같이 생긴 그 대표인가 뭔가 하는 사람을 따라다닐 때부터 왠지 마음이 불안, 불안하더니만 결국 이 사단이 났네! 아, 여보, 빨리 채비하라니까 뭐하는데 그렇게 꾸물대요?

정혜가 퇴장하고 난 뒤 김민기의 노래 '친구'가 흐른다. 불꽃이 흔들리고 있는 촛불에 무대 조명이 집중된다. 점차 노랫소리가 가늘어지고 촛불도 꺼진다.

막

5·18민중항쟁 4X주년 기념 옴니버스 구성 4부작. 4

80년 5월 무렵

벗들(요섭, 호택, 선태, 성주, 찬영, 영평 그리고 정호)에게

글쎄, 군이 40년이 훌쩍 지난 지금, 당시 힘든 고초를 겪었던 자네들에게 아무짝에도 쓸 데 없는 내 군대 생활 이야기를 늘어놓는다고 한들 뭐가 달라지겠는가? 흔히들 한국 남자들 세 명 이상이 모이면 각자의 군대 경험을 경쟁적으로 끄집어내어 날 새는 줄 모른다는 말이 있을 정도로 그렇고 그런 군대 이야기는 이제 우리 나이가 되면 충분히 식상할 때도 되었을 텐데 말이야. 요즘 우리는, 경로 우대 혜택을 누가 먼저 누렸느냐를 기준으로 형, 아우를 따지자, 라고 서로 다투든가, 아직도 마누라가 있는 집에서 좌변기에 서서 오줌을 누는, '간댕이'가 부은 놈이 누구냐, 라며 서로에게 손가락질하든가, 손주 보는 아내에게 걸리적거리지 않으려고 갖은 눈치를 보며 나름의 생존 비법(?)을 전수받고자 기를 쓰든가 하면서 소일하는 연배들이 아닌가……

그런데 한번 생각해 보게들. 이미 우리 또래 중에서 저세상으로 간 친구도 있고, 어떤 친구들은 암, 뇌졸중, 심장 질환, 당뇨, 파킨슨씨병 따위로 고통을 겪고 있지 않은가? 물론, 다행히 자네들이나 나는 현재 겉으론 아무 질병이 없는 것처럼 보이지만 실제로는 우리도 남에게는 잘 드러나지 않은 노인성 질환의 증세를 한두 개는 갖고 있지 않은가? 그러니 언제 내 노쇠한 몸뚱어리나 뇌수에 커다란 이상이 생길 줄 누가 알겠는가? 아직은 내가 심신이 조금은 멀쩡한 상태에 내 군대 경험을 자네들에게 들려 줄 테니, 듣고 나서 그냥 오랜 친구의 푸념 같은 것이라고 치부하고 한번 웃어버리게들. 특히 성주, 선태는 지난해에 5·18 진상 규명위원의 자격으로 80년에 광주에 투입되었던 계엄군들을 면담했다던데, 그 당시 군대에 있던 내 경험이 자네들이 보고서를 작성하는 데 조금은 참고가 될 수 있을 것이네. 나는 군에서 힘들 때마다 종종 그 잔인무도한 정권 아래서 말로 표현하기 힘든 고난을 받았던 자네들을 떠올리며 스스로 내 처지를 위로하며 버티곤 했었네.

11개월 전

"아!"

'오오!"

열차 안 여기저기서 탄성이 터져 나왔어. 차창 밖에 아름다운 풍경들이 펼쳐지고 있었던 거야. 신록이 우거진 숲 사이로 맑디맑은 강이 햇살을 받아 쉼 없이 눈부신 빛을 발하며 굽이쳐 흘러가고 있었어. 우리가 탄 열차는 드넓은 들녘의 풍경을 펼쳐주다가 그게 싫증이 나면 강의 협곡에 바짝 붙어 달리기도 했어. 눈이 시릴 정도의 푸른 하늘에는 하얀 뭉게구름들이 듬성듬성 떠 있고, 그 아래로는 높은 산봉우리들이 연해 달리고 있었어. 그리고 드문드문 그 산들의 넓은 품안에 안긴 마을들이 보였어. 형형색색의 지붕을 인 집들이 옹기종기 모여 있는 모습은 한없이 평화로운 느낌을 주더군. 가끔 내가 그 정경에 조금이라도 다가서려고 열린 차창에 얼굴을 들이대기라고 할라치면 열차는 심술궂게도 치렁치렁한 나뭇가지들을 눈앞에 바짝 들이대며 위협했어. '조심해 다치지 않으려면!' 때로 열차는 순식간에 우리를 암흑 속으로 몰아넣어 버렸어. 육중한 쇠바퀴의 요란한 소음이 메아리치는 캄캄한 굴속으로 말이야. 우리가 벌어졌던 입을 다물고 창백한 객차 안의 형광등 불빛에 적응하려고 하면, 열차는 어느 틈에 다시 굴을 빠져 나와 새로운 절경을 선물했어. 그러면 우리는 약속이나 한 듯이 이전보다 훨씬 큰 목소리로 감탄사들을 내뱉곤 했어.

나는 한동안 내게 지정된 좌석에 앉지 못하고 자리에서 일어선 채, 철길 따라 굽이쳐 흐르는 섬진강과 그 주변의 아름다운 풍경을 바라보며 넋을 잃고 있었어. 앞으로 몇 년 동안 자유와 신체를 구속당하며 살아야 하는 내게 마치 마지막 선물이라도 주는 양, 순천 발 입영 열차는 전라선 철로 위를 부지런히 달리며 차창 화면에 풍경화 파노라마 영상을 보여주고 있었어.

"이것 좀 드셔 보시지요."

 내 앞에 앉은 입영 장정 -아까 순천역 광장에 모였을 때부터 병장 한 명이 우리를 그렇게 부르기 시작하더군- 의 말에 고개를 돌렸어. 어느새 그들은 자신들의 무릎 위에 도시락이나 찬합을 펼쳐 놓았더군. 창밖 경치에 걸맞은 화려한 색깔의 진수성찬이 내 눈 앞에 들어 오더군. 김밥, 쇠고기 장조림, 계란말이, 낙지볶음, 약밥 등. 나는 누군가가 직접 젓가락으로 집어 올린 김밥을 하나 입에 넣고 나서 그들을 바라다 보았어. 그들의 머리는 나처럼 짧게 깎았지만 섬세한 이발사의 손길로 곱게 다듬은 흔적이 뚜렷하더군. 오늘 아침에야 부랴부랴 광주버스터미널 지하 이발소에서 바리캉으로 박박 밀어버린 내 투박한 머리와는 달랐어. 아까 순천으로 내려오는 버스 차창을 통해 본 내 머리는 마치 쥐가 머리칼을 뜯어 먹었던 것처럼 보였지. 나는 김밥을 입에 넣고 오물거리며 다시 열차 밖을 바라다 봤어.

"이것도 잡숴 보세요."

 이번엔 한 장정이 젓가락을 건네며 쇠고기 장조림이 담긴 찬합을 내 앞에 들이밀었어.

"아, 됐습니다."

"사양 말고 드세 보세요. 언제 우리가 이런 걸 다시 먹어 보겠어요?"

"아, 고맙습니다."

 나는 평소에도 먹기 힘든 그 고급스런 음식을 입에 넣고 오물거리면서 그들의 옷차림을 얼핏 봤어. 천연색 또는 체크무늬의 남방셔츠와 구

거지지 않은 청바지나 면바지를 입고 화려한 운동화나 번쩍이는 구두를 신고 있었어. 나는 고개를 숙여 내 행색을 살펴봤어. 사흘 전에 집에서 나온 내 초라한 행색은 그들의 것과는 아예 비교가 되지 않았어. 나는 무슨 무늬인지 구분이 안 되는 퇴색한 남방셔츠에다 몇 년 전에 양동 시장에서 산, 염색한 군복 바지 차림에 헤질 대로 헤진 운동화를 신고 있었지. 물론 나는 평소에도 저들의 것처럼 좋은 옷가지가 없었지만, 군에 입대하면 내 옷과 신발이 모두 폐기될 것으로 생각하고 일부러 집에 있던 것 중에서 가장 낡은 옷을 추려 입었지 뭐야. 얼굴이 달아오르더군.

맛있는 것을 먹어서 그런지 그들의 얼굴에는 긴장감이 나타나기는커녕 행복한 표정이 넘쳐흐르고 있었어.
"우리가 꼭 군대 가는 게 아니라 소풍 가는 것 같군요."
여자애처럼 유난히 쌍커풀이 두드러진 친구가 말했어.
"그래요, 아름다운 경치에 맛난 음식까지 곁들여져 있으니. 하하."
그의 앞에 앉아 있던 친구가 자신의 남방셔츠만큼이나 화려한 웃음을 짓고 맞장구쳤어.
실제 그들은 진짜 소풍객처럼 보였고 어느 순간부터 그렇게 행세하기 시작했어. 이제 그들은 서로 자신의 출신지나 다니고 있던 대학교를 소개하면서 마치 오래 전부터 알고 지내는 사람들처럼 이야기꽃을 피우기 시작했어. 대화 내용을 들어 보니 여기 장정들 상당수가 나처럼 대학교에서 휴학계를 내고 입대한 친구들이라는 것을 알 수 있었어. 나는 쉽게 그들의 대화에 끼지 못한 채 그들 중 한두 명이 가끔씩 건네 준 음식을 받아먹기만 했어. 나는 그들의 곱상한 얼굴과 단정한 옷차림과 찬합 등에 담긴 찬란한 음식을 보면서, 어떤 것도 챙기지 못한 내가 부끄럽기 짝이 없었어. 게다가 어젯밤에 내 '총각 딱지'를 떼어 준다는 핑계로 예비역 선배들이 자신들의 반지를 저당 잡히며 마련해 준 술자리에서 총각 딱지는 못 떼고 하릴없이 밤새 술만 진창 마셔댔으니 아마 내 몰골은 말이 아니었을 테지.

그래서 아까 순천 역까지 배웅 나온 정호는, 근심 가득한 얼굴로 내게 이렇게 말했을까?

"제발 과격한 그 성질 좀 죽이고 몸 다치지 말고 무사히 돌아오너라."

열차는 섬진강의 풍광을 보여주는 자신의 역할에 지친 듯 이제는 뭍으로 달리기 시작하더니 커다란 기와지붕을 고풍스럽게 얹은 전주역에서 멈췄어. 입영 열차는 거기서 한참 동안 멈춰 서서 다른 열차들이 지나가기를 기다렸어. 어둑할 무렵이 되어서야 기차는 논산 역에 도착하더군.

역 앞 광장에 내려서니 꼬마들이 나타났어. 그들은 우리 대열 사이를 이리저리 비집고 다니며 소리쳤어.

"아저씨, 건빵 줘요."

"형, 건빵 좀 제게 주세요."

나는 열차에서 점심 대용 식량으로 나눠 준 건빵을 봉지 째로 갖고 있었어. 그러고 보니 다른 장정들도 다들 손에 그것을 들고 있는 게 보였어. 훈련소 정문으로 걸어 들어갈 때까지 꼬마 애들이 줄기차게 따라붙더군. 나도 다른 장정들처럼 나와 눈길이 마주친 한 꼬마에게 봉지를 뜯지 않은 건빵을 그대로 건네주었어.

'육군 제2훈련소'라고 쓰인 아치형의 간판이 걸린 훈련소로 들어갔어. 인솔 병사들은 우리를 학교 운동장 같은 조그마한 연병장에 데리고 갔어. 점차 어둠이 깔리고 있었어. 하릴없이 우리들이 모여서 웅성거리고 있었는데 멀리서 검은 그림자의 병사들이 삼삼오오 우리에게 다가오는 것이 보이더군.

"어쭈, 이것들 봐라!"

나는 우리를 가리키는 '이것들'이라는 말에 깜짝 놀랐어. 아까 순천역 광장과 열차에서 우리를 인솔했던 병사는 반말도 아니고 존댓말도 아닌 애매한 말투를 사용했었지. 그런데 '이것들'이라니?

"차려엇!"

"간격 벌리고, 줄 똑바로 맞춰!"

철모를 쓰고 빨간 완장을 찬 군인들이 큰소리로 구령을 하기 시작했어. 대열의 맨 앞에 있는 장정들이 긴장하며 빠르게 움직이기 시작했어. 그러자 내 뒤에서 웅성거림이 시작됐어.

"아아, 밀지 마시고 차분하게 합시다!"

"제발 발 좀 밟지 마세요. 질서를 지키고 차분하게 좀 움직입시다!"

한낮의 우아한 '소풍객'들 사이에서 푸념들이 쏟아지기 시작했어. 병사들의 구령이 들릴 때마다 대열은 굼뜨게 움직이며 마치 바닷가 물결처럼 이리저리 밀려다녔지. 그러자…….

"이 개새끼들이!"

"이것들이 군대 놀러 온 줄 알아!"

갑자기 여기저기서 반말과 함께 거친 욕지거리가 들리는가싶더니 난데없는 군홧발들이 가슴팍으로 날아들기 시작했어. 소풍객들, 아니 우리 장정들은 혼비백산했어. 맨 앞의 무리들이 쓰러지자 다른 무리들이 도미노처럼 무너졌어. 나는 쓰러지면서 발에서 벗겨지려는 낡은 신발을 붙들기 위해 발가락에 잔뜩 힘을 주었어. 여기저기서 비명과 고함 소리가 들리더군.

"똑바로 서, 이 개새끼들아!"

뒤이어 익숙한 선착순 달리기가 실시되었어. 그것은 학교 다닐 때 체육 시간이나 교련 시간에 자네들도 많이 해 본 거야.

"하나, 둘, 셋……."

10번째 또는 20번째에 끼어들지 못하면 다시 선착순 달리기가 반복되었어. 사이사이 벌칙으로 엎드려 팔굽혀펴기와 귀를 손으로 잡고 쪼그려 뛰기 따위가 실시되었어. 모두가 초중고 학교를 다니면서 그 '기합'들을 경험한 적이 있어서인지, 병사들의 명령에 따라 '푸샵(팔굽혀 펴기), 오리걸음(손을 머리에 얹은 채 쪼그려 걷기), 원산폭격(땅에 머리를 박은 채 양손을 등허리에 얹는 것)' 등을 온몸으로 자연스럽게 구현하고 있었어.

어둑어둑한 연병장은 군복을 입은 병사들이 내뱉은 구령과 반말과 욕설 사이사이로 천 명은 족히 될 듯한 장정들이 외치는 번호 복창과 비명과 신음이 가득했어. 한낮의 소풍객들은 이제 모두 '개새끼들'로 전락한 채 무수히 많은 발길질을 당하며 흙바닥 위로 굴려졌고, 그럴 때마다 그들의 입에서는 아비규환의 비명이 터져 나왔어.

막사 위에 매달린 백열등이 켜지자 그 동안 어둠 속에 있었던 장정들의 모습이 적나라하게 드러나더군. 흙과 땀으로 뒤범벅된 그들의 얼굴에서는 혼비백산한 넋들이 헐떡거리고 있었고, 그들이 입었던 고운 옷들은 흙먼지를 뒤집어 쓴 채 걸레 쪽지가 되어 가고 있었어. 상당수 고운 운동화들은 흙투성이가 된 채 구겨지고 밟혀져 자신들의 주인을 잃고 전쟁터의 시체들 마냥 땅바닥에 널브러져 있었고.

한참을 우리를 그렇게 굴리더니 병사들은 저녁 식사 때가 되었다고 우리들을 식당으로 데려가더군. 그 처참한 몰골들을 하고 배식 장소에 줄을 선 모습을 보니, 우리 장정들이 마치 전쟁 영화에서 독일군에게 닦달당하는 유태인들과 진배없이 보이더군. 내가 식탁에 앉아 흙투성이가 된 손으로 밥과 반찬의 맛을 봤는데 그건 식사라고 말할 수 없을 정도의 음식이었어. 두세 번 정도 숟가락질을 했을까? 갑자기 등뒤에서 '식사 끝!'이라는 소리가 우렁차게 들리더군. 내 옆의 한 장정은 그 소리에도 불구하고 국물 한 숟갈이라도 더 떠 먹으려고 식탁에 앉아 우물쭈물했는데 난데없이 병사 하나가 와서 그가 앉은 식탁에 거센 발길질을 했어. 식판 위의 내용물이 식탁에 흐트러지자 그는 질겁하며 순식간에 식판 안의 내용물을 '잔밥' 통에 버리고 밖으로 뛰쳐나가더군.

 다시 식사 군기가 없다는 이유로 아까와 같은 선착순과 기합(얼차려)이 되풀이되었어. 한참 그러고 나서 군인들은 이젠 씻을 시간이 되었다고 우리를 목욕탕으로 데리고 가더군. 그 안에는 샤워꼭지들이 수십 개씩 벽에 붙어 있는 모습이, 여기도 언젠가 영상으로 본, 유태인을 몰살시킨 가스실이 연상됐어. 다행히 그 수도꼭지들에서는 독가스 대신 물이 나와, 장정들은 몸을 씻으며 '아아, 시원하다.'라고 감탄을 연발하고 있었어. 그런데 채 1분이나 지나질 않아 어디선가 '샤워 끝!'이란 큰소리가 들리더군. 그러더니 갑자기 샤워 꼭지에서 물줄기가 뚝 끊어졌어. 한 장정은 잽싸게 양치질까지 하고 있다가 치약이 가득한 입으로 무어라고 웅얼거리고 있었고, 비누 거품으로 범벅된 머리카락을 헹구지도 못한 장정은 눈에 거품이 들어간 듯 앞을 못 보고 손을 허공에 내저으며 괴로워하고 있었어. 내 몸도 비누 거품이 덜 씻겨 내려간 상태였지. 천만다행으로 샤워 시간을 '10초' 더 연장해 주더군. 건성으로 몸을 닦고 밖으로 나왔지만 힘들게 씻었던 얼굴과 몸은 아무 소용이 없었어. 이번에는 샤워할 때 질서가 없었다는 이유로 다시 선착순 달리기나 기합 그리고 발길질이 시작되었거든

 집합 또 집합, 선착순 또 선착순, 앞으로 취침, 뒤로 취침 그리고 욕설과 발길질과 얼차려라고 용어만 바뀐 기합의 반복……

 닷새 동안의 대기병 생활과 4주간의 훈련병 기간 내내 우리는 땀과

눈물과 흙으로 범벅이 된 채 그런 과정을 되풀이했어. 마치 정규 병사 훈련 과정인 제식, 총검술, 각개 전투, 사격, 화생방 등은 그런 벌칙과 얼차려와 욕설을 위한 수단에 불과한 듯 보였어. 휴식과 안정을 통한 재충전의 기회인 내무반 생활, 취침 전 점호도 욕설과 얼차려가 그치지 않았어. 드문드문 이루어졌던 뺨 때리기와 주먹으로 가슴팍 치기와 발길질 직전에는 어김없이 이런 말들이 공식처럼 따랐어.

"이 개새끼들 봐라. 똑바로 못해! 대한민국 군대에서 이제 구타가 금지되었다고 개기는 거야. 내가 인간적으로 대해 주니 너희들이 이러는 거야. 하지만 나도 감정을 가진 인간이라고!"

그 '감정을 가진 인간'인 조교들은 훈련병들의 여린 감정을 효과적으로 잘 끄집어내기도 하더군. 야외 훈련장에서 몇 차례 선착순 달리기를 시도하여 땀으로 범벅된 훈련병들이 비명을 지르며 거친 호흡을 내뿜고 있을 때였어.

"지금부터 군가 시작한다. 군가 반동 시작! 하나, 두울……. 군가는 어머님의 은혜!"

"나실 제 괴로오움, 다 잊으시고, 밤낮으로……."

훈련병들은 엉엉 소리를 내고 울며 노랠 불렀어.

간식으로 배급해 준 건빵이 맛있어질 무렵 논산 훈련소 훈련이 끝났어. 나는 배출대를 거쳐 후반기 교육을 받기 위해 광주 상무대 포병학교로 보내졌지.

"상처 부위가 심하게 곪았군. 내가 전문적인 치료를 해 줄게."

"아야, 아아!"

"엄살 피지 마, 새꺄! 대한민국 군인이 이런 것도 못 참으면 군인도 아냐."

수술용 가위가 내 손가락 상처 부위를 거칠게 찢었어. 이윽고 소독약과 연고가 발라지고 붕대로 감겨져 내 왼손 약지는 두툼한 모습을 띠더군. 내가 상무대 안에 있는 의무대를 찾은 건 거기 있던 포병학교에 입교한 지 2주가 지난 주말이었어. 나는 며칠 전 야외 교육 도중 왼손의 약지 두 번째 마디에 상처를 입었는데 그 상처가 뜨거운 날씨 때문인지 심하게 곪아가고 있던 거야.

 내 손가락에 가위질을 하고 연고를 발랐던 병사는 가슴에 상병 계급장과 적십자 마크가 달린 명찰을 차고 있었어. 주말이라서 그런지 상무대 의무대 안에는 그 상병만 자리를 지키고 있더군.

 그 상병의 '전문적인 치료'를 받고 난 뒤에 나는 통증으로 잠을 꼬박 설쳤어. 그리고 이틀째에는 손뿐만 아니라 왼 팔 전체가 붓기 시작했어. 상처에서는 이전보다 훨씬 심한 고름 냄새가 났고. 결국 며칠 간 고통으로 잠을 못 자다가 다시 의무대를 찾았어. 거기에 그 상병은 보이지 않고 장교와 여러 병사가 근무하고 있더군. 군의관으로 보이는 중위 한 명이 붕대를 끌러 상처를 보더니 내 손을 끌어다 자기 코앞에 갖다 대고 킁킁 대며 냄새를 맡았어.

 "심하게 곪았어. 삐삐를 놔야겠는데……."

 그는 표정을 찌푸리며 말했어. '삐삐'는 페니실린 주사의 약칭이었어. 그로부터 나는 약 10여 일 동안 두 차례에 걸쳐 그 주사를 맞았어. 주사를 놓기 전 군의관이나 간호 장교는 페니실린 주사액 몇 방울을 내 피에 떨쳐 보거나 눈에 넣기도 하면서 쇼크사 반응을 체크하더군. 그 약효 덕분이지 내 팔뚝은 부기가 눈에 띄게 가라앉았고 손가락 상처 부위에서는 냄새가 조금밖에 나지 않아. 나는 군의관이 오라는 날짜에 맞춰 의무대를 찾았어.

 "이제 냄새가 거의 안 납니다. 거의 다 나았습니다."

나는 크게 외쳤어. 이제 1주일만 있으면 통신 교육을 이수하고 마침내 전방 부대로 가리라는 희망을 품은 채.

"그건 네 생각이고……. 킁킁. 아직도 냄새가 나는데? 너, 안 되겠다. 후송 가서 차분하게 치료 받아야겠다."

중위 계급장을 단 군의관은 고개를 세차게 흔들었어.

"후송이요? 안 됩니다. 제 손가락은 제가 잘 압니다. 진짜 다 나았습니다."

"군말 말고 후송 가서 치료하고 와!"

군의관은 내 말을 무시하고 서류에 글자를 몇 자 끄적거리더군.

국군 광주통합병원 후송 결정은 내겐 청천벽력이었어. 나는 입대할 때 내 나름대로의 목표가 있었어. 훈련소부터 같이 교육받은 동기들과 헤어져 중도하차한 데 따른 불안감 따위는 애시 당초 내겐 없었어.

'나는 할 수만 있다면, 아무런 '끗발'도 없는 다른 병사들처럼 최전방에서 가장 혹독하게 근무를 해야만 해!'

그게 내 군에 입대할 때의 내 의지였고 다짐이었어. 나는 내 계획이 차질이 생길지도 모른다는 불안감을 안고 홀로 더플 백을 챙겼어. 병원으로 후송 가는 앰불런스 안에서 나는 내 계획을 어긋나게 만든 원흉을 만났어. 내 손가락을 무리하게 가위로 찢어서 상처를 도지게 했던 그 상병은 의무병이 아니라 앰불런스 운전병이었던 거야.

9개월 전

국군광주통합병원은, 포병학교가 있던 상무대와 마찬가지로 내가 대학 다닐 때 시내버스를 타고 가끔 지나쳤던 큰 도로에서 얼마 떨어지지 않은 곳에 자리하고 있더군. 버스 타고 지나갈 때마다 도로가에 세워진 이정표를 보고 저런 게 거기 있는가 보구나, 하고 무심결에 지나치곤 했는데 내가 막상 거기서 군대 생활을 하게 될 줄이야! 나는 통합병원에 도착하자마자 신고를 겸한 면담 자리에서 군의관에게 내 손가락 상태가 양호하니 다시 포병학교로 보내달라고 부탁했어. 그 군의관은, 소령 계급장에 전문의 명찰을 달고 있었고 나이도 꽤 들어 보였어.

"일단 후송 왔으니 시간을 두고 지켜보자."

그도 상무대 의무대 군의관처럼 내 의견을 묵살해 버리더군. 그때까지 나는 나중에 의사들이 '두고 보자, 지켜보자' 등의 말을 관용구처럼 쓴다는 것을 몰랐지.

"이 개새끼!"

나는 호되게 뺨을 맞고 군홧발에 가슴이 채여 병실 바닥에 넘어졌어.

"일어나, 이 개새끼야! 자세 똑바로 못해? 차렷!"

내가 차렷 자세를 취하자 그 위생병인지, 의무병인지, 기간병인지 모르는 그 병장은 일어나서 차렷자세를 취하고 있는 나를 바라보지 않고 주위를 둘러보며 씩씩거렸어.

"야, 병동장, 이리 나와!"

병동장이라는 병사 한 명이 내 옆에 섰어. 나를 때린 놈을 제외하고는 모두 환자복에 파란 색 고무신을 신고 가슴에 찬 명찰에 쓰인 이름과 계급이 적혀 있었어.

"김 병장! 이 병동 군기를 어떻게 잡는 거야? 내가 니들한테 인간적으로 잘 해 주었는데 내게 돌아오는 대가가 겨우 이런 개망신이야? 어떻게 이등병에게 점호 교육도 제대로 못 시키냐? 앞으로 똑바로 하지 않으면 병동장이고 나발이고 인정사정 봐 주지 않을 거야. 각오해!"

그는 이렇게 말하며 손바닥으로 김 병장의 가슴팍을 두어 차례 미는 듯이 치고 사라지더군.

이게 내가 통합병원에 입원한 첫날 점호 시간에 벌어진 사건이야. 그날 나는 점호 시간에 모든 환자 병사들이 환자복을 입은 채 자신의 침대 위에 양반다리로 앉아 있는 모습이 기이해서 속으로 키득거리고 있었지. 이윽고 당직사관에 해당하는 군의관이 간호 장교를 대동하고 병동-그들은 병실을 이렇게 부르더군-에 나타났어. 병동에서 유일하게 정상적인 모자를 쓰고 군복을 입고 군화를 신은 그 병장이 당직사관에게 경례를 붙이고 신고를 시작했어. 그가 "번호!"라고 외치자, 다른 병사 환자들이 침대 위에 가부좌한 채 자기 순서에 해당하는 번호를 외치기 시작했어.

"하나, 둘, 셋, 넷……!?"

아아, 나는 내 순서에 해당하는 '아홉'을 외치지 못했어. 여기서는 번호를 복창하는 속도가 논산 훈련소 훈련병이나 포병학교의 교육생들이 외치는 그것에 비해 서너 배 빨랐던 거야. 내가 두 번째도 그 속도에 못 맞춰 내 번호를 버벅거리자 군의관이 손을 내저으며 "그만!'이라고 외쳤어. 그리고 군의관 일행이 인원 점검을 마치고 다른 병동으로 사라지자 그 병장은 똥 씹어 먹은 표정을 짓고 나서 나를 침대에서 내려오라고 했던 거야. 그러고 나서 좀 전에 본 것처럼 내게 다짜고짜 폭행을 한 거야.

물론, 군대를 다녀온 친구들은 이런 폭행이 거기서 멈추지는 않는다는 걸 잘 알고 있을 테지. 그날 밤 나는 한밤중에 화장실로 끌려가 병동장에게 잔소리를 듣고 나서 그와 동행한 상병 두 놈에게 '원산폭격'이라는 얼차려와 가슴팍에 가벼운 구타를 당했어.

 부끄럽기 짝이 없었어. 점호 때 내 순번에 해당하는 번호를 제때 못 외친 것보다, 그런 사소한 잘못에 이어지는 폭력에 벌써 순응한 내 자신이 진짜 창피했어. 대학 다닐 때 독재자에 의한 국가 폭력에 대하여 다양한 저항을 꿈꾸었던 내가, 계급이 낮은 군인 신분이라는 이유만으로 이런 내 신체에 대한 물리적 폭력을 쉽게 용인하다니!
 그 뒤에도 나는 통합병원에서, 두어 번 정도 가벼운 터치 수준의 구타를 당하거나 가벼운 얼차려를 받았어. 거기에 입원한 지 보름 정도 지나니 그런 폭력들이 시들해지더군. 아무리 폭력이 암암리에 용인되는 계급 사회라고 해도 환자 사이에서 그것을 행사하는 게 병원 문화와는 어울리지 않았던 것 같아. 병원 생활한 지 한 달이 넘어가니 병사들은 서로 낯이 익고 친분이 쌓여서 계급에 따른 존칭만 썼을 뿐 친구처럼 지내는 경우가 다반사였어.
 그걸 보니 깨닫는 바가 있었어. 누구든지 타인에게 억압과 폭력 따위를 당하지 않으면 그것을 다른 사람에게 대물림하지 않는다는 걸.
 내가 적대감을 품었던 그 병장은 병동에 잘 나타나지 않았어. 나는 나보다 머리 하나 만큼이나 더 키가 큰 그놈과 언제든지 결투하는 장면을 상상했어. 하지만 가끔 마주친 그 친구는 자기에게 적의를 품은 나를 멀뚱하게 쳐다보고는 범상하게 고개를 돌려버리곤 했기에 내 복수심은 제풀에 꺾여 어느 순간부터 물거품처럼 사라져버리더군. 그는 통상 군대에서 사용하는 '말년'이라는 용어에 걸맞지 않게 4,5개월 더 근무하다가 제대했어. 나중에 알고 보니 그는, 을(乙)의 환자들에게 갑

(甲)에 해당하는 자신의 보직을 이용해 자기보다 한 달 먼저 입대한 병동장인 김 병장에게조차 반말 조로 명령을 내리고 호통을 쳤던 거야.

 당시 광주통합병원의 병실들은 정신과, 내과, 신경외과, 정형외과 그리고 내가 있던 일반외과 등이 있었던 걸로 나는 기억하고 있어. 내가 모든 병동을 다 들어가 보지는 않았지만 각 병동마다 환자들이 가득했다는 사실은, 식당과 매점 등에 가서 마주친 환자들을 봤을 때 간접적으로 확인할 수 있었지. 내가 있던 605 병동은 606 병동과 함께 일반외과 병동이야. 다른 병동에 있던 환자들도 일단 외과 수술을 받고 나면 일반외과 병동으로 옮기게 되는데, 수술 환자들이 많아서 그런지 병동에 환자들이 가득했어.
 우리 병동 병사들은 환자의 수술 부위나 환부에 따라 속어로 그들을 분류했어. 마치 전문의 자격을 가진 과장이 맹장 환자를, 영어 'appendix'의 앞부분을 따서 '아뻬'로, 치질 환자를, 치핵을 뜻하는 영어 'haemorrhoids'의 앞부분을 따서 '헤머'라고 부르듯이. 우리는 치질 환자라면 그의 증세가 암치핵이든, 수치핵이든, 내치핵이든, 치루든, 탈홍이든, 직장 탈출이든 상관없이 그를 '똥창'으로 불렀어. 그리고 수술로 상체에 꿰맨 자국이 있는 환자들에 대해서는 지퍼의 속어인 자크를 붙여서 구분했어. 예를 들어 맹장 수술을 끝낸 환자는 '옆 자크', 위장 수술을 마친 환자는 '앞 자크', 탈장 수술을 한 환자는 '밑 자크' 등으로 불렀어. '옆 구멍'으로 불렸던 늑막염 환자들은 소수였어. 이 모든 똥창과 자크와 구멍을 뛰어넘는 환자는 단연 '쌍 자크'였어.

 내가 병원에서 만난 첫 번째 쌍 자크는 병원 생활을 오래해서 여기서 일병에서 상병으로 진급한 병사였어. 그 이 상병은 내게 자신의 위장 수술 자국을 훈장처럼 보여주곤 했어. 그의 배에는 마치 두 개의 지퍼처럼, 큰 수술 자국 두 개가 나란히 있었어. 왼쪽의 수술 자국은 꿰맨 바느질이 조잡하게 보였어. 그러나 그 옆 수술 자국은 바느질이 세련된 편이었어. 그는 그 수술 자국을 두고 일반 외과 과장의 수술 솜씨가 갈수록 늘어나고 있다는 증거라며 농담처럼 얘기하더군.

"나는 한번 먹으면 멈출 수 없어."

그는 월급 날 몇 푼 안 되는 돈으로 매점에서 빵과 과자를 잔뜩 사들고 나오면서 내게 말했어.

"이 상병님, 그러면 안 되잖아요? 이젠 더 이상 수술도 못 한다면서요."

나는 걱정스런 표정을 지으며 그의 행동을 만류하려고 했어.

"상관없어. 난 먹다 죽을 거야."

그는 담배도 즐겨 피웠는데, 첫 번째 수술을 마치고 '지금 뭐가 제일 하고 싶으냐?'라고 묻는 의사에게 담배가 생각난다고 말했다고 해. 그는 의사의 묵인 아래, 수술실에서 링거 주사기를 팔에 꼽고 코에 호스를 집어넣은 채 침대에 드러누워 담배를 피우는 영광을 누렸다고 내게 자랑했어.

한밤중에 병실에 울려 퍼진 그의 비명 소리가 모든 환자들의 잠을 깨운 적이 있었어. 그는 즉시 중환자실로 옮겨져야 했지만 하필 그곳에 빈자리가 없다고 하더군. 그로부터 이틀 뒤 결국 그는 우리 병동에서 죽은 채로 발견됐어. 기분이 묘하더군. 우리들이 잠자고 있는 그 병동에서 그는 한밤중에 단말마의 비명을 두어 번 지르고 나서 숨올 거두었지.

고참 병사들은, 그가 10종으로 분류되어 화장된 뒤 유골함에 담겨 그의 부모에게 넘겨질 것이라고 말했어. 군대에서는, 모든 물품에 대해 숫자로 분류하여 처리하는데 쌀 등 식량은 '1종', 총기류는 2종 그리고 군인의 사체는 10종으로 구분한다고 했어.

또 한 명의 쌍 자크는 공수부대에서 온 이등병이었어. 그가 중환자실에서 우리 병동으로 올라왔을 때의 모습은 그야말로 피골이 상접했어. 광대뼈가 툭 불거진 얼굴에다가 바짝 야윈 몸에 허리를 90도 가까이 굽혀서 엉금엉금 기듯이 걷는 그를 보면, 고향 동네에서 드문드문 봤던 꼬부랑 할머니가 연상됐어. 보름 정도 지나자 그는 막 병동에 올 때보다는 허리가 많이 펴졌어. 하지만 말을 자연스럽게 하는 데는 여전히 힘들어 하더군. 나는 서너 차례 그의 식사 당번을 자청해서 식당에서 죽을 배식 받아 그에게 갖다 주며 얘기를 나누곤 했어.

"내사 마 몇 차례 점프해야 되는 거 아이가."

"점프?"

"수송기에서 낙하산 메고 뛰어 내린 것을 점프라 안 하나."

"아."

"마지막 점프를 하려는데 그 전날 배가 아픈 게 아이가. 그래서 마, 의무대에 가서 마 진통제 주사를 맞고 누워 자빠져 있으니께 그날 밤에 훈련 소대장과 다른 동기들이 내를 찾아온 기야. 그 문뎅이 새키덜이, '내일 한 번만 점프하면 끝나는 거야. 우리 공수부대는 불가능이 없어! 우리 함께 명예롭게 훈련을 이수하여 자랑스러운 공수병이 되자!'라고들 외치며 나를 부추긴 게 화근이 됐다 아이가."

"그래서 그 낙하, 아니 점프를 한 거야?"

"말마라. 다음날 낙하산 군장을 메고 수송기 쪽으로 가는데 또 배가 아픈 게 아이가. 내는 그날 아침에 받아놓은 진통제 세 알을 한꺼번에 입안에 털어 넣고 동기들의 부축을 받아 수송기에 탔다 아이가. 그라고 공중에서 내 순서가 되자 비몽사몽간에 뛰어 내려 부렸다.마. 겨우 착지는 했지만 배의 통증 때문에 내사 마 정신을 잃어 뿌린 게 아이가.

136

아이고야 마, 그 뒤론 나도 잘 모르것다 카이. 내가 혼수상태에 있을 때 어떤 돌팔이가 내 배 때아지에 메스를 대서 거그 있는 창사구들을 몽땅 들어내서 씻었는데, 그게 마 깨끗하게 안 씻어져서 염증이 다시 도진기라. 여그 와서 다시 배를 째고 나니 내사 마 쌍 자크가 되어 요렇게 꼬부랑 할머니다 됐다 아이가!"

  그는 이렇게 소리치다가 말하기가 힘 들었는지 아니면 무엇이 갑자기 생각났는지 3,4초 동안 말을 멈추었다가 이어나갔어.

"이라다 나 여그서 죽을지 모르것다, 아이고오. 어지께 약 타러 약국으로 갔는데 '또라이' 병동에서 누군가가 죽어서 실려 나갔다 카드면……."

"죽었다고?"

  내가 이렇게 반문하자마자 갑자기 등 뒤에서 무슨 소리가 들렸어.

"자해했다!"

  뒤를 돌아다보니 최 상병이 빙긋이 웃고 있었어.

  병동의 병사들은 최 상병을 '스테이션 병'이라고 불렀어. 아마 '간호 스테이션(station)'에서 그 호칭이 유래된 듯싶었어. 최 상병은 어디서 주워 들었는가 따로 의학 공부를 했는가 모르지만 웬만한 신임 간호장교보다 의학 지식이 풍부했고, 마치 자신이 의사라도 되는 양 환자들의 다양한 임상 경험을 떠벌이기도 했어. 그에 비하면 내 뺨을 세차게 갈겼던 그 병장은 종일 얼굴도 안 보이다가 점호 때나 나타나곤 했는데, 나는 그가 진짜 위생병인지 아니면 다른 업무, 예를 들면 병참이나 운전 또는 행정 따위를 맡고 있는 기간병인지 알 수가 없었이. 아니, 구태여 알 필요가 없었어. 우리에게 진정한 의무병은 최 상병이었으니까.

  키가 후리후리하고 몸이 바짝 마른 최 상병은, 후송 온 병사들의 증세만 보면 그들이 앞으로 몇 개월 동안 병원 생활을 할 수 있겠다는 판정을 내리곤 했어. 그의 추정대로 맹장, 탈장, 늑막염 등으로 입원한 환자들은 통상 1,2개월 지나면 퇴원을 했고, 치핵, 탈홍, 치루, 직장 탈출 등의 증세를 보이는 각종 '똥창' 환자들은 2,3개월 있다가 떠나갔으며, 쓸개 염증, 위장병, 복막염 등으로 수술한 '앞 자크'들은 상태에 따라 6개월에서 1년 가까이 입원했다가 자대로 복귀했던 것 같아.

그런데 그렇게 '잘난' 최 상병이 내 입원 기간만은 예측하지 못했어. 일반외과 병동에서 1년 이상 잔뼈가 굵은 그 스테이션 병에겐 내 병명인 골수염조차 생소한 것이었다고 해. 우리 병실을 거쳐 갔던 간호장교도 내가 그런 병명을 가지고 정형외과나 신경외과에 입원하지 않고 왜 일반외과 병동에 있는지 고개들을 갸우뚱했어.

나는 그 최 상병에게 기회가 있을 때마다 골수염은커녕 아무런 질환이 없는 나를 하루빨리 여기 병원에서 나가게 해 주라고 부탁하곤 했어. 최 상병은 그런 나를 신기하게 바라보며 입을 삐죽이더군.

"허어, 이 놈아, 우리 병동의 수용 인원이 꽉 찼다고 내가 몇 번 말했냐? 그게 무슨 말인지 설명해 줬잖아? 만약 우리 병동으로 새로 환자가 들어오면 이전에 입원해 있던 누군가가 밀려나듯이 퇴원해야 해. 이 병동에선 가장 오래 입원해 있는 내가 가장 다급하다고! 나는 자칫하면 굴러온 돌멩이에게 뽑혀 나갈 신세라고. 네놈 같은 '또라이' 빼고는 여기 있는 놈들은 모두가 하루라도 여기서 더 버티려고 수단과 방법을 가리지 않고 있으니 말이야. 내 코가 석 자인데, 내가 어떻게 네놈 퇴원 신청을 잊어먹겠냐? 여기서 한 명이라도 줄여야 내가 내년 봄까지 이곳에서 버틸 수 있다고! 네놈이 그렇게 나가겠다고 날뛰는 거는 아직 자대 생활을 안 해 봤으니 그런 거야. 그래, 한번 가 봐. 네놈이 논산 훈련소나 포병학교에서 여태까지 겪었던 일은 애들 장난 수준이라는 걸 알게 될 거야. 거기서 당하고 나서야 네놈은 여기가 천국이란 뼈저리게 느낄 거야. 아, 나도 네놈 소원대로 네놈이 자대 가서 빵이 치는 걸 쫓아가서 보고 싶다, 이 똘아이 같은 놈!"

 나는, 이 최 상병에게 병동장인 김 병장이 갖은 아첨을 하는 장면을 몇 차례 본 적 있어. 김 병장은, 자신의 몸에서 탈출한 직장(直腸) 덕택에 괴로운 자대에서 탈출하여 후송병원 생활을 한 지 4개월째 접어들고 있는 병사였어. 그는 어떻게든 병원 생활을 연장하려는 병사 중 하나였어. 그런 의도를 가진 병사는 한둘이 아니었어.
 병원에서는 일주일에 한 번 정도 회진을 하는데 회진을 앞둔 전날 밤에는 상당수 환자들이 병원에서 금지된 술을 몰래 들여와 화장실 등에서 마구 들이켰어. 기를 써서 자신들의 증세를 악화시키려고 그런 거였어. 또 어떤 환자는, 자신의 후송 이유가 된 질환이 호전될 쯤에는 새로운 병 질환을 꺼내어 최 상병이나 간호 장교에게 입원 기간 연장을 하소연하기도 했어. 후송 병원 생활을 연장하려는 환자들의 이러저런 발악에도 불구하고 퇴원이 결정된 병사들은, 마치 도살장으로 끌려가는 소처럼 자기 부대로 돌아갔어. 상황이 이러니 환자들과 의료진 사이의 가교 역할을 했던 스테이션 병인 최 상병이 권력을 갖게 된 것은 자연스러운 일이었지.

 최 상병에게 부탁해도 퇴원이 안 되자 나는 회진 기회를 이용하기로 했어. 정기적인 회진 때는 점호 때처럼 환자들은 자기 침대 위에 가부좌를 틀고 앉아 있어. 그러면 차트를 든 간호장교 한두 명을 대동하고 과장이 진료를 시작하지. 그때는 과장이 환부나 수술 부위를 자세히 관찰하거나 문진을 하기 때문에 회진 시간이 30분 넘게 소요될 때가 많았어. 그런데 그 때마다 나는 웃음을 참는 게 여간 고역이 아니었어. 605 병동은 속칭 '똥창' 환자들이 절반 이상을 차지하고 있었기 때문에 그 환자들은 과장의 요구에 따라 환부를 보여주려면 뒤로 돌아서서 자신들의 엉덩이를 까고 높이 들어야 했어. 그들이 좌욕을 게을리 한 것이 드러나면 환자 스스로 나으려는 의지가 없다고 보고 퇴실 등의 조치가 내려진다고 알려졌기 때문에, 회진 때 그들의 엉덩이들은 뜨거운 물에 데인 자국을 과장에게 분명하게 보여 주어야 했어. 그런데 그들이 환부인 항문 부위를 과장의 얼굴 앞에 들이밀려면 엉덩이를 높이 올리고 자신들의 이마를 침대 매트리스 바닥에 바짝 붙이게 되는데 그럴 때면, 가랑이 사이로 처진 불알이 적나라하게 덜렁거리게 되는 거야. 그럴 때면 군의관 옆에 있던 간호장교는 슬그머니 고개를 돌려 눈길을 다른 곳으로 향하곤 했어.

드디어 기다리던 내 차례가 왔어. 나는 방금 전 봤던 우스꽝스러운 장면에 터져 나오려는 웃음을 참고 코를 벌름거리며 큰소리로 외쳤어.

"아무 이상 없습니다. 다 나았습니다!"

나는 침대 난간 위로 내 왼손의 약지를 들려 올려 군의관 바로 앞에 내밀었어. 그러나 그뿐이었어. 내 외침에도 불구하고 웬일인지 병원에서는 나를 퇴원시키지 않았어.

이래저래 퇴원이 이루어지지 않자 나는 병원에서 새로운 소일거리를 찾았어. 환자들의 식기를 씻거나 병실 청소 따위를 하고 나면 시간이 남아돌았기 때문이지.

틈만 나면 나는 병원 영내 도서관에서 책을 대여해 책들을 섭렵하기 시작했어. 병원이라 그런지 집중이 잘 되었어. 철학과 종교 관련 서적을 비롯해서 이런저런 책들을 퇴원할 때까지 오십 여 권 남짓 읽었던 것 같아.

병실의 오락 시간도 지루한 나날을 보내는 데 약간은 도움이 되었던 것 같아. 병동에서는 일주일에 하루를 잡아 저녁 오락시간을 가졌는데 나는 선임 병사들의 요구에 밀려 오락시간 진행자를 맡았어.

"성실! 지금부터 605병동 오락시간을 갖겠습니다! 박수 시작, 하나, 두울, 세엣……."

나는 통로에서 이렇게 외치고 나서 박수 박자에 맞춰 가벼운 스텝을 밟는 것으로 오락 시간을 시작했어. 박수 장단이 제법 무르익으면 노래를 선창했는데 맨 처음에 부른 노래는 김민기의 '강변에서'라는 노래였어. 내 노래가 끝나자 사병들로부터 야유가 터져 나왔어.

"야, 그것도 노래냐?"

"무슨 노래가 그렇게 어둡냐? 신나는 노래로 불러 봐!"

그러자 누군가가 최헌의 오동잎을 선창하자, 병사들이 모두 목청껏 따라 불렀어.

두 번째 오락 시간부터는 나도, 당시 유행했던 대중가요를 선창했어. 돌아와요 부산항에, 아파트 등의 노래들을 말이야. 물론 내가 노래 한두 마디만 부르면 모든 환자 병사들은 박수를 치며 그 노래를 병동이 떠나갈 듯 제창했어.

병실 밴드도 만들었어. 내가 진행을 맡고, 드러머는 서울에 있는 4년제 사립대학교에서 1학년 마치고 입대한 김 이병이, 보컬은 부산 어느 전문대 출신의 키가 큰 구 일병이 맡았어. 오락 시간이 되었다고 내가 선언하면 김 이병은 무아지경에 빠진 듯 고개를 힘차게 끄덕이며 침대 위에 식판 등 온갖 두드릴 것을 놓고 드럼을 치기 시작하지. 대중가요 두어 곡을 제창하고 나면, 나는 구 일병을 소개하는 멘트를 날렸어.

"우리 병도옹, 인기이, 인기 가수, 구 일병을 소개합니다아!"

구 일병이 침대 사이 통로로 내려와 경례를 하며 노래 일 발이 장전되었다고 외치면 다른 병사들은 자기들 침대에 앉은 채 일제히 화답했어.

"발사!"

그러면 구 일병은 빈 음료수 병에 담은 숟가락을 마이크처럼 손에 쥔 채 노래를 뽑곤 했어. 훤칠한 키에 여드름이 얼굴에 많은 구 일병은 조용필, 나훈아, 남진, 배호 등 남자 가수들의 노래뿐만 아니라 패티김, 김추자, 심수봉 등 여자 가수들 노래도 잘 불렀어. 우리가 있던 장소가 병실이라서 그런지 구 일병이 심수봉의 '그때 그 사람'을 부르면 환자들 모두가 병실이 떠나가도록 그 노래를 따라 부르기도 했어. 한번은 그가 배호의 '누가 울어'를 불렀을 때는 병실 안 어디에서도 숨소리조차 들리지 않았던 적도 있어. 우리 오락 시간이 인기가 있었는지 간호장교실 앞에서는 종종 다른 병동의 당직 간호장교들까지 모여들어 우리 '공연'을 즐겁게 지켜봤어.

병실의 오락 시간 횟수가 대여섯 차례를 넘기자 놀랍게도 숨어 있던 가수들이 등장했어. 충청도 출신의 장 병장은, 구 일병 못지않은 가창력으로 한국 가곡인 명태를 불러 소주를 생각나게 했고, 경기도 출신의 박 상병은 '돌아와요 부산항에'라는 노래 가사에 당시 잘 팔리는 가전제품 이름을 넣어 불러서 감탄을 자아냈으며, 서울 출신의 변 상병은 '고요한 밤'의 성스러운 가사를 신랑 신부 첫날밤으로 바꿔 불러 우리들의 배꼽을 쥐게 만들었어. 전국 각지에서 모인 이 비실비실한 군인 환자들이 그토록 놀라운 숨겨진 재능을 가지고 있을 줄이야!

나는 종종 그들의 감춰진 재능들을 보면서 잠깐 동안 진행자로서의 역할을 잊어버린 채 감탄만 내뱉고 있을 때가 있었어. 맞아. 그들이 군대에서 환자가 된 것은, 그들의 심신이 나약하기 때문이 아니었어. 애초부터 이 군대의 거친 시스템과 폭압적인 문화가 그들의 부드러움과 감수성에는 맞지 않았던 거야. 대한민국 군대는 개별적인 군인의 정서와 신체적 조건과는 상관없이 그들에게 획일적인 것을 요구하고 있었어.

'너의 심신은 무한대로 강해야 해. 혹독한 훈련이나 갖은 폭력 따위를
참아내야 해. 그것은 명령이야!'

7 개월 전

쌀쌀한 가을바람이 부니 병원 매점 앞 나무 이파리가 붉게 물들기 시작했어. 그날은 부산과 마산에서 있었던 데모를 군인이 진압했다는 짧은 뉴스를 보고난 지 며칠이 되지 않았을 때일 거야. 환자들은 한 시간째 병실 텔레비전 앞에서 모여서 웅성거리고 있었어.

"대통령이 죽었다고? 말도 안 돼!"

"어젯밤에 죽은 거야?"

"중앙정보부장이 쏘았대."

"무슨 소리야, 그는 대통령이 가장 신뢰하는 충복인데?"

이렇게 이러쿵저러쿵 떠들고 있는 환자 병사들 목소리들을 비집고 갑자기 톤이 높은 목소리가 튀어나왔어. 목소리의 주인공은 스테이션 병인 최 상병이었어.

"모두들 한밤중에 전군에 비상령이 내려졌는지 모르지? 당직 간호 장교에게 물어봤는데 자기들도 영문을 모른다고 하더군. 물론 이러나저러나 우리 같은 환자 병사들이 할 수 있는 게 별로 없지만."

"비상령이라고? 그러면 전쟁 나는 거 아냐?"

김 병장의 외침.

"무슨 재수대가리 없는 소릴 하는 거예요? 그렇게 되면 중환자만 제외하고 우리들 모두 자대로 복귀해야 할 텐데……."

최 상병의 힘없는 목소리.

"우이씨, 여기서 올 겨울을 넘기고 제대할 줄 알았는데!"

한 상병의 기어들어가는 목소리.

나는 텔레비전 앞에 모여서 불안스런 대화를 주고받고 있는 환자들을 뒤로 하고 병동 밖으로 나갔어. 그리고 매점 앞 벤치에 앉아서 심호흡을 했어. 아까부터 내 머릿속에서는 똑같은 소리가 수없이 메아리치고 있었어.

'아아, 그 독재자가 몇 년 전에만 죽었어도, 조금만 더 일찍 죽었더라면……'

+ + + + + + + +

내가 대학교에 들어간 1976년은 엊저녁에 총 맞아 죽은 그 독재자가 유신 헌법이니 긴급조치니 뭐니 하면서 나라 전체를 '동토의 제국'으로 만들어가고 있던 때였어. 나는 서울에 있는 대학교로 진학하라는 형의 권유를 무시하고 광주에 있는 전남대학교로 진학했었지. 순전히 경제적인 문제 때문이었어. 형은 우리 두 형제가 서울에서 사립대학교에 다니기에는 홀어머니의 식료품 잡화 가게로는 감당이 안 된다는 걸 몰랐던 것 같았어. 서울에 있는 대학교로 진학하라는 형의 판단은 순전히 예상보다 높게 나온 내 예비고사 점수에만 근거한 거지. 아무튼 나는 그 속 없는 형의 권유를 뿌리치고 지극히 현실적인 선택을 하여 전남대학교로 진학했어. 당시 국립대학교의 등록금이 고등학교 수업료와 비슷했기 때문이야. 게다가 학교가 있는 광주시에는 작은아버지 댁이 있어서 내 숙식을 해결하기 위해 우리 집에서는 추가의 비용을 들일 필요가 없었어. 그런데 막상 대학교에 들어가서 내 주위를 돌아보니 집안이 가난한 학생은 나뿐만이 아니었어. 내 주변엔 온통 가난뱅이 자식들로 득시글거렸지. 그들 대부분은 어떻게든 대학교를 무사히 졸업하고 나서 경제적으로 안정적인 직장을 얻어 부모와 집안의 기대에 부응하겠다는 의지가 가득했어.

그래서였을까? 내 주변에는 전설적인 선배들이 했다는 행위를 시도하는 학생들이 찾기 힘들었어. 은밀한 학습을 통해 혁명을 꿈꾼다든가, 전위조직을 만들어 이 불평등한 사회의 모순을 혁파하겠다든가 하는 야망을 가진 대학생은 아예 없었던 거야. 1학년 때는 까맣게 몰랐어. 불과 3년 전에 그 독재자가, 민청학련이라는 거창한 조직명을 갖다 붙여서 자신의 장기 집권에 가장 큰 걸림돌이라고 할 만한 전국의 대학교 학생운동의 싹을 아예 잘라버렸다는 것을.

대학교 본관 건물 뒤에는 사복 경찰들이 상주하면서 대학 캠퍼스를 공공연히 누비고 다녔고, 이런저런 명의의 감투를 쓴 교수들은, 잘 길들인 사냥개처럼 조금이라도 이상한 낌새를 가진 학생들을 잘 찾아내서 강제 휴학 등의 조치를 취하고 있었어. 그런 캠퍼스 분위기에 짓눌려 우리들은 패배의식에 사로잡힌 나머지 세월을 허비하고 있었지.

2학년 때 선태는 고교 동창 출신들과 함께 탈춤반 '서클'을 만들었다는 사실 하나만으로 강제 휴학을 당했지, 아마. 이전에 서울 소재 대학교 탈춤반이 사회 현실을 비판하고 독재 정권을 풍자한 공연 이력이 있다는 게 그 이유였던 것 같았어. 겨우 탈춤의 춤사위를 전수받고 있던 선태와 그 동아리 회원들은 학교 당국에 의해 흔적도 없이 뿔뿔이 흩어져야만 했지. 또 성주는 어떠했던가? 지역 군부대 일일 입영 훈련 때, 장발의 머리를 고수했다고 하여 교련 거부자로 지목당해 2학년도 채 마치지 못하고 군 입대 대상자로 분류되었지.

또 한 번은 사학과 다니는 한 3학년 선배가 4.19 기념식 한다고 문리대 앞 등나무가 우거진 퍼걸러 쇠 받침대에 태극기를 걸었어. 그러자 그로부터 2분도 채 되지 않아 학생처장인가 뭔가 하는 보직을 맡은 우리 학과 교수가 나타나서 그 태극기를 걷어가 버렸지. 나를 포함해서 불과 대여섯 명이 거기 모여 애국가 1절도 부르기 전에 말이야.

나는 그런 대학교를 다니는 것에 대해 회의를 느껴 몇 차례나 자퇴하려고 작정했어. 그러나 그때마다 어머니의 반대로 실행에 옮기지 못했지. 그래서 답답한 대학생활에서 벗어나기 위해 2학년만 마치고 군에 입대하려고 했었지. 그런 나를 정호가 막아섰어. 학과 대표를 맡은 저를 도와줄 이는 내가 유일하다는 거였어. 결국 난 3학년이 되어 정호와 함께 그나마 답답한 캠퍼스에서 숨통이 틔는 듯한 보잘것없는 행사들, 예를 들면 야유회라든가 체육대회 등을 치러 나갔어. 6월의 대학 축제에는, 내 주변의 상당수 학생들이 가난한 농부의 자식들이라서 축제에 참여할 수가 없었어. 우리는 축제 기간에 캠퍼스를 벗어나 농번기를 맞이한 친구들의 시골집으로 가서 모내기와 누에에게 먹일 뽕잎 따는 일 따위로 소일하기도 했지.

 그런데 결국 사건이 생기고 말았어. 1학기 기말 시험을 앞둔 어느 날 우리 대학의 젊은 교수들이 잡혀 들어간 거야. 이른 바 민주 교육 지표 사건이 터진 거지. 그 사건이 있기 사흘 전에 요섭이는 내게 이렇게 말했었지.
 "나, 이번에 기독교 학생 연맹 회장을 맡았어."
 "뭐라고! 내가 얼핏 듣기론 그 서클은 반체제 서클로 지목되어 몇 년 전에 와해되었다고 들었는데?"
 "며칠 전에 여남은 명이 모여서 재건을 논의했어. 그런데 그 모임에 딱히 회장 할 사람이 없어 내가 뽑힌 거야."
 "자네가 회장이 됐다는 게 공안당국에라도 알려지면……"
 "이미 알려졌을지도 모르지. 이번 주말에 시 외곽에 있는 절에서 선배들을 만나기로 했으니 거기서 조언을 받아 봐야지."
 "글쎄 그게 아무래도……."

그로부터 나흘 뒤 도서관 앞에서 투옥된 교수들 석방을 촉구하는 학생들 집회가 열렸어. 그리고 요섭이는 그 집회를 주관한 동아리들 대표 중 한 명이라고 잡혀갔어. 76년 이래로 500명 이상의 학생이 모인 집회는 그때가 처음이었어. 요섭이와 일부 주동자 급이 긴급조치 9호 위반으로 잡혀가고 난 뒤, 우리들은 경찰들이 지키고 있는 도서관 앞을 비워 두고 광주 시내로 진출했어. 우린 금남로, 충장로, 중앙로 등 시내 곳곳에서 최루탄 연기를 마셔가며 산발적인 가두집회를 했어. 때로는 교문이 굳게 닫힌 조선대학교 앞까지 가서 시위 동참을 호소하기도 했어. 시위가 나흘째 지속되던 때였지.

"이제 시위는 우리 문리대 동우회가 주도하기로 했어. 초대 회장은 이미 잡혀 들어갔고, 내가 궐석인 그 자리를 맡기로 했어. 내가 만약 들어가게 되면 자네가 회장 직을 맡아 줘. 이제 문리대 안에서 우리가 처한 이 삭막한 현실을 제대로 볼 수 있는 친구를 찾긴 힘들 것 같아, 자네 외에는."

호택이가 문리대 등나무 벤치 아래서 내게 정색을 하며 말했지.

"그게, 그러니까, 일단 집에 갔다 와서……."

나는 호택에게 확답을 하지 못하고 주말에 광주역에서 완행열차를 타고 고향에 내려갔어.

"무슨 소리를 하는 게냐? 죽고 살고 고생해서 대학교에 보내 놓으니까!"

어머니는 기가 차다는 표정을 지었어.

"잠깐만 감옥에 갔다 올게요. 내 친구들이 잡혀 갔어요. 이젠 제 차례에요, 엄마."

세상에, 나는 왜 이렇게 말 주변이 없었던 거야. 일제 강점기 때 어떤 독립투사의 어머니가 아니고서야 어느 어머니가 자식이 감옥에 간다고 하면, '오냐, 장하다. 잘 다녀오너라.'하고 반길 수 있단 말인가? 물론, 내가 말을 이리저리 돌려서 말을 해도 어머니는 결국은 내 의도를 알아 채셨을지 모르지만. 나는 포기하지 않고 계속해서 어머니께 감옥에 갔다 온다고 말씀드렸어.

"아이고오, 절대 안 된다. 이놈아! 차라리 나를 죽이고 들어가거라."

어머니는 내 손을 덥석 잡으시며 해방 직후 아버지의 옥바라지 경험을 길게 늘어놓으셨어.

"친구들이 감옥에 끌려가고 있어요. 그들이 고통을 당하고 있는데 저만 외면할 수는 없어요. 1년 정도만 들어갔다가 나오면 돼요."

내가 좀처럼 물러서지 않자 어머니는 비장의 무기를 꺼내듯 말씀하셨어.

"일전에 너희 작은아버지께서 여기 가까운 지방의 경찰서장으로 부임했다고 너희 작은엄마와 함께 가게에 들르셨다. 너희 작은아버지께서는 이런저런 말씀 도중에 내게 신신당부하신 게 뭔지 아냐? 자신이 승진하기 위해서는 자기 자식들은 물론 직계 사촌까지 사상적으로 아무런 문제를 일으키지 않아야 한다고 하시더라."

"난 사상범이 되려는 게 아니에요! 그냥 교수님들 석방 집회에 앞장서는 것뿐인데요."

"요즘 세상이 어떤 세상이냐? 사상범을 만들어서 잡아가두는 것은 식은 죽 먹기다. 귀에 걸면 귀걸이고 코에 걸면 코걸이다. 네가 감옥에 들어가면 너는 너희 작은아버지한테 은혜를 원수로 갚게 될 것이다! 나는 너희 아버지가 홀연히 떠난 뒤에도 오로지 자식들만 잘 되라고 이렇게 고생하고 있는데, 그 동안 아무 문제없이 대학교에 다니던 너까지 이 어미 속을 모르고……."

어머니의 흐느낌을 뒤로 하고 캠퍼스로 돌아왔어.

이틀 뒤에 호택이는 경찰에게 잡혀 감방에 들어갔고 회장이 없는 문리대 동우회는 와해되었지. 주도(主導) 세력이 없는 상황에서도 학생들의 데모는 산발적으로 이어지고 있었어. 결국 학교는 조기 방학에 들어갔고 기말 고사는 리포트 제출로 대체됐어.

나는 형식적으로 리포트를 제출하는 둥 마는 둥 하며 캠퍼스를 뛰쳐나왔어. 그리고 두어 달 전에 여름 방학이 되면 친구들과 함께 삽교천 방조제 공사 현장으로 가서 철근공 '시다'역의 아르바이트를 하기로 한 계획도 취소했어. 대신 나는 고향에서 전기공과 함께 유원지 술집들의 조명등을 설치하는 일 등을 하면서 씁쓸한 여름 방학을 보냈어.

2학기에 다시 휴학계를 내려 했으나 정호가 또 나를 막았어. 여전히 학과 대표를 맡고 있는 자기를 도와주라는 것이었지. 나는 생각했어. '교수와 친구들이 잡혀 들어갔는데도 그깟 학과 행사가 뭐가 중요하단 말인가?' 그러나 나중에 알고 보니 정호가 겉에 내세운 학과 일은 단순히 핑계거리였어. 그도 학교를 뛰쳐나가고 싶었으나 신체검사에서 군대를 면제받았기 때문에 나처럼 군 입대를 구실로 휴학할 수 없었던 거야. 어쨌든 정호의 만류에 못 이기어 나는 2학기를 마저 다녔으나 그 결정을 얼마나 후회했던지!

한 차례 폭풍이 지나간 듯이 캠퍼스는 스산했고 우리는 다시 무기력한 존재로 돌아갔어. 나는 툭하면 문리대 앞 등나무 퍼걸러 아래에 있는 벤치에 홀로 앉아서 친구들을 떠올리며 한숨을 내 쉬곤 했어. 호택이와 요섭이는 감옥에 있고, 선태는 학교에서 쫓겨나 길거리를 떠돌고 있고, 성주는 전투경찰을 지원해서 어느 해안가에서 근무한다고 들었어. 사복 경찰들은 이전보다 훨씬 노골적인 태도로 캠퍼스에서 활개 쳤어.

강의실 안에 들어가면, '장'자가 끄트머리에 붙은 보직을 부여받은 일부 교수들은, 마치 6.25때 완장을 찬 머슴들처럼 더욱 노골적으로 독재

150

정권의 나팔수가 된 자신들의 추한 모습을 감추려고도 하지 않았어. 그들의 원조 선배 격이라고 할 수 있는 전임 대학교 총장은, 자신을 독재자에게 '둔마(鈍馬)'라고 낮추어 문교부 장관까지 꿰찬 지 오래됐지. 그런데 그의 영향력 덕택인지 학교는 여기저기 새 건물을 짓느라고 온통 소음으로 가득한 공사판이 되었어. 학교 안의 오래된 마을과 무덤들이 마구 파헤쳐지고 있었어.

주재하기 힘든 비애감을 안고 지방 국립대학교 캠퍼스에서 스물 두 살의 나는 아무것도 하지 못하고 무력한 세월을 보내고 있었어. 2학기를 다니는 둥 마는 둥하고 도망치듯이 학교에서 빠져나왔어. 그리고 노동 현장에 취업하기 위해 여기저기 수소문했어. 처음에는 강원도 탄광쪽을 알아 봤으나 내 주변에는 그쪽 정보를 가진 이가 아무도 없었어.
그래서 나는 차라리 내가 어렸을 때부터 고향에서 익숙하게 봐왔던 노동 현장을 스스로 개척하기로 했어. 일단 여수항으로 내려가서 나는 스스로 마음이 약해질까 봐 호주머니에 있는 돈으로 국밥 한 그릇을 사 먹고, 여인숙을 잡았어. 남은 동전 200원으로 여수 시내에 있는 서점에 가서 삼중당 문고판 책을 한 권 사고 나서 내 자신을 무일푼으로 만들었어. 다음날 아침 일찍 부두로 가서 선원 알선소의 유리문을 두드렸어. 알선소 측은 나를, 밤이면 창녀들의 야릇한 웃음소리와 괴성이 들리는 '병모가지'라고 불리는 곳의 숙소에 데려가 그곳에서 기다리라고 했어. 사흘째 되는 날 아침에 표독스럽게 생긴 선주가 나타나서 알선소 측에 내 몸값 조로 4500원을 지불하고 나를 데려 가더군. 여객선을 타고 거문도에 가니 겨울바람 속에서 어선들이 출항하지 않고 부두에 정박해 있더군. 그날부터 나는, 당시 '나가시 배'라고 불렸던 조그마한 삼치 잡이 배의 선원이 되었어. 내 역할은 선원들의 식사를 담당한 '화장'이었는데 선원 가운데 가장 말단에 해당하는 자리였어. 나는 가슴이 벅찼어. 나는 선원들이 일하는 어업 현장에서 민중들과 함께 뭔가 새로운 일을 개척할 수 있다는 희망에 부풀었던 거야. 참 순진한 생각 이었지!

 내가 탄 조그마한 어선은 사방이 수평선으로 둘러싸인 어장인 '바닥' 까지 항해하는 동안 거친 파도에 통째로 잠길 것처럼 좌우로 심하게 흔들렸어. 나는 배 멀미로 똥물까지 토하며 배 갑판 바닥에서 벅벅 기어야 했어. 나는 일주일 넘어서야 겨우 하급 선원 생활에 적응했지만 내가 나름대로 세웠던 계획을 추진할 수는 없었어. 일제 잔재의 용어들이 난무한 배에서 내가 선원들에게 대화를 시도하면 그들은 나를 애송이 취급하며 약속이나 한 듯이 나로부터 멀어져 갔어. 선장은 나를 보고 "너는 이런 배를 탈 놈이 아니다."라고 단정했고, 선원들은 내가, 그들과 이질적인 부분이 있다는 것을 본능적으로 알고 있는 듯했어. 선원들은 극악한 환경에서 생존의 법칙만 익혀왔기 때문인지 각자 이기적이고 파편화된 의식으로 가득했어. 게다가 그들은 상대방을 향한 거친 욕설과 잦은 음주 문화에 길들여져 있었어. 그런 그들 앞에서 나는 너무나 무기력한 존재였어. 노동자 민중과 더불어 고통을 겪으면서 그들의 실태에 맞는 조직을 만들고 그들과 함께 단결된 투쟁을 해 나가려는 내 의도는 단 한 발자국도 나아가지 못했던 거야.

+ + + + + + +

 결국 나는 별 소득도 없이 선원생활을 끝내고 집에 올 수 밖에 없었어. 입대 영장을 받아 들고 나서 나는 캠퍼스에서 친한 예비역 선배들한테 귀가 닳도록 들었던 말을 떠올렸어.
"군대에서 가장 '빵이 치는' 역은 최전방에서 말단 소총수를 하는 것이지. 자네는 거기 가면 며칠도 채 버티지 못할 거야."

　그래, 나는 결심했어. 만약 내게 그 역할을 선택할 여지가 주어진다면 나는 기꺼이 그 말단 소총수가 되기로.

　그리하여, 학교에서 쫓겨나 어디에선가 헤매고 있을 친구들, 차디찬 감옥의 바닥에서 쓰라린 청춘을 보내고 있던 친구들, 어용 교수와 사복 경찰이 들끓고 감시의 시선이 가득한 캠퍼스에서 우울한 대학 생활을 보내고 있는 친구들의 고통에 조금이라도 위안이 될 수 있다면, 아니 솔직히 말한다면 내가 전방에서 갖은 고생을 해서 친구들에게 갖고 있는 내 부채 의식을 눈곱만큼이라도 덜 수만 있다면, 나는 그 길을 결코 마다하지 않겠다고!

　그렇게 군에 입대한 내가, 우리 청춘을 그토록 옥죄고 칠흑 같은 어둠 속으로 마구 몰아넣었던 그 독재자가 어느 날 맥없이 사라져 버렸다는 뉴스를 봤을 때 내 마음속에서는 무슨 생각이 일어났겠는가?

5개월 전

"너, 과장님하고 아는 사이냐? 과장님이 전남대학교 의대 나왔다고 하던데…… 혹시 대학교 다닐 때부터 서로 아는 게 아냐?" 내가 다시 퇴원 신청을 해 주라고 부탁하니 스테이션 병이 정색을 하며 묻더군.

"전혀 모릅니다. 아마 나이로만 따진다면 과장이 대학교 입학했을 때 나는 초등학교나 다녔을 정도로 둘 사이에 터울이 있는 걸요. 설사 학교를 함께 다녔다고 해도 의대생들은 본과생만 되면 본관 캠퍼스와는 동떨어진 전남대학교병원 쪽에서 대학생활을 하니 나와는 우연히 만날 가능성이 거의 없죠."

"이상하단 말이야. 네놈을 퇴원시켜 달라고 간호장교실에 가서 두 번이나 줄기차게 신청했는데 왜 안 들어주는 거지?"

"상병님도 들었지 않아요? 회진 때마다 제가 다 나았습니다, 라고 외친 거!"

"허긴, 네놈이 온 605병동이 떠나가도록 외쳤으니 귀때기 수술한 라 상병 빼고는 다 들었을 거야."

라 상병은 급성 중이염 때문에 의무대에 들렀다가, 그의 귀 모양이 이상한 것을 발견한 군의관이 후송 보내준다는 약조를 하고 나서 귀에 무슨 뼈를 심는 수술을 해서 여기까지 온 병사였어.

"최 상병님, 12월에는 이동병력이 없다고 했잖아요? 아직 3,4일 남았으니 다시 한 번 간호 장교님께 말씀 드려 보세요."

"알았어. 좌우간 너란 놈은 고생 못 해서 환장한 놈 같군. 하긴 아직 자대에서 '군대의 맛'을 못 봤으니 그렇게 겁이 없지."

154

12월이 되자 두 명의 환자가 병실에 들어왔어. 기갑학교 교육 중 불타는 탱크에서 탈출해 상체와 목 주변까지 전신 화상을 입어서 신체의 일부에 피부 이식 수술까지 한 정 하사와, 쓸개가 절제된 수술을 받아 병동 안의 고참들로부터 '쓸개 빠진 놈'이라고 놀림을 받은 노 일병이 바로 그들이야. 최 상병이 부지런히 손을 썼는지 알 수는 없지만 그들의 입원과 동시에 퇴원한 환자가 세 명이나 되었어. 직장 탈출이라는 병명을 지닌 '병동장'인 김 병장은 제대를 코앞에 두고 씁쓸한 표정을 지으며 6개월 전에 탈출했던 자대로 복귀했고, 전북대학교 1학년을 마치고 입대한 이 이병은, 위장을 절반 가까이 잘라내는 수술을 겪은 자신을 제대 안 시킨다고 울상을 지으며 병원을 떠나갔고, 치핵 제거 수술 후 경과가 시원찮아 한 달 정도 더 입원했던 서 상병은 위 둘에 비하면 무덤덤한 표정으로 퇴원을 받아들였어.

군산 출신의 이 일병은, 그때까지 담배를 피우지 않았던 내게 군산 미군기지에서 흘러나온 걸로 보이는 여성용 '켄트' 담배를 계속 권하여, 이후 나를 골초의 인생으로 접어들게 만든 일등공신이야. 그리고 서울 출신으로 고려대 경영학과 3학년까지 다니다가 온 서 상병은, 당시의 우울한 시국을 놓고 매점 앞 벤치에 앉아서 나와 대화를 자주 나눴는데 막상 그가 퇴원해 버리니 무척 허전한 마음이 들었어.

병동 창문 밖으로 간간이 눈발이 날리더군. 오락시간이면 으레 나왔던 심수봉의 노래, '외로운 병실에서 기타를 쳐 주던 그 때 그 사람'을 아무도 부르지 않은 지 두 달이 넘어 가고 있었어.

어느 날 아침 텔레비전에서는 육군 참모총장이 반역죄로 체포됐다는 뉴스가 나오더군.

"저 친구가 실세로군."

최 상병이, 수사 결과를 발표하고 있는 보안사령관을 손가락으로 가리키며 말했어.

"'그때 그 사람'이 대머리로만 바뀌었군."

변 상병이 웃으며 호응했어.

"참모총장이란 친구가 저희들 말을 듣지 않았을 테지. 좌우지간 누가 총에 맞아 뒈져도 이놈의 대한민국에선 달라지는 것은 없을 것 같아."

박 상병이 팔짱을 키고 코웃음을 쳤어. 나는, 노래 가사 바꿔 부르기의 쌍벽을 이루었던 박 상병과 변 상병의 유머와 예지에 속으로 감탄했어. 둘은 계속 웃으며 대화를 계속했어.

"설마 참모총장 반역했다고 우리를 부대로 복귀하라고 하지는 않겠지?"

"변 상병, 나처럼 비실비실한 군인을 복귀시켜서 써 먹을 데가 있을까?"

"나도 박 상병과 비슷해. 난 사격도, 구보도 형편없었고 이젠 배에 앞자크까지 달렸으니 말이야. 하핫"

"그런 건 자네들보다 군대가 체질인 저 이등병에게나 맡겨야지. 저놈은 퇴원하지 못해 안달이 났으니 말이야."

최 상병이 둘의 대화에 끼어들어 나를 턱짓으로 가리키더군. 다른 두 상병도 미소 지으며 나를 바라봤어. 나는 멋쩍게 웃으며 그들의 대화에 끼기로 작정했어.

"상병님들은 남을 즐겁게 해 주는 특기를 갖고 계시니 군대에서는 군의 사기진작을 위해 두 분을 붙들고 있는 것은 아닐까요?"

"미친 소리 마, 새꺄! 나는 어떻게든 빨리 제대할 거야. 사회에서 사업으로 성공하게 되면 나도 그 죽은 영감탱이처럼 가수를 불러 술자리에서 노래를 부르게 해놓고 '시바스 리갈' 양주를 마실 거야."

박 상병은 이렇게 말하고 나서 손으로 술잔 모양을 만들어 술을 마시는 시늉을 해 보였어.

"그때 나도 불러 줘. 그런데 '그때 그 사람' 곁에 커튼 뒤의 가수 말고 다른 여자도 있었다던데……."

변 상병은 말을 하다가 갑자기 멈추었어.

나는 변 상병의 표정이 굳어진 것을 보고 뒤를 돌아다봤어. 간호대장이 씰룩거리며 우리 쪽으로 오고 있었어.

"성실!"

"성실!"

그녀가 침대 사이로 걸어오자 병사들이 여기저기서 구호를 외치며 경례를 붙이고 있었어. 그녀는 자신의 대위 계급장의 무게를 분명하게 의식하고 있는 게 분명했어. 씰룩거리는 엉덩이와 커다란 가슴의 무게 때문에 쉽지는 않았으나 그녀는 남자 군인처럼 당당하게 걷고자 애썼고, 병사들에게 경례를 받을 때도 눈으로 그를 일일이 바라보며 입을 다물고 꼬리만 약간 올린 채 고개를 까닥였어.

우리가 병동에서 평소 만나는 간호 장교들은 중위가 압도적으로 많았어. 장교 환자들과는 달리 병사들은 간호 장교들에게는 쉽게 농담을 걸지 않았어. 그녀들이 환자들의 증세를 관찰하고 점검해서 퇴원 신청을 하기 때문이지. 병사 환자들 입장에서는 스쳐 지나가는 가벼운 농담도 그것을 받아들이는 간호 장교의 성격에 따라 때로는 싸늘한 결과를 초래할 수도 있다는 걸 알고 있었어. 물론 퇴원을 간절히 원했던 나는, 그런 것에 구애받지 않고 비교적 자유롭게 한두 명의 간호장교들과 시시껄렁한 농담을 주고받기도 했어. 그러지 않았어야 했는데 말이야!

"잘 물었던 거야. 남자를."

내가 병실을 빠져나가는 간호대장을 유심히 보고 있으니 최 상병이 내게 들으라는 듯이 말문을 열었어.

"남자라뇨?"

"남자가 505 보안대 장교야"

"505 보안대?"

"그래, 설마 보안대가 뭔지 모르는 것은 아니겠지? 경찰서 대공과나 중앙정보부에서 정치범이나 간첩을 잡아서 족치고 고문하는 것처럼 군대에서는 보안대가 그 일을 하는 것이지. 거기 끌려가서 죽거나 병신 안 되고 나오면 다행이라고들 하더군. 상무대를 비롯한 전라도 지역의 군바리들은 505 보안대라는 말만 들어도 벌벌 기지. 2년 전에 그 보안대 소속의 한 장교가 여기에 입원했던 거야."

"그때 저 간호대장이 그를 간호했군요."

"그래, 그때 중위였던 저 간호대장과 그 보안대 소속 장교가 여기서 서로 눈이 맞은 거야. 나중에 결혼까지 했다는 소문이 들리던데……."

"벌써요?"

"여자가 남자를 확실하게 무는 방법은 결혼 아닌가?"

그 후 나는 그 간호대장의 남편이라는 보안대 장교가 병동에 나타난 것을 보고 깜짝 놀란 적 있어. 그는 머리를 일반인처럼 길게 길렀고 사복을 입고 있었어. 그는 대령 계급장을 단 병원장의 안내를 받아 자기 아내인 간호대장과 함께 우리 병동으로 들어서고 있었어. 아, 세상에! 나는 그를 단번에 알아 봤어! 만약 내 친구들도 그를 봤다면 그가 누구인지 단박에 알 수 있었을 거야. 당시 우리들 사이에서는, 캠퍼스에서 이른 바 ROTC라고 불렸던 대학생들을 보고 '군인도, 학생도 아닌 어정쩡한 바보티시'라며 그들을 조롱했던 풍조가 있었지. 그러니 이념과 철학과 역사와 혁명 등의 화제를 두고 토론했던 문리대 인문대학 안에는 그 학군장교 지망생들이 지극히 드물 수밖에. 그런데 그날 병실에 들어 온 그 505 보안대 장교는, 우리가 2학년 무렵 대학교 캠퍼스에서 몇 차례 봤던, 베레모에 제복을 입고 다니던 몇 안 되는 문리대 인문대 '바보티시' 중의 한 명이었어. 나는 그가 대학 후배인 나를 알아볼까 봐 얼른 병실 구석으로 가 버렸어. 도대체 그는 어떤 줄을 잘 섰기에 학군장교 출신으로서 군대 안에서 서슬 퍼런 권력을 가진 보안대 장교가 되었을까? 그리고 그는 그로부터 몇 개월 뒤에 군인들 대신 대학생들이 그리로 끌려왔을 때에도 그 보안대에 계속 있었을까…….

서울에서는 계엄군 사령관이면서 동시에 육군참모총장이었던 별 네 개의 대장이 체포되어 어디론가 끌려가고 난 지 며칠이 지났지만, 여기 남녘의 한 국군 병원에 입원해 있던, 이등병인 내 신상에는 여전히 아무런 변화가 없었어.

만약 그날 밤에 그 꿈을 꾸지 않았더라면, 나도 병동의 환자들 사이에 징후군처럼 퍼져 있는 그 믿음, 연말에는 이동 병력이 없다는 통설을 순순히 받아들였을 거야. 그것은, 병원에 남고자 했던 대다수 환자들에게는 기쁨의 이유가 되었겠지만. 내게는 한없는 무력감을 불러일으키는 원인이 되었으니까.

나는 지금도 그날 꾼 꿈을 생생하게 기억하고 있어. 나는 꿈에서 사랑을 나누고 있었어. 꿈속에서 나의 상대는 그때 우리 병실 담당 간호 장교인 박 중위였어. 그녀가 침대에 누워 있는 내게 고개를 숙이고 내 얼굴에 입김을 내뿜으며 내게 물었어.

'나 좋아해?'

'으응, 응.'

나는 황홀해서 이렇게 대답했어. 하지만 꿈속에서도 나는 한편으로 불안한 생각들이 떠올랐어. 아무리 한밤중이라고 하지만 수십 명의 병사 환자들이 주위 침대들에 누워 있는데 만약 누군가가 깨어나서 우리가 사랑을 나누고 있는 장면을 보고 있으면 어쩌지……, 나는 이 여자를 사랑하는 걸까……, 이 여자와 결혼한다면 남은 내 군대 생활은 어떻게 되는 걸까……. 불안감 속에서도 나는 물밀 듯이 밀려오는 쾌감에 휩싸였어. 그런데 조금 이상했어. 박 중위는 아까부터 내 발목 부위만을 애무하고 있었어. 그래서 나는 소리쳤어.

'거기 말고, 거기 말고……. 다른 곳도 만져 줘, 만져…….'

"줘!"라는 말을 신음처럼 내뱉으며 나는 꿈에서 깨어났어. 내가 눈을 뜨고 자리에서 일어나려고 하자 누군가가 내 침대 끄트머리에서 모포를 만지다 말고는 황급히 떠나는 게 보였어. 나는 자리에서 일어나 침대에 앉은 채로 떠나가는 그 뒷모습을 멍하니 봤어. 박 중위였어! 간호장교들이 한밤중에 환자들이 발로 차 버린 모포를 챙겨주는 일은 종종 있던 일이었지만 그날은 느낌이 달랐어. 한참동안 나는 우두커니 침대에 앉아 있었어.

갑자기 누군가에게 뒤통수를 세게 맞은 듯한 느낌이 들더군!

나는 다음날 아침 일어나자마자 스테이션 병인 최 상병과 상의하여 과장 면담을 신청했어. 면담이 허락되자 나는 간호장교실을 거치지 않고 과장실로 직행했어. 그리고 거짓말처럼 사흘 있으니 퇴원이 결정되었어. 최 상병은 밝은 표정으로 국군광주통합병원을 통틀어서 나 혼자만 퇴원한다고 말하더군. 그는 진정으로 내 퇴원을 반겼어. 퇴원하던 날 간호장교실로 가서 신고를 하는데 박 중위의 눈이 이글거리더군. 우는 것인지, 분노를 터뜨리고 있는지 종잡을 수가 없었어. 나는 간호장교실을 나오며 속으로 외쳤어.

'아아, 미안해요. 저도 당신을 좋아했어요. 하지만 저는 박 중위님과 사랑하러 군대에 온 것 아니에요. 저는 제 친구들이 감옥으로 가는 것을 보았고, 그들 중 한 명이 내게 바통을 넘겨주었는데도 그걸 내팽겨쳤어요. 저는 지금 당신처럼 예쁜 여성과 사랑할 처지에 있지 않습니다. 지금은 친구들에 대한 배신의 대가를 치러야 할 때입니다.'

나는 약 4개월 만에 더플 백을 메고 상무대 안의 포병학교로 다시 돌아왔어. 병원에서 출발하기 전에 몸무게를 재 봤는데 10킬로그램이나 늘어났더군. 나와 포병학교에 입교했던 동기들은 진작 그곳을 떠난 뒤였지.

"103보로 간다고? 네 거기가 어딘 줄 알긴 아는 거야?"

포병학교 본부 인사과 이 병장은 나를 보고 기가 차다는 표정을 지어 보였어.

"강원도요."

"아니, 거기가 어떤 데인 줄 아느냐고?"

"통합병원에서 선임들에게 들었습니다. 101보충대가 있는 경기도보다 훨씬 군대생활이 힘들다고⋯⋯."

"그걸 알면서도 거길 간단 말이야? 잘 생각해, 이 멍청한 이등병 놈아. 넌 운이 좋은 편이야. 네 동기들은 이런 선택의 기회도 없었어. 마지막으로 묻는다, 101보, 103보?"

"103보입니다."

"허참! 이상한 놈, 다 봤네."

이 병장은 나를 몇 차례나 다시 쳐다보고 서류에 뭔가를 적었어. 그러고 나서 그는 103보충대로 가는 열차는 사흘 뒤에 출발한다고 내게 말했어.

내가 대기병으로 있던 며칠 동안 포병학교 본부 기간병들은 나를 이런저런 사역에 동원했어. 식당에서 필요한 부식을 어묵 공장이나 콩나물 공장에 가서 보급 받아 식당으로 나르는 일 등이었어. 나는 트럭 짐칸에 탄 채 상무대 안의 사령부를 포함해 보병학교, 포병학교, 기갑학교 따위를 두루 구경할 수 있었어. 상무대 안의 재판정과 영창을 지나치면서도 군대에도 저런 게 있구나, 하고 무심코 지나쳤지. 당시에는 그 안에 단층으로 납작하게 눌린 팬옵티콘(panopticon)이 거기 있다는 것을 상상이나 했겠어?

　대기병 이틀째인 날 나는 김치 저장고에서 김장 김치를 꺼내는 작업에 투입되었다가 거기에 빠져서 옷과 몸이 김칫국물에 물들여졌어. 물론 그 뒤에 한 이등병의 몸이 흠뻑 적신 김장김치는 위생 상태가 문제가 있기 때문에 교육생들과 기간병과 장교들의 입으로 들어가서는 안 된다고 주장하는 군인은 아무도 없었지. 거긴 대한민국 군대야. 그날 나는 트럭 뒤에 탄 채 추위에 덜덜 떨면서 평일 대낮에는 아무도 없는 목욕탕으로 홀로 들어갔어. 뜨거운 온수로 빨갛게 물들인 몸을 씻고 고춧물과 김치 냄새가 배긴 옷을 세탁하는 데 한 시간 남짓 걸리더군.

　내가 포병학교 본부로 와서 페치카 옆에 바짝 붙어 옷을 말리고 몸을 녹이고 있는데 인사과 이 병장이 환한 표정을 지으며 내게 다가왔어. 그는 내 어깨에 손을 얹고 나를 내무반 구석에 데리고 갔어.

"어쩌다 김치 저장고에 빠져버렸냐?"

　그의 눈빛이 따뜻하게 느껴지더군.

"정신없이 김치를 퍼내다 보니……."

"무모할 만큼 용감하군! 어쨌든 너, 이제 103보든 101보든 가지 않아도 된다. 너 여기 근무하면 돼. 내가 어제 인사과장님께 허락받았다! 너는 이제부터 내 부사수야. 내년 2월에 내가 제대하면 마땅히 내 일을 인수할 후임병이 아직 정해지지 않았거든. 과장님께 네 출신과 학력을 말씀드렸더니 앞으로 너를 여기 남도록 조치하겠다고 하셨다."

"말씀은 고맙지만 저는 전방으로 가야 합니다."

"뭐라고, 아니, 너 미친 거 아냐?"

"죄송합니다. 저는 최전방으로 가서 근무하고 싶습니다."

"네가 제대로 된 고생을 안 해 봐서 그런 생각을 하는 게야. 잘 생각해 봐. 여기는, 군대라고 생각할 수 없을 정도로 편한 곳이야. 여기서는 평소에 서류와 전화통만 만지작거리고 세월을 보내고 있다가 일 년에 한두 번 사격훈련 따위를 받으면 그걸로 끝이야. 업무라고 해 봤자 교육생들이 오면 그들을 접수하고, 그들이 교육을 끝내면 상부의 지시에 따라 다시 각 보충대로 전출 보내는 것뿐이야. 주말이면 너도 장교 교육생들과 마찬가지로 외출 외박도 할 수 있고. 물론 이 모든 일은 종이 위에 펜대 몇 번 굴리거나 전화 한두 통으로 처리하지."

"그래도 저는, 여기 같은 후방에서 군대 생활하려고 입대하지 않았습니다."

"하아, 너란 놈은 도대체 이해할 수가 없군. 아무튼 오늘 오후 6시까지 잘 생각해 봐. 만약 네가 여기 남지 않는다면 모레 당장 올해 마지막 교육을 마치는 교육생들 열차 편에 널 보내야 하니까."

이 병장은 저녁을 먹고 나서도 나를 따로 불러내서 설득했어. 결국 이 병장은, 자신도 그런 나의 패기가 부럽다, 는 소회까지 보이면서 나를 설득하는 것을 포기하더군.

물론 내가 5개월 뒤에 그곳에 계엄군 사령부가 들어설 줄 어떻게 알았겠어? 나는 마치 그런 비극이 있을 것이라는 것을 예측한 것처럼 5.18 때 격동의 두 무대였던 통합병원과 상무대라는 장소를 아슬아슬하게 피해 갔던 거야.

나는 더플 백을 메고 군사 수송 열차에 올랐어. 이등병답지 않게 벌써 몇 번째 더플 백을 메고 돌아다니는지! 교육수료생들을 가득 채운 기차는 한밤중에 움직이더군. 내게 배정된 곳은 좌석의 절반이 비어 있는 열차의 맨 마지막 칸이었어.

기차가 용산역에 정차하니 내 객석 옆으로 두 명의 병사가 나처럼 더플 백을 메고 타더군. 둘 다 키가 훤칠했는데 한 명은 하사였고, 한 명은 이등병이었어. 그들은 마치 약속이나 한 듯이 고개를 푹 숙이고 자리에 앉더군. 나는 한눈에 그 이등병을 알아 봤어. 그는 논산 훈련소에서 나와 같은 소대에 속했던 친구야. 그는 당시 훈련병 중 소대장의 역할을 부여받아 점호 보고 등을 수행한 친구가 분명했어. 나는 그에게 뭐라고 말을 걸었지만, 그 친구는 나를 무심히 쳐다보고 나서 다시 고개를 숙여 버렸어. 나는 포기하지 않고 그에게 논산훈련소 입소 날짜와 훈련 받은 소속 연대와 중대를 들먹이면서까지 그와 내가 훈련소 동기생이라는 점을 밝혔어. 그때서야 그는 나를 아는 체하더군.

"어디로 가?"

내가 그 훈련소 동기에게 행선지를 물었어.

"103보."

"야, 나와 같은 곳이네!"

나는 반가움을 숨기지 않고 말했어. 하지만 그는 다시 고개를 푹 숙이더군. 그와 동행한 하사도 시종일관 고개를 숙이거나 간간이 한숨을 내쉬고 침묵을 지켰어. 드디어 강원도 전방으로 가게 된다며 이상하리만치 들떴던 나와 그들은 전혀 딴판이었어. 나는 우울한 내 동기의 말문을 더 열기 위해 내가 훈련소 퇴소 이후에 어떤 경로를 거쳤는가를 간략하게 설명해 주고 나서 다시 물었어.

"자넨 어디서 어떤 교육을 받았기에 이제야 보충대로 가는가?"

"수경사에 있었어."

"수도경비사령부?"

"그래."

그러고 보니 훈련을 수료한 병사들을 분류하는 훈련소 배출대에서 키가 큰 친구들을 먼저 헌병과 수경사로 먼저 데리고 갔던 사실이 기억났어. 그때 이 친구도 그리로 갔군. 근데 왜…….

"왜 거기에 계속 안 있고?"

"총격전이 있었어."

"누구와?"

"우리 대한민국 군인끼리."

"아!"

그 친구는 12월 12일 서울에서 있었던 총격전을 벌였던 것을 말하고 있었어.

"그럼 그때 그 총격전을 벌인 군인들 모두……."

"그래, 우리 부대는 해체 당했어."

"그럼, 이제 어디로 가는 중이야?"

"최전방으로 보내기로 결정했다는 것만 알아……."

그는 힘들게 대답하고는 나서 다시 고개를 푹 숙였어. 나는 그 둘을 보고 나서야 비로소 몇 달 전의 참모총장 체포가 가진 의미를 되새길 수 있었어.

분명히 대한민국 군대를 장악하기 위해 사악한 무리들이 활발하게 움직이고 있다는 것. 그리고 그 중심에는 머리가 벗겨진 보안사령관이란 자가 있다는 것도.

열차는 춘천역에 도착했어. 상당수 병사들은 열차에서 내려 더플 백을 메고 103 보충대로 들어갔어. (아아, 나는 33년이 지나고 나서도 입영하는 둘째 아들을 데리고 다시 거길 갔었지!) 대부분의 병력은 막사를 배정 받았지만, 나와 수경사 출신 둘을 포함한 일부 병력은 그곳에서 다시 차양막이 씌워진 트럭 뒤에 옮겨 탔어.

우리를 태운 차는 눈 덮인 산으로 둘러싸인 강원도의 골짜기들을 달리더군. 밤이 이슥해서야 우리는 화천에 있는 한 사단의 보충대에 들어갔어. 나는 보충대에서 하룻밤을 더 지내고 다시 트럭을 탔어. 수경사 출신의 두 병사는 보이지 않았어.

덜커덩거리는 차의 짐칸 안에서 나와 동행한 이등병은 내게 뭔가를 보여줬어. 그에게 받아 보니 그것은 영화배우 협회 회원증이었어. 회장은 유명한 영화배우였던 신 아무개더군. 그 이등병은 한숨을 내쉬며 말했어.

"저는 배우 출신인데 뭔가 잘못되어 문화선전대로 배치 받지 못했어요. 이후 부대에 가서라도 내 자격과 재능으로 다시 문화선전대로 갈 예정이에요."

우리를 태운 차는 남쪽으로 내려갔다가 다시 북쪽으로 진로를 튼 것처럼 보이더군. 점심때가 다 되어 우리는 골짜기에 있는 한 포병 대대 본부에 도착했어.

식사를 마치고 전입신고를 하기 위해 대대본부 내무반에 잠시 대기 중이었는데 한 상병이 내게 다가왔어. 그는 가슴에 '군종'이란 명찰을 차고 있더군. 그가 웃으며 내게 다가왔어.

"자네 대대에 남아서 대대장님 관사 시중을 들 생각 없나? 대대장님 아이를 가르치고 크고 작은 심부름 같은 것을 해 주면 되는 거야. 군대 생활 아주 편하게 보내는 거야."

"없습니다."

난 단호하게 대답했어. 나중에 알고 보니 그런 역할을 하는 병사를 군대에서는 '따까리'라고 부르더군. 나중에 나는 그 군종병을 여러 번 다시 만나게 돼.

신고식이 끝난 뒤 우리는 다시 트럭에 올라탔어. 차는 잠시 후 '민간인 통제 구역'이라고 써진 푯말을 뒤로 하고 한참을 북쪽으로 달리더군. 날이 어둑해지고 있었어. 눈이 듬성듬성 쌓인 거무스름한 산 아래에 조그마한 막사와 창고 따위가 눈에 들어오더군. 우리를 태운 차는 정문 보초의 우렁찬 구호가 담긴 경례를 받으며 그 부대 안으로 들어갔어. 트럭은 시멘트 블록으로 지은 조잡한 막사 앞에 우리 둘을 내려

놓았어.

1979년 12월 31일이었어.

"이 개새끼들, 요즘에 왜 이렇게 군기가 빠졌어? 야, 거기 이등병 새끼! 아니 너 말고 후송 갔다 온 새끼, 그래. 아까 보니 이 개새끼는 후송 갔다 온 티가 쭉쭉 흐르더구먼! 엎드려 개새꺄, 맞을 때마다 똑바로 숫자를 세! 못 세거나 쓰러지면 다시 시작한다!"

"하나아아, 두우울……."

이해할 수 없었어. 지금 한밤중에 내게 가해지고 있는 이 잔혹한 구타는 좀 전에 있었던 내 성공적인 신고식의 반작용인 셈이었어. 몇 시간 전에 우리 이등병 둘이 그 부대 안에 들어갔을 때는 막 부대 회식이 시작되려는 참이었어. 내무반에 들어가 보니 통행로를 사이에 두고 양쪽 침상 위에 부대원들이 양반다리로 앉은 채 정렬해 있었어. 그들 앞에는 식판과 물 컵이 놓여 있었고 식판에는 새우깡과 비스킷 따위의 과자 부스러기 따위가 놓여 있었지. 나는, 회식이 시작되기 전 영화배우 협회 회원인 그 이등병과 함께 내무반 통행로에 서서 신고식을 해야 했어.

"단결! 이등병……이에 신고합니다!"

"노래 하나 발 발사!"

이 장면은 통합병원에서 오락 담당 사회자를 했던 내게는 매우 익숙한 거야. 다만 '일 발'이 여기서는 '하나 발'로 바뀌었을 뿐. 나는 가수 김태곤의 '망부석'이라는 노래를, 그 가수가 언젠가 텔레비전 쇼에서 보여준 동작을 흉내 내며 불렀어. 내가 통합병원에서 갈고 닦은 춤과 노래가 실력을 발휘했던지, 감탄 소리와 박수가 쏟아졌어. 나는 앙코르 곡으로, 가수 이장희의 '그건 너'를 불렀는데 마지막 노래 가사를 영어 단어로 바꿔 불렀어. 부대원들이 발을 동동 구르며 지른 환호성으로 온 내무반이 떠나갈 듯 했어. 뒤이어 영화배우 회원인 이등병이 노랠 불렀는데. 그의 노래에는 부대원들의 반응이 시원찮았어.

나는 두어 시간 걸린 회식이 끝나고 전입신고를 성공적으로 마쳤다는 안도감으로 충만한 채 잠자리에 들었어. 눈을 감을 때까지만 해도 내가 한밤중에 '개새끼'가 될 줄은 전혀 상상하지 못했지. 얼마나 잤을까? 누군가가 내 머리를 툭툭 쳤어. 눈이 저절로 떠지더군. 취침 등의 붉으스레한 조명 아래서 누군가가 내게 손짓으로 따라오라고 하더군. 내가 어떤 곳에 가 보니 어두운 곳에서 이미 열댓 명이 신음소리를 내며 주먹을 쥔 채 푸시 업 자세를 하고 엎드려 있었어. 두 명이 욕을 내뱉으며 몽둥이로 후려치기 시작했어. 입에서 술 냄새가 지독하더군. 한 병장이 몽둥이를 들어 모두를 때리고 나서 다른 상병에게 몽둥이를 넘기더군. 이른 바 '줄 빠따'인 매타작이 진행되고 있었던 거야. 병장과 상병 모두 내 차례에 와서는 '후송'과 '빠진 군기'를 들먹이면서 추가로 매질을 더하더군.

그때서야 나는 왜 통합병원에 있는 환자들이 기를 쓰고 자대로 복귀하지 않으려 하는 이유를 알 수 있을 것 같았어. 아울러 훈련소에서부터 귀에 못이 박히도록 들었던 국군의 구타 금지 규정은, 이 전방 골짜기 외야(外野) 부대에서는 아무짝에도 쓸모없는 헛된 구호에 불과하다는 것도 새삼 깨달았지. 그로부터 상병이 될 때까지 1년 가까이 나는 다른 병사들과 함께 거의 매주 한 차례 정도 한밤중에 어두운 곳으로 끌려가 구타를 당했어.

2개월 전

내가 간 그 부대는 포대라고 일컫는 야전포병 중대였어. 그 포대는 당시 '똥포'라고 불리는 105밀리 곡사포 6문을 가지고 있었는데, 그 포대 세 개를 거느린 부대가 포병대대였어. 그 대대는 3개의 연대를 거느린 사단을 지원하게끔 편제돼 있었어. 내가 그곳에 갔을 때는 그 포대가 GOP에서 막 교체된 보병 연대와 함께 진지를 이동한 직후였어. 물론 그곳도 민간인 통제구역 안이야.

포대 안에는 포를 직접 다루는 전포대 대원들의 수가 가장 많았고, 대포를 견인하는 차량 등을 관리하는 수송부의 수가 그 뒤를 이었어. 나는 관측병을 겸한 유선, 무선 통신병들 대여섯 명으로 이루어진 통신 분대에 속했어. 그 외에도 FDC라고 불리는 사격 지휘소와 취사반, 행정실 등에 두세 명씩 근무했지. 장교는 포대장으로 대위가 한 명 있었고, 부관을 겸한 전포대장인 중위가 있었어. 장기 하사관은 전포대와 다른 부서를 관장하는 두세 명이 있었고, 분대장급인 단기 하사들은 7,8 명이 배치되었어. 그들을 제외하면 나머지는 모두 일반 병사들이었지. 포대의 전체 인원은 100명 안팎으로 구성되어 있었는데 파견, 교육 등의 명목으로 빠져나간 인원을 제외하면 통상 부대에서 생활하는 부대원들은 90명 안팎이 되었던 것으로 기억나. 물론 자네들은 이 내용에 대해 전적으로 신뢰할 필요가 없겠지. 니는 이떤 기록물에도 의존하지 않고 오로지 42,3년 전에 내가 겪은 경험을 기억으로 되살리고 있을 뿐이니까.

한밤 중 집합 때면 내게는 두 개의 꼬리표가 달려 있어서 먹잇감을 노리는 일부 선임 병사들의 집중 타깃이 되었지. 내가 병원 후송 갔다온 놈에 더해 4년제 대학교 출신으로서 데모하다가 온 놈이라나. 두 달 정도 지나서야 알았지만 4년제 대학교 다니다가 온 병사들은, 나 말고도 세 명의 선임 사병이 더 있었어. 서울대, 부산대, 계명대 출신이 각각 1명씩 있었는데, 그들은, 내가 속한 약골들의 집합체인 통신 분대가 아니라 모두 전포대 소속이었어. 처음에 내가 그들을 몰라봤던 것은 당연했어. 그들이 약속이나 한 듯이 자신의 존재감을 전혀 드러내지 않고 생활했기 때문이야. 그들과 여러 차례 2인 1조의 보초 근무를 서고 나서야 나는 그들이 4년제 대학 출신이라는 것을 알았으니까. 그들은 나와 함께 보초를 서고 나서 교대할 때쯤이면 약속이나 한 듯이 어김없이 한 마디씩 건네곤 했어.

"4년제 대학교 출신은 쉽게 타깃이 되니 조심해라."

"한번 선임들 눈 밖에 나면 내무반 생활이 힘들다."

"당하지 않으려면 매사에 신중하게 행동해라."

그러나 곧 알게 되겠지만 나는 그들이 권장한 신중함이나 경고를 무시해 버렸어.

부대 내에는 전문대 출신들도 서너 명 있었지만 숫자로는 고졸 출신들이 압도적이었어. 병사들뿐만 아니라 하사관 심지어 장교들도 고졸 출신이 다수를 차지했어. 학군 장교 출신 장교들은 주로 대대 본부에서 근무했고 육군사관학교 출신들은 대대 전체에서도 찾기 힘들었어.

부대 내에서 폭력을 주도한 병사들은 주로 고졸 출신들이었어. 그들은 툭하면 말끝마다 4년제 대학교 출신 병사들에 대한 적대감을 노골적으로 표출했는데 이것은 당시 군에서 행해지고 있는 정신 훈화 교육 이른바 정훈 교육과도 관련 있었어. 정훈 장교들은, 익숙한 레퍼토리를 가지고 있었어. 4년제 대학생들이 적의 입장에 동조하는 이슈를 내걸고 맨날 데모만 하는 철부지들이며, 그 부유한 망나니들이 대학 캠퍼스 내에서 계집애들을 끼고 데모하며 희희낙락거리는 그 행위가 전방 골짜기에서 박박 기고 있는 우리 군인들을 더욱 힘들게 만든다는 내용 따위가 정훈 교육의 상당 부분을 차지했어. 심지어 자신도 4년제 대학교를 졸업한, 어떤 얼빠진 학군장교마저 정훈 교육 시간에 대학생들 시위에 대한 거부감을 공공연하게 부추기는 발언을 하기도 했어.

고졸 출신 병사들이 한밤중의 구타를 주도했다면, 일상에서의 폭력 행위는 주로 장기 하사관이나 일부 장교가 주도했지. 하사관이나 장교들의 폭력은 두세 차례 예외를 제외하면, 보통 구타까지 가지 않고 가혹한 얼차려로 실현됐어. 훈련소에서 했던 주먹 쥔 채 하는 '푸샵', 손을 뒷짐 진 채 땅에 머리를 박는 '원산폭격', 머리에 총이나 손을 얹고 제자리에서 뛰거나 쪼그려서 걷는 '토끼 뜀'과 '오리걸음', 한여름 밤에 연병장에 웃통을 벗기고 양팔을 수평으로 들고 있게 하는 '모기 회식', 오줌 누면 곧바로 얼어 버리는 영하 2,30도의 눈밭에서 발가벗긴 채 궁굴리기 그리고 30센티미터 두께의 얼음을 해머로 깨서 그 얼음물 안에 알몸 담그기 등이, 그들이 병사들을 상대로 했던 대표적인 가혹 행위였어.

그 부대에 온 지 석 달 정도 지나자 이미 내게 씌워진 두 죄목에 전라남도 출신을 일컫는 '하와이' 또는 'A급 따블빽(더플 백)'이란 원죄가 더해졌어. 부대 내에서 최고참에 해당하는, 전라남도 출신의 병장 세 명이 제대를 한 것과 동시에 이루어진 일이야. 그때부터 경상도 사투리를 쓰던 고졸 출신 선임병들은 나를 향해 더욱 노골적인 적의를 숨기지 않더군.

그래, 좋아. 나는 이 난관을 헤쳐 나가기로 작정했어. 이른 바 자대(自

隊) 생활에 적응하기 위해 필사의 노력을 기울이기로 한 거야.

먼저 나는 아침에 변소에 가거나 보초 설 때 각종 암기 사항이 인쇄된 소책자 따위를 들고 가서 일주일 만에 달달 외어 버렸어. 이제 누가 나를 지목하기 위해 내 어깨를 툭 치거나 나를 호명하는 순간, 내 입에서는 마치 자동으로 말하는 로봇처럼 병사들이 필수적으로 알아야 할 모든 내용들이 줄줄 나왔어.

다음으로 체력을 동반한 훈련은 내게는 말할 나위가 없었어. 대학교 체육대회 때 나를 보았던 자네들은, 완전 군장을 한 상태에서의 구보 따위가 내 군대생활에 전혀 걸림돌이 되지 못하리라는 것을 쉽게 짐작할 수 있을 거야. 심지어 나는 가끔 낙오될 뻔한 병사나 하사관의 군장을 내 군장 위에 얹거나 대신 걸쳐 메고 뛰기도 했어.

군인이라면 반드시 갖춰야 할 사격에서도 나는 두각을 나타냈어. 훈련소 때 M1 소총 사격에서 한 차례 헤맸던 적을 제외하고는, 명중률이 좋은 M16 소총 사격에서는 내 총알은 타깃을 벗어난 적이 거의 없었어. 특히 50, 100, 150미터 거리에서 타깃이 올라오는 것에 맞추어 엎드려서 쏘는, 이른 바 '사로 사격'에서는 백발백중의 실력을 자랑했어. 거기에는 나만의 비결이 있었지. 나는 그 검정색 타깃을 전두환으로 설정해 놓고 그것이 튀어나올 때마다 침착하게 방아쇠를 당겼어.

MOS라고 불리는 주특기를 습득하는 교육에서도 나는 각고의 노력을 기울였어. 주간에 보초 근무를 할 때 나는 인근 산의 지형을 보면서 머릿속으로 지도의 등고선을 그려 보며 독도법을 익혔어. 어느 순간이 되자 나는, 포대경 등으로 표적을 확인하고 나서 나침판으로 방위각을 재고 발아래 놓인 작전 지도의 좌표에 바늘을 꼽아, 그 표적에 대한 (비)사격 임무를 지휘본부에 송신하는 데까지 30초가 채 걸리지 않게 되었어. 그야말로 'A급' 관측병이 되어 가고 있었던 거야.

하지만 그런 내게 유일하게 걸림돌이 하나 있긴 있었어. 당시 전후방을 막론하고 대한민국 군인은 전투 능력 외에 또 다른 능력이 반드시 있어야 했는데 그것은, 톱, 낫, 삽, 곡괭이, 도끼 들을 능숙하게 다루며 각종 작업을 해내는 것이었어. 군대에서 하는 작업은 대학 다닐 때 두어 차례 자발적으로 노동 현장에 뛰어들어 익힌 것과는 전혀 상관없는 종류의 것이었어. 작업할 때마다 능숙한 솜씨로 연장을 다루는 농촌이나 공장 출신 병사들에 비해 나는 형편없는 능률과 속도를 보여주었기 때문에 선임병사들에게 잔소리를 바가지로 듣기 일쑤였어.

그러던 어느 날 마침내 나는 내 보잘것없는 작업 실력을 만회할 기회를 찾아냈어. 부대 막사 페치카에 들어갈 화목(火木) - 영외에서 근무하는 하사관과 장교 관사에 사용하는 난방용 땔감까지 더해서! - 을 구하러 전 부대원이 산에 투입되었을 때였어. 나는 전포대원 중에서 힘이 장사라는, 안 상병이 종종 멨던 크기와 비슷한 통나무를 어깨에 메고 산을 내려왔어. 허리가 지끈했지만 꾹 참고 버텼어. 그 뒤로부터 부대 내에서 어느 누구도 작업의 숙련도 따위를 이유로 나를 업신여기지 않더군.

이런 치열한 노력 덕택인지 점차 나는 한밤중에 있던 집합에서 추가의 잔소리와 얼차려와 구타를 당하지 않게 되었어. 6개월 정도 지나자 나는 내게 운명처럼 붙어 다녔던 세 개의 죄목 - 전라도 출신, 후송, 대학교-이 적혀 있는 꼬리표를 거의 떼어낼 수 있었지.

사흘 전

 첫 휴가를 받았어. 고향의 산과 들에 아카시아 꽃향기가 진하게 풍기고 있을 무렵이야. 부대에서 집까지 가는 데 차를 네 번 갈아탔어. 가는 데만 꼬박 하루가 걸리더군. 집에 도착하니 꿈에도 그리워했던 어머니가 울며 나를 반겨주셨어. 환갑이 다 된 어머니는 안타깝게도 입대 전보다 훨씬 늙어 보이셨어. 별로 넓지 않은 가게는 절반을 남에게 세를 준 상태였고.
 내가 입대한 후 얼마 되지 않아 논산훈련소 측은, 땀에 절고 이리저리 찢겨져 흙투성이가 된 내 옷과 신발을 그대로 상자에 담아서 집으로 보냈다더군. 그 시절의 대한민국 군대는, 자식의 처참한 의복과 신발을 보고 슬퍼하는 부모의 감정 따위는 전혀 고려할 의사 따위가 없던 거지.
 보름 동안의 휴가 기간 중 대부분을 집에 머물며 어머니 곁에 있으면서 가게 일을 도왔어. 귀대하기 하루 전날 혹시나 하고 정호네 집으로 전화해 봤어. 내가 군에 입대한 후, 정호는 무작정 대학교를 그만두고 가출했다고 하더군. 그는 전라북도 어디에선가 책 세일즈를 하고 있다가 백방으로 수소문하며 찾던 가족에게 발견되어 아슬아슬하게 대학교를 졸업했다고 했어.

"야, 얼굴 좋아 보인다. 니가 어떻게 그 성질 죽이고 군대에 적응했냐? 난 순천역에서 너를 보낼 때 군에서 사고 칠 줄 알고 가슴이 조마조마했다."
 군인인 나를 대면한 정호의 첫마디였지.

"직장은 다닐 만 해?"

내가 되려 근심어린 표정을 지으며 정호에게 물었어.

"그럭저럭."

정호는 담담한 표정으로 대답했어. 그날 직장에서 조퇴한 정호를 통해 친구들의 소식도 들었어. 요섭과 호택이는 감옥에서 나왔다고 하더군. 수감 생활이 1년 넘었던 요섭은 군 입대를 면제받았던 반면, 6개월만 감옥살이를 했던 호택은 곧 군에 입대할 예정이라고 하더군. 정호는 그들 가족이 둘을 철저하게 외부와 차단시키고 있어서 연락이 안 된다고 했어. 우리 둘은 잠시 침묵했어.

"야, 근데 너 휴가 나와서 대학교 한번 가 봤나?"

정호가 갑자기 생기를 띠며 물었어.

"내가 왜? 경찰들만 우글거릴 텐데……."

"자아식, 군에 있으니 소식 못 들었군. 요즘 대학교에 바야흐로 민주화 바람이 불고 있어. 요즘 캠퍼스가 난리가 아니라고 하던데. 한번 가 보자!"

정호는 대학캠퍼스로 가기 싫어하는 나를 부득부득 데리고 갔어. 학교는 어수선하게 보였어. 총장은 본관 건물 앞에서 100여명의 학생들을 모아놓고 변명 같은 얘기를 늘어놓고 있었고, 대학 건물들 여기저기에는 대자보가 어지럽게 붙어 있더군. 강의가 없는지 캠퍼스엔 학생들이 별로 보이지 않았어. 나중에 알고 보니 그때 학생들은 연일 금남로에서 집회에 참석하고 있었다고 하더군.

나는 정호와 함께 평소 나와 격 없는 농담을 주고받을 정도로 친한 지도 교수님을 뵈러 문리대 인문대 건물 안으로 들어갔지. 복도를 지나가는데 어떤 교수 연구실은 문에 붙어 있는 명패가 뜯겨져 있었어. 또다른 어떤 교수 연구실 문은 아예 못과 각목을 사용하여 엑스자로 거칠게 차단되어 있었어.

"교수님, 제가 제대할 때까지 막내 따님이 한눈 팔지 못하도록 하셔야 합니다, 하핫."
"염려, 꼭 붙들어 매라. 네가 복학할 때까지 꼭 잡아 놓을 테니, 허헛."
지도교수님과 내가 이렇게 실없는 대화를 하고 있는데 대여섯 명의 젊은 교수들이 우르르 그리 몰려왔어. 내가 알기론 그 젊은 교수들 중 상당수는 내 지도교수님 제자들이었을 거야. 교육 지표 사건 때 투옥된 교수님들은 아직 복직이 되지 않았는지 보이지 않더군. 지도교수님은 그 젊은 교수들과 함께 회의실로 들어가시며 나중에 내가 다시 휴가 나오게 되면 그때 차분하게 얘기하자고 하셨어.
그러나 나와 지도 교수님과의 만남은 그때가 마지막이었어!
대학교에서 나오자 저녁때가 되었어. 정호는 한때 내가 좋아했던 여학생을 만나게 해 준다며 직장인이 된 그녀 집까지 나를 데리고 갔어. 정호는 내가 그녀에 대해 호감을 품고 있던 것을 기억해 낸 듯했어. 셋이서 두 시간 정도 대화를 나누고 나서야 밤늦게 나는 송정리 역으로 갔어. 내가 타야 할 용산행 열차는 이미 떠나버리고 없더군. 별수 없이 나는 한두 번 갈아타리라고 마음먹고 다른 행선지의 기차를 탔어. 다음 날 오전 12시까지는 대대에 가서 귀대 신고를 해야 했으니까.

열차 안에서 얼마나 잤을까? 눈을 떠서 무심코 차창 밖을 바라 봤어. 이상한 장소가 눈에 들어왔어. 기차는, 불에 검게 그을린 자국이 선명하게 남아 있는 동원 탄좌, 사북 탄광 앞을 지나고 있었어. 내가 잠결에 갈아 탄 열차는 춘천행이 아니라 정선행이었던 거야. 탄광 사무실 주변은 그곳에서 치열한 투쟁이 있었다는 것을 여실하게 보여주고 있더군. 과연 일부 대학생들은 저곳에 뛰어들어 탄광 노동자들의 투쟁 정신을 일깨워 주었던 것일까? 내가 이곳에 왔더라면 여기서 나는 과연 어떤 역할을 할 수 있었을까?

내가 아는 노동 현실이란 게 무엇이었던가? 가끔 친구들과 대학 정문에서 쭈욱 걸어 나와 임동의 한 선술집에 앉아서 막걸리를 마시며 그 앞을 지나가는 방직공장 여공들, 그리고 우연히 장성군 친구 집을 지나며 잠사(蠶絲) 공장에 우르르 떼 지어 몰려가던 젊은 여자들을 피상적으로 바라봤던 게 전부가 아니었던가? 나는 당시 연극 동아리를 했던 한 선배에게 사흘에 걸쳐 김민기의 '강변에서'란 노래를 배웠는데, 노동자에 대한 내 의식은, 그 가사에 등장하는 '열여섯 살 우리 순이'를 바라보는 감상적인 수준에서 한걸음도 나아가지 못하지 않았던가? 노동 현실이나 노동조합에 관한 학습이 거의 전무한 상태인 내가 여기 왔다고 해서 과연 무엇을 할 수 있단 말인가? 결국 거문도까지 가서 아무런 소득 없는 선원 생활을 했던 내 행동도 한낱 젊었을 때의 치기에 불과했던 것일까…….

"자네, 이제 막 탈영 신고를 할까 말까 망설이고 있었는데 아슬아슬하게 도착했군!"

대대장 부관으로 있던 중위가 웃으며 내게 말하더군. 나는 군에 입대하고 나서 그 부관과 같은 학군 장교들을 여럿 만났는데 그들은 한결같이 내게 친절하게 대해 주었어. 그들은 나를 대학교 동기나 선후배처럼 대해주었고, 나를 신뢰했어. 그들의 호의적이 반응을 대한 때마다 대학 다닐 때 내가 그 후보생들을 조소했던 행동을 후회했어. 그날 밤 늦게 나는 부대로 귀대했어.

그리고 1980년 5월 18일

 귀대한 지 이틀째 되는 날 한밤 중 몽둥이질이 다시 시작되더군. 어느 때부터인지 그런 집단 구타와 얼차려는 내게 더 이상 공포를 자아내지 못했어. 그날도 나는 얻어맞으면서 다소 엉뚱한 생각을 떠올리고 있었어. 아까 낮에 우연히 행정실에서 본 일간지가 내 머릿속을 떠나지 않았기 때문이야. 신문은 보통 부식을 싣고 오는 차편에 왔는데 부대에 도착한 신문은 통상 하루가 지난 것이었어. 그런데 낮에 내가 봤던 신문들은 지면이 까만색으로 도배하다시피 칠해져 있었어. 가끔 신문 일부가 시커먼 먹칠로 된 부분은 있었으나 신문의 절반 이상이 그렇게 된 적은 한 번도 없었거든. 나는 저 남쪽 어디에선가 무슨 일이 생긴 게 틀림없다고 생각했어.
 아니나 다를까. 전군에 비상이 걸리더군. 처음에는 전시 상태를 뜻하는 데프콘(DEFCON)이 발령된 걸로 기억하지만 확실하지 않아. 그것이 다음날 비정규전 중 최고 비상사태인 '진돗개 하나'로 변경되었던 것 같아.

 그날부터 모든 부대원들은 모두 최소한의 수면만 취하고 경계하는, 이른 바 가면(假眠) 상태의 경계에 투입되었어. 밤낮을 가리지 않고 탄약 105발이 들어 있는 탄띠를 두른 채 경계에 나서는 거야. 얼굴 위장을 지워서도, 옷과 신발을 벗어도 안 되고 밥 먹을 때도 총기를 곁에 두어야 했어. 하루 중 두세 시간만 침상에 드러누워 눈을 붙이고 경계에 나서는 거야. 모든 교육과 훈련과 작업은 정지됐고 취사병들과 상황병을 제외하고는 모든 부대원이 경계 근무에 동원됐어.
 처음 이틀째까지만 해도 나도 다른 병사들과 마찬가지로 북한이 곧

도발할 것이라고 믿고 경계에 몰두했어. 하지만 경계한 지 사,나흘이 지나자 이 비상 상황의 진의가 의심스러워지기 시작했어. 나는 본부 행정실에 들러 하사관이나 행정병에게 지금 무슨 상황이냐고 물어봤지만 그들도 영문을 모른다는 말뿐이었어. 신문은 아예 사흘 째 도착하지 않고 있었어. 모두들 후방에 무슨 일이 있다고 수군댔지만 그 내막을 구체적으로 아는 이는 없었어.

"그러니까 움직이는 것은 무조건 사살하라니까! 왜 생포해 갖고 말썽인 거야."

비상경계 근무 사흘째 되는 날이었어. 전포대장인 천 중위가 포대장실에 튀어 나와 외쳤어.

"그럼, 대장님. 저 수상한 친구를 생포한 병사들은 포상 휴가 가나요?"

하사들 사이에서 '형광등'이란 별명을 가진 박 하사가 내무반 침상에 드러누웠다가 벌떡 일어나서 물었어.

"포상? 박 하사! 무슨 정신 나간 소릴 하는 거야. 저 두 놈은 영창행이야. 지금은 전시 상태야! 지금은⋯⋯."

여기까지 얘기하다가 천 중위는 갑자기 무언가 생각난 듯이 벌떡 일어섰어. 그는 군화를 신은 채 내무반 침상에 누워 있는 모든 병사들이 들으라는 듯이 고함을 질렀어.

"지금은 전시상태라고! 제발 명령대로 이행들 하라구! 움직이는 것은 무조건 사살하라는 명령 못 들었어?"

그때가 저녁 일곱 시 무렵이나 되었을까.

"손바닥을 계속 마주쳐라. 그렇지 않으면 쏜다!"

정문 쪽이었어. 첨벙첨벙 물소리와 함께 박수 소리가 들렸어. 잠시 후 정문 초소의 전등 아래에는 남루한 민간인 복장을 한 사람이 양손을 하늘로 치켜 올린 채 서 있더군. 그의 어깨에는 마대자루가 걸쳐져 있었고 바지는 허벅지까지 물에 젖어 있었어. 이윽고 전포대장이 부랴부랴 그리 뛰쳐나가는 게 보이더군. 그 '민간인 복장'은 손을 든 채 끌려갔어. 그의 등 뒤에는 정문 보초 두 명이 총구를 겨눈 채 따르고 있었고. 난데없는 소동에 우리 병사들은 쏟아지는 잠에도 불구하고 내무반 침상에 쉽게 드러눕지 못하고 떠들었어.

"간첩이야? 생긴 게 간첩 같아 보이지는 않던데."

"간첩이 이마에 써 붙이고 다니냐?"

이런 병사들의 대화를 비집고 행정실에서 큰소리로 상부에 보고하는 전화 소리가 내무반까지 들렸어.

당시 강원도에서 사용한 멧돼지 덫과 잡는 방식은 이랬어. 덫은 길이 1미터 정도 되는 단단한 통나무에 철사 줄로 된 올가미를 메어 놓는 단순한 거였어. 그 올가미가 발에 걸리면 멧돼지는 거기에서 벗어나기 위해 달리지. 하지만 얼마 못 가서 그 올가미가 묶인 통나무는 빽빽하게 들어서 있는 나무 기둥 사이에 걸리게 돼. 그러면 그 멧돼지는 다시 거기에서 벗어나려고 이리저리 뛰면서 발광을 하게 되지. 그러다가 보면 요행히 올가미가 묶인 통나무가 나무 기둥 사이로 빠지게 되고. 멧돼지는 그 기둥을 다리에 매단 채 다시 달리고, 걸렸다가, 또 달리고……. 결국 덫을 놓은 사람은 핏자국과 몸부림친 흔적을 쫓아가서 쓰러져 있는 멧돼지를 마대 자루에 담고 오기만 하면 돼.

정문 보초를 섰던 김 상병 일행이 잡은 수상한 사람은 그 멧돼지 흔적을 쫓아 민통선 밖에서부터 몇 개의 산을 넘어 우리 부대 앞까지 오게 된 풍산리 주민이었다는 거야.

이번에는 행정병인 매부리코 송 일병이 행정실에서 나왔어. 다시 박 하사가 그에게 물었어.

"송 일병. 보안대에서 언제 와?"

"일단 그들이 오려면 이쪽으로 오는 도로의 비상을 해제해야 해요."

"그가 간첩인 줄 알려면 더 조사해 봐야 알겠구먼."

"간첩은 무슨……. 그것보다도 더 큰 일은, 나중에 저 민간인이 지나 온 경로가 조사되는 것이라고 합디다. 그 경로의 경계를 맡은 부대들의 부대장은 상부로부터 작살 날 게 뻔하죠."

이윽고 '민간인 복장'을 생포한 병사 둘이 고개를 숙인 채 내무반으로 들어왔다. 둘 가운데 선임병인 김 상병은, 전북 출신의 트럭 운전병으로 성격이 순수하고 작업할 때는 유달리 힘이 좋았어.

박 하사는 김 상병 일행에게 다가가서 비아냥거리더군.

"김 상병, 재수에 옴 붙었네. 다른 때 같으면 둘 다 포상휴가감인데 말이야, 하핫."

"……."

"그러니까 군대는 오로지 명령대로 하는 거라니까! 민간인이고 뭐고 명령대로 사살해 버렸다면 깨끗하게 끝났을 텐데……."

"그래도 애꿎은 사람을 죽이지는 않았잖아요? 수하 지침에 따라 제대로 생포했고요."

김 상병은 박 하사를 노려보며 대꾸했어.

"글쎄, 간첩이든 아니든 좌우간 명령대로 쏴버렸으면 우리 부대를 비롯해서 여러 고을이 시끄럽지 않았을 거 아냐?"

김 상병과 박 이병은 박 하사의 말에 아무런 대꾸도 하지 않고 내무반 귀퉁이에서 고개를 푹 숙이고 죄인처럼 앉아 있는 게 보이더군.

나는 제대하고 난 뒤에야 박 하사가 내뱉은 말과 같은 사건이 광주에서 벌어졌다는 얘기를 들었어. 당시 계엄군은 광주의 길목인 소태동 주남마을, 교도소 인근, 송암동 일대를 봉쇄해서 그곳을 지나가는 차량과 행인들을 향해 무차별적으로 사격을 했다고 하더군.

같은 시각에 천리나 멀리 떨어진 곳을 지키고 있던 군 지휘관들의 머릿속을 지배하고 있는 무자비한 명령은 딱 한가지였어.

"지금은 전쟁 상황이다! 사람이든 뭐든 지나가는 것은 무조건 쏘아서 알아서 처리해라!"

비상경계 태세가 엿새 째 되는 날, 우리 부대원들은 차를 타고 GOP 부대 인근까지 경계를 나갔어. 지난밤에 비가 왔는지 젖은 풀과 관목들에 의해 허벅지까지 흠뻑 젖었어. 참호를 따라 움직이고 있는데 풀밭에 뭔가 내 눈에 띄었어. 가까이 가서 확인해 보니 북쪽에서 보낸 삐라(전단)였어. 이전에 작전이나 훈련에 참가하다가 보면 북에서 날아 온 전단을 종종 주운 일이 있었지. 통상 그 전단들에는 남에서 월북한 병사가 북한의 미녀들과 함께 평양 대동강에서 즐거운 시간을 보내고 있는 사진 따위나 북한이야말로 지상 최고의 낙원이라는 선전 문구 따위가 인쇄되어 있었어.

그런데 그날 내가 주운 두 장의 전단은 그런 종류의 것이 아니었어. 비에 젖었는데도 컬러 인쇄 상태가 선명하더군. 전단 하나에는 영국 시민들이 시위하는 사진이 담겨 있는데, 사진 아래엔 '광주 시민을 죽이는 계엄군을 규탄하는 세계 각국의 시민들'이라는 설명이 있었어. 또 다른 한 장에는 만화가 그려져 있었는데 광주에서 계엄군이 대검으로 여자의 유방을 도려내는 내용이었어. 두 장의 전단 어디에서도 광주 시가지나 시민들의 모습이 보이지 않았지. 그 화려한 전단을 통해 북쪽이 말하고자 하는 것은, 광주에서 계엄군의 잔인한 만행과 학살 행위가 있었다는 사실 하나뿐이야.

 나는 전방 경계를 그만두고 참호 귀퉁이에 쪼그려 앉아 그 전단지들을 읽고 또 읽었어. 휴가 가서 귀대 직전에 가 봤던 대학교의 광경이 주마등처럼 스쳐갔어. 지도 교수님과 젊은 교수들, 대학 본부 앞에서 해명하고 있는 총장, 그에게 항의성 발언을 하고 있던 대학생들, 정호와 대학 동기생들……

'아아, 도대체 지금 광주에서 무슨 일이 벌어지고 있단 말인가!'

 이제 부대의 모든 병사들은 자신들이 이렇게 잠을 못 자고 경계를 선이유를 알게 되었어. 그들의 입에서는 계엄군보다는 광주 시민들을 원망하는 말들이 터져 나오기 시작했어. 전단을 본부에 넘겨준 다음 날, 나는 경계 근무를 끝내고 가면 상태에 들어가기 전에 잠시 구령대 철계단에 앉아 있었어. 어둑어둑한 가운데 하사들 세 명이 식당 쪽에서 걸어오더군. 왁자지껄한 그들의 목소리가 점차 가까워지더군.

"전라도 새끼들 때문에 우리가 이 개고생을 하고 있었어!"

"이참에 전라도 새끼들 아예 싹을 말려 버려야 해."

 그들 중 한 명이 내무반으로 들어가려다 말고, 내게 와서 내 코앞에 자신의 얼굴을 들이대더군. 그의 입에서 술 냄새가 풍겼어.

"야, 너, 전라도가 고향이지?"

 충남 대천이 고향인 조 하사였어. 나는 아무 말도 하지 않고 고개를 쳐들어 그를 봤어.

"전라도 새끼들은 좌우지간 모조리 죽여 버려야 해!"

 조 하사는 내게 들으라는 듯이 외치고 나서 어깨에 걸쳤던 총을 들어 허공에 겨누고 쏘는 시늉을 했어. 나는 화가 치밀었어.

"죽인다고? 그럼, 어디 나부터 쏘아 보시지!"

 나는 불쑥 일어나서 말했어.

"쏘라면 못 쏠 줄 알고!"

그가 총구를 내 배에 갖다 대니 금속의 차가움이 느껴지더군.

"전라도 새끼 하나 죽이는 것은 일도 아냐!"

'철컥' 하고 안전핀 푸는 소리가 들리더군. 나는 순간, 여기서 개죽음을 당하게 돼서 어머니께 죄송하다는 생각이 불현 듯 들었어. 휴가 때 만난 어머니는 정화수를 떠 놓고 매일같이 나를 위해 기도하신다고 했거든. 나는 선 채로 내무반 쪽에서 흘러나온 불빛에 비친 조 하사의 충혈된 눈을 똑바로 노려봤어.

"앗! 조 하사, 왜 그래?"

어느 틈에 박 하사가 우리 둘 사이에 끼어들었어. 그는 나를 겨누고 있는 조 하사의 총신을 아래로 눌렀어. 그러나 조 하사는 여전히 완강하게 총을 붙들고 있었어. 방아쇠만 당기면 총알은 발사됐을 거야. 저만치 갔던 다른 하사도 돌아와 조 하사의 총을 뺏는데 가세했어.

"놔둬, 전라도 새끼들은 다 죽여야 해! 나, 저 새끼 쏴 버리고 영창 갈 거야. 박 하사, 내 총 이리 줘, 주라니까!"

조 하사는 다른 하사들에게 끌려가다시피 하면서 계속 악을 썼어.

"전라도 놈들 중에서도 저 새끼처럼 독종인 'A급 따블빽'들은 다 죽여야 한다구!"

조 하사의 외침이 멀리 사라지자 나는 다시 풀썩 주저앉았어. 만약 광주에 진입한 계엄군들이 저 조 하사 같이 행동했다면 무고한 전라도와 광주 사람들이 무참하게 당했을 것을 생각하니 갑자기 눈앞이 흐려졌어. 나는 무릎 사이로 고개를 처박은 채 한참동안 일어나지 않았어.

비단 조 하사뿐만 아니었어. 가면 상태의 비상경계가 일주일을 넘기자 잠이 부족한 병사들은 극도의 피로감을 드러내며 여기저기서 전라도에 대한 적대감을 노골적으로 드러내기 시작했어.

"전라도 신병들 오기만 해 봐라. 가만히 안 놔둘 거야!"

"그중에서도 광주가 있는 A급들이 오면 지옥이 뭔지 보여줄 테다. 우리릴 고생시킨 만큼 그놈들도 무조건 잡아 족쳐야 해!"

당시 부대 내에서 나를 포함해서 전라도 출신 병사는 대여섯 명 있었는데, 우리들은 마치 죄인처럼 다른 부대원들의 전라도에 대한 적대적인 표현에 아무런 반발하지 못했어. 동료 병사들이 며칠 동안 제대로 씻지도 못하고, 충분하게 잠도 자지 않아서 극도로 신경이 날카로운 상태에 있다는 걸 잘 알기 때문이기도 했어. 다행인지 모르지만 실제로 그 해엔 우리 부대로 들어오는 신병들 중 전라도 출신은 없었어.

5월 하순이 되어서야 '진돗개 하나'의 비상사태가 끝났어. 그 기간 동안 우리가 경계하고 있던 구역을 비롯하여 휴전선 일대에서 북한군이 침투했다는 소식을 듣지 못했어. 어쩐지 뭔가 속은 듯한 느낌이 들었어.

전두환을 비롯한 반란군 수괴들은, 북한의 공격을 빌미로 자신들의 앞길을 가로막는 세력들을 위축시키려는 의도에서 공연히 비상 경계령을 발령했던 것 같아. 광주에서 있었던 그놈들의 잔악한 살상 행위는, 자신들이 지난해 12월 이후부터 대한민국과 전 군대를 완전히 장악해 나가기 위한 과정(過程)에 불과했던 거야.

3개월 뒤

찌는 듯한 무더위가 시작되었어. 훈련이나 작전이 없을 때라 우리는 통신 케이블 매설로 작업에 투입되었어. 우리가 맡은 작업 구간은 민통선 바로 바깥에 있는 대대본부 앞에서부터 보병 수색 중대가 있는 함묵령 고개 아래까지였어. 십 킬로미터가 넘는 도로 가장자리에 깊이 1.5미터 폭 1.5미터 정도의 도랑을 파내는 작업이 시작됐어. 강원도에서 그 정도로 땅을 판다는 것은 땅 속에 묻혀 있는 거대한 바위들을 수없이 들어 올려야 한다는 것을 의미했지. 작업 중 땀이 비 오듯이 흐르기 때문에 일부 병사들은 아예 웃통을 벗은 채 곡괭이질과 삽질을 했어. 미숙했던 내 곡괭이 다루는 솜씨가 제법 초보티를 벗어나고 있을 때였어.

"'광주 사태'에 대해서 어떻게 생각해?"

도로변 관목 그늘 아래서 '10분간 휴식'을 즐기고 있던 내게 전포대장인 천 중위가 뜬금없이 물었어. 이 전방 골짜기에서도 이미 광주사태란 단어가 하나의 보통 명사처럼 유포되기 시작할 때였지. 그의 큰 목소리 때문인지 나뭇가지 아래나 파헤쳐진 바윗덩어리 따위에 걸터앉아 담배를 피우고 있던 주위의 병사들이 나를 바라봤어.

"너는 전남대학교 출신이잖아? 솔직히 말해 봐!"

"……."

"광주사태에 대한 니 판단 말이야!"

내가 한동안 말없이 그를 물끄러미 쳐다만 보자 그가 다시 다그쳤어.

"나 같으면……,"

186

"그래, 너 같으면……."

"만약 내가 광주에 있었더라면, 전라남도 공화국을 세웠을 겁니다!"

나는 그를 똑바로 쳐다보면서 또박또박 말했어.

"전라남도 공화국?"

그는 이렇게 반문하고 나서 충격을 먹은 듯이 한참이나 입을 벌린 채 나를 바라보더군.

"뭐라고, 전라남도공화국! 하아. 하아."

그는 당황한 듯 서너 차례 그 말을 되풀이하더군. 여전히 그에게서 시선을 거두지 않고 있는 나를 바라보며 그가 크게 웃어 제치더군.

"우하하하핫, 역시! 전라도 출신은 속일 수가 없구만. 그런데 공화국이라고? 그럼……."

그는 손가락으로 한참 수를 헤아리더군. 며칠 전 나는 매부리코 행정병을 통해 그가 대위 승진을 위해 역사 공부를 한다는 말을 들은 적이 있어.

"그럼……5공화국이 되는 셈이군. 하핫! 자넨 이제부터 5공화국 총재야, 5공화국 총재!"

그때부터 실제로 나는 우리 포대와 대대에서 5공화국 총재라는 별명으로 불리기 시작했어. 다음해 진짜 5공화국 총재가 등장하기 전까지 말이야.

하루는 굴착 작업 도중 병사들 모두가 보병 연대 본부 안에 있는 체육관으로 강제로 끌려갔어. 거기 가니 서울의 어느 교회에서 온 선교단이 우리들을 강당에 앉혀 놓고 박수를 치고 찬송가를 부르며 난리치더니 우리들을 무릎 꿇게 하고 나서 수박 겉핥기식의 세례 의식을 집행하더군.

"하나님의 아들, 심 아무개에게 세례를 주노라!"

나는 강제적인 세례식에 화가 치밀어 일어나서 도망가려 했지만 출구는 이미 장교와 하사관들이 막고 있었어. 처음에 목사로 보이는 사람이 세례 의식을 집행하다가 혼자서는 수백 명의 병사들을 감당할 수 없었는지 그의 일행으로 보이는 사람들이 병사들 사이를 비집고 물을 뿌리고 다니며 중얼거렸어. 강당 안은 어수선해졌어.

"하나님의 아들, 이 아무개에게 세례를 주노라……."

"야, 어떻게 니가 하나님의 아들이냐? 그러면 나는 하나님 친구니 넌 내 친구 아들이다, 흐흐"

나와 내 주위 병사들은 눈을 감으라는 광신도들의 종용에도 불구하고 눈을 멀뚱멀뚱 뜨고 그들을 치켜 보며 키득거렸어. 엉터리 세례식을 끝낸 개신교 광신도 일행과 보병 연대장이 밖으로 나가자 병사들은 그들이 단상에 차려 놓은 잔칫상으로 달려들었어. 물론 나도, 그들과 함께 푸짐한 과일과 떡을 정신없이 해치우는 움직임에 적극적으로 합류했어.

8월로 접어들자 케이블 매설로 작업은 상당 부분 진척되어 민간인 통제구역 안에서 이루어졌어. 그러던 어느 날 갑자기 굴착 공사를 중단하라는 명령이 떨어졌어. 우리가 연장 따위를 챙기고 부대로 들어간 지 이틀이 지나자 우리 대신 작업을 할 사람들이 도로에 나타났지.

머리를 빡빡 깎고 군복을 허름하게 걸친, 이상한 민간인들이 등장한 거야. 장교들은 그들을 삼청교육대라 부르더군. 그들은 자신들을 향해 늘 총구가 겨누고 있는 상태에서 갖은 욕설과 구타를 당해가며 일하고 있었어. 같은 일을 두고 우리는 작업을 했던 반면, 그들은 노예 노동을 하고 있었던 거야. 그 이방인들은 노역할 때 모두 웃통을 벗었는데 한결같이 몸에 문신들이 있었어. '사회를 좀먹는 해충과 같은 부랑아나 깡패 등'을 잡아들였다기보다는 문신만 있으면 그리 끌고 왔다는 생각이 들더군.

188

한낮의 땡볕 아래 수 킬로미터에 걸쳐 몸뚱어리에 새겨진 문신들이 강원도의 외진 골짜기에 파노라마처럼 펼쳐져 있었어. 사람 몸을 화폭 삼아 그린 수 백 폭의 그림이 빚어낸 장관이야. 등과 어깨 또는 가슴에는 용과 호랑이와 표범 등 맹수의 그림이 그려져 있거나, 멋을 부린 한자와 함께 폭력과 남성미를 뽐내는 갖가지의 삽화들이 새겨져 있었어. 그 중 특이한 문신을 한 친구가 지금도 뚜렷이 생각나는데, 어떤 뛰어난 문신가가 그의 넓은 어깨와 등판을 화폭으로 삼아 삿갓 쓴 방랑객의 모습을 멋지게 그렸더군. 어깨 죽지 있는 곳에는 구름이 떠 있고, 등 한 가운데 있던 방랑객의 손에는 멋을 부린 지팡이가 쥐어져 있었지.

문신의 주인들은 2,30대로 보이는 젊은 친구들이 압도적으로 많았고, 사이사이에 머리가 벗겨지거나 주름이 깊은 4,50대의 중장년들도 섞여 있었어. 그들의 몸에 새겨진 멋진 용과 용맹한 야수들은 그들을 겨눈 총구와 개머리판 앞에서 무력하게 보였어. 방랑과 자유를 향한 '김삿갓'의 유유유자적한 모습은 땡볕의 흙먼지 속에서 갈피를 못 잡고 있었고.

그들이 우리 부대 앞 도로에서 작업할 때였어, 그들 중 일부가 우리 부대의 변소를 이용한답시고 들락거렸어. 총을 든 병사 두 명이 그들의 동태를 감시하고 있는데 한 젊은 친구가 잽싸게 변소 뒤를 돌아 벽에 붙어서 그들을 멀찍이서 바라보고 있는 우리에게 자신의 두 손가락을 계속 입에 갖다 대며 담배를 피는 시늉을 보이더군. 우리 중 누군가가 그에게 반쯤 남은 화랑 담배 곽을 통째로 넘겨주고 그의 요구대로 성냥도 주었어. 그가 담배를 맛있게 피우자 이를 눈치 챈 다른 교육생들도 그에게 와서 담배를 나눠달라고 했어. 그 와중에 자기들끼리 서로 담배를 주니, 마니 하면서 작은 소란이 일어났어. 이 소동 소리를 듣고 중사 한 명이 그리 달려왔어. 그는 변소 뒤에서 옥신각신하고 있는 문신덩어리들을 발견하고, '이 개새끼들' 하고 외치며 그들을 닥치는 대로 때리더군. 뒤이어 다른 중사 한 명이 와서 가세하니 결국 맨 처음 우리에게 담배를 얻어서 핀 젊은 친구는 땅에 죽 뻗어 버리더군. 두 하사관은 피투성이가 된 그를 땅에 질질 끌며 데려갔어. 담배 한 대 피운 대가치곤 너무 처참했어.

삼청교육대의 통신 선로 굴착 작업 속도는 이전에 우리가 했던 지지부진한 작업 속도와는 비교도 되지 않을 정도로 빨랐어. 거기에는 그들에 대한 가혹한 닦달도 한몫 했겠지만, 그들의 작업 방식은 마치 군사 작전처럼 진행되었어. 우리가 같은 작업을 했을 때는 전혀 사용하지 않았던 폭약이 수시로 투입되고 공병부대의 중장비도 동원되었어. 나는, 그들의 작업 현장과 조금 멀리 떨어진 곳에 중기관총인 캘리버 50이 설치된 것을 보았어. 그것은 그들이 거기서 벗어나려면 죽음과 마주해야 한다는 것을 의미했어. 자네들 중 일부는 80년 광주의 시내에서 그 기관총을 보았을 거야.

실제로 삼청교육대의 교육생 한 명이 보초의 총을 빼앗아 산으로 도망간 사건이 있었어. 우리 부대와는 많이 떨어진 곳이었지. 즉시 무장 공비가 나타난 것처럼 진돗개 셋인가 하는 비상경계 태세가 발령됐고, 보병 1개 사단 병력이 모두 산으로 투입되었다고 하더군. 우리 부대도 경계에 들어갔는데, 만약 그를 발견하면 사살해도 좋다는 명령이 떨어졌어. 이틀째가 되어서야 비상경계가 해제되더군. 그 친구 생사는 알 길이 없고.

삼청교육대가 우리 작업을 대신하자 나는 ATT라고 불리는 보병 대대 전술 훈련에 투입되었어. 내가 속한 포병 관측반은 장교 한 명, 하사관 한 명, 유,무선 통신병 각 1명씩 포함하여 총 네 명이 한 팀으로 이루어졌어. 통상 관측반원들에게는 무전기나 완전 군장을 멘 채 1000

미터가 넘는 고지들을 오르락내리락 할 수 있는, 보병들과 똑 같은 체력이 뒷받침되어야 했어. 작전에 따라서는 때론 어떤 오지에서도 현재 주둔한 곳의 지리적 위치를 찾아내는 독도 능력도 필요했고 어쩔 때는 각종 돌발변수나 생존 위협에 대한 기민한 대처 능력 등도 수반되어야 했어. 그래서 관측반은, 포 견인 차량 등에 승차하여 작전을 펼치는 대부분의 다른 포병들보다는 보병에 가깝다고 볼 수 있지. 나는 상병이 되기 전부터 대대 안에서 '에이(스)급' 관측병으로 인정되었기 때문에 각종 훈련과 교육에는 거의 단골로 참가했어. 여기에는 나중에 내 후임들로 온 영남권 대학교 출신 병사 둘이 부대 내에서 고문관 취급을 받아 GP(Guard Post: 비무장 지대 안에 설치된 감시 초소)로 가게 된 것도 한몫했지만.

그날도 우리 관측반 1개 팀은 속칭 '다찌' 차라는 트럭을 타고 집결지로 가고 있었어. 장교는 조수석에 선탑을 하고, 하사와 무전기를 멘 선임병과 나는 짐칸에 마련된 목제 의자에 앉아서 가고 있었어. 차가 부대에서 출발하여 5분 정도나 달렸을까? 함묵령 고개 아래 도로에서 케이블 매설 작업을 하고 있는 삼청교육대 행렬이 눈에 들어오더군. 그들의 몸에 새겨진 용맹한 짐승들과 세속을 초월한 듯한 나그네는 여전히 군홧발과 총구 아래서 하릴없이 비지땀을 흘리고 있더군.

"화천읍내에는 여자 삼청교육대도 와 있다더군."

선임 무전병인 황 상병이 유심히 밖을 내다보며 말했어.

"그들도 웃통을 벗고 작업하고 있을까? 흐흐."

김 하사가 엉큼한 미소를 띠며 말했지.

"꿈 깨요, 김 하사님!"

황 상병이 일침을 놓더군.

둘의 대화를 들으며 생각했어. 도대체 반란군들의 우두머리는 어떤 생각을 가지고 이런 일을 저지르고 있는 것일까? 정작 '청소'의 대상은 본인들 자신이 아닌가?

우리가 탄 차가 그들 작업 행렬 옆을 지날 때마다 그들 중 일부는 용케도 감시의 눈초리를 피해 자신의 입에 두 손가락을 부지런히 가져다 대더군. 나는 달리는 차에서 화랑 담배를 두세 가치(개비)씩 나눠 던져 주기 시작했어. 행렬이 끝나지 않아 나는 사흘 동안의 훈련 기간에 필 것 몇 개피만 남기고 모조리 뿌렸어. 어떤 친구는 당시 내가 아끼던 사제 담배였던 '거북선' 몇 개피를 줍는 행운도 누렸을 거야.

담배를 다 던지고 고개를 들어 보니 그들의 긴 행렬이 한눈에 들어오더군. 어떤 이들은 구덩이 속에서 곡괭이질이나 삽질을 하고 있고, 다른 이들은 밖에서 무엇인가 나르고 있고, 또 다른 어떤 이는 얼차려를 당하거나 맞고 있고…….

그때 이상한 장면이 내 눈에 들어왔어. 그 장면이 마치 사찰 입구에 선 사천왕이 악귀를 짓밟고 있는 모습과 같았어. 나는 고개를 내밀고 그 모습을 자세히 보려고 몸을 일으켰어. 그 버마재비처럼 생긴 하사관 놈은 바로 강 중사였어!

"강 중사!"

내가 소리치자 옆 자리에 앉았던 김 하사와 황 상병이 고개를 차 밖으로 내밀었어.

"진짜 강 중사네! 어떻게 저 악질이 여길?"

황 상병이 나처럼 고개를 차 밖으로 내밀며 말했어.

"몇 달 전에 각 부대로 공문을 보내 삼청교육생을 관리하는 하사관들 지원 신청 받았잖아? 그게 사람 쥐어 패는 일이라……. 우리 대대 내에서 아무도 신청 안 한 줄 알았는데 저 악당이 지원했구먼."

강 중사와 마찬가지로 장기 근무 하사관인 김 하사는 이렇게 말하고 나서 한숨을 길게 내쉬더군. 김 하사의 전언에 따르면 강 중사는 단기 하사들을 괴롭히거나 갈구어서 그들로부터 술이나 음식을 대접 받는 것을 좋아했다고 해. 대대 내 단기 하사들 사이에서는 강 중사는 상습적인 갈취자로 악명이 높았다고 했어. 그리고 그는 술에 취하면 미친개가 되어 주변에 눈에 띄는 먹잇감을 찾아 폭행을 일삼았다는 거야. 강중사는 우리 부대에 2개월 정도 근무한 것으로 나는 기억해. 내가 각종 훈련에 참가하느라 그놈의 악랄한 정체를 미처 모른 상태에서 나는 그놈에게 한 차례 무참하게 폭행을 당했던 적이 있어.

 두 달 전쯤이었을까? 밤 12시가 넘어 영외 탄약고 보초 교대를 하고 신고를 하기 위해 당직사관실로 들어갔어. 강 중사가 독사눈으로 나를 째려보더군. 나는 그에게 경례를 붙이려고 하는데 먼저 군홧발이 내 가슴팍으로 날라 왔어.
"이 개새끼가 신고를 이 따위로 밖에 못해? 뭐야, 이 개새끼, 철모도 삐딱하게 섰잖아!"
 그는 내 철모를 벗기고 나서 그걸로 퉁퉁 소리가 나게 내 머리를 내리쳤어. 그것을 시작으로 해서 그는 '개새끼, 군기, 이 따위, 똑바로' 등의 말을 되풀이하면서 주먹, 철모, 소총 개머리판, 각목, 군홧발 등으로 나를 마구 때리더군. 내가 고통에 못 이겨 신음 소리를 내거나, 고개를 숙이거나, 몸이 흔들리면 그는 그것을 빌미로 더욱 나를 공격했어. 맞아, 그는 나를 단순히 구타하는 게 아니라 내가 마치 적군 일개 소대나 되는 양 쉬지 않고 공격했어. 그의 충혈된 눈은 독기로 가득했고 입에서는 술 냄새가 풀풀 풍겼어. 이 수란에 놀라 순찰을 마친 박 하사가 들어오니 그는 더욱 소리를 높였어.
"야, 박 하사! 이 개새끼 똑바로 교육 못 시켜! 이런 개새끼 하나 군기를 못 잡으니 부대가 엉망으로 돌아가는 거야! 똑바로 봐 둬. 이런 놈은 이렇게 교육시키는 거야, 이 개새끼!"

그러고 나서 그는 다시 나를 두드리는 것을 계속했어. 나는 내가 왜 그렇게 맞는지 이해할 수가 없었어. 서서 맞으면서 내 머릿속은 복잡했어. 그는 내 반격을 의식했는지 술에 취해 있으면서도 권총이 담긴 당직사관용 벨트를 풀었다가 다시 차는 것을 반복했어. 아무도 출입하지 않고 단 둘이만 계속 있었더라면 아마 나는 영창이나 군기교육대에 갈 각오를 무릅쓰고 그놈을 때려눕히고 말았을 거야. 몇 십분 동안 똑 같은 욕과 비슷한 구타가 되풀이되고 있었어. 내가 속한 통신 분대를 관리하는 성 중사가 와서 그를 잠깐 말렸는데 그게 오히려 그의 분노를 더욱 부채질했어. 얼마나 맞았을까? 나를 때리는 그가 점차 지쳐 가는 것을 볼 수 있었어. 어느 순간 그의 눈이 풀려가고 있었어. 마침내 그는 나한테 모래주머니를 메고 연병장 100바퀴 뛰라고 하더군. 나는 맞은 몸을 이끌고 당직 사관실에서 나와, 40 킬로그램 가까이 되는 모래주머니를 어깨에 메고 연병장을 돌기 시작했어. 105 밀리 곡사포 포대의 야전 연병장이라고 해 봤자 6개의 포문을 진지에 방열해 놓은 곳을 제외하면 초등학교 운동장 절반 크기도 되지 않아 뛰는 거리는 별 문제가 없지만 문제는 당시 사낭(砂囊)이라고 불렸던 그 모래주머니의 무게였어. 내가 열 바퀴 정도 도니 성 중사가 막사에서 나와 내게 그만하라고 말하더군. 강 중사가 곯아 떨어졌다는 거야. 심란한 마음으로 내 무반에 들어 와 침상에 걸터앉아 한숨을 내쉬었어. 도대체 이게 무슨 상황이지? 왜 내가 별다른 이유 없이 이렇게 당해야만 하는가? 왜 내가……

비슷한 질문을 되풀이하고 있던 내게 성 중사가 다가왔어. 그의 손에는 반합 뚜껑이 들려 있었어.

"군대는 좆같은 데야! 자아, 쭈욱 마시고 모든 걸 잊어 버려."

그 반합 뚜껑 안에는 소주가 넘칠 정도로 가득 담겨 있었어. 나는 그것을 단숨에 마셔 버렸어. 잠시 후 취기가 올라와 침상에 드러누워 곧

바로 잠에 떨어졌어.

　그날 이후 나는 강 중사에게 보복할 방법을 궁리하곤 했어. 그러나 그놈은 내게 폭행을 가한 지 얼마 지나지 않아 다른 부대로 떠나 버렸어. 그 강 중사는 내가 군대에 있을 때 유일하게 살의까지 품은 놈이었어.
　나는 강 중사에 대한 복수를 꿈꾸면서 거기에 따르는 내 판단과 감정을 합리화했어. 대학교 3학년까지 이수하여 명색이 지성을 갖추었다고 자부했던 내가, 역사와 민중의 삶을 두고 친구들과 토론하면서 비록 지도자와 조직운동가는 못 되었지만 각자 처한 위치에서 조금이나마 보다 나은 세계를 만들기 위한 밀알이 되겠다고 포부를 밝혔던 내가, 대학교와 통합병원의 도서관에서 인간의 윤리와 사상과 삶의 본질을 다룬 철학 서적 수십 권을 독파했던 내가, 그런 내가 그때에는 모든 이성과 합리적 판단을 팽개친 채 격렬한 증오의 소용돌이에서 빠져나오지 못하고 있었던 거야. 당시 내 나이가 혈기 방장한 스물세 살에 불과했다는 사실만으로는 내가 품었던 살의에 대한 변명이 될 수는 없을 것 같아.
　나중에 나는 강 중사가 떠난 부대까지 수소문해서 알아냈지만 그에 대한 개인적인 복수를 포기했어. 나를 포기하게 만든 계기는 엉뚱한 상상과 기억에서 나왔어.

　어느 날 마침내 강 중사에게 보복을 감행한 나는 결국 남한산성에 있는 군대 감옥에 갇히게 되고, 그 사실은 어머니께 통부돼. 감옥 철창 안에 갇혀 있는 막내아들을 보는 어머니의 얼굴…….

　그건 내가 상상할 수 있는, 가장 두렵고 끔찍한 장면이야! 내가 입대하기 한참 전에 정호는 감옥에 있던 요섭이를 면회하고 난 뒤 내게 이렇게 말했지.

"요섭이 어머니의 얼굴이 처음 볼 때보다 바짝 야위어 아예 반쪽이 되셨더라."

그래. 어쩌면 나처럼 소심한 사람은, 이런 우연한 대화의 내용 따위를 핑계거리로 삼아 개별적인 앙갚음의 결심을 쉽게 꺾어버리는지 몰라. 결국 나는, 강 중사가 그런 행동을 할 수밖에 없는 이유를 만들어 내고 그를 용서해 주는 데까지 이르렀어.

'그는 가난한 집안 출신이었는데, 군에서 병으로 근무하다가 사고를 저질러서 – 당시 장기 하사관을 지원하는 것을 '말뚝 박는'다는 표현을 사용했는데, 하사관 수가 부족하여 군 생활 중 심각한 사고를 친 병사를 회유한 경우가 많았지 – 장기 하사관으로 근무하게 되었다는 점, 서른이 다 되어 결혼은 했지만 이후 낮은 봉급과 잦은 비상근무로 안정된 가정생활을 하지 못한다는 점, 근무 연한이 자신보다 짧은 장교들의 지시와 명령을 계속 받으면서 살아야 한다는 점, 고졸 출신의 자신과 늘 대비되는 대학교 출신 병사에 대한 질투심이 그를 잘못된 음주 습관을 갖게 했다는 점 따위가 잦은 취중 폭력으로 이어졌을 것이야.'

그런데 그놈이 다시 내 앞에 나타난 거야. 강 중사는, 마치 자신이 지옥의 망나니나 되는 것처럼 문신을 낙인처럼 몸뚱어리에 새긴 한 삼청교육생의 머리를 두 군홧발 사이에 끼워 놓고 M16 소총의 개머리판을 절굿공이 삼아 힘찬 방아를 찧고 있어. 내가 탄 차는 그놈으로부터 멀어져 갔지만 그 교육생의 단말마의 비명이 내게 들리는 듯했어. 나는 강 중사가 내 시야에서 완전히 사라질 때까지 비록 훈련 중이라 실탄은 없었지만 총을 잡은 손에 잔뜩 힘을 주었어.

부대 내에서 병사들은 종종 강 중사 같은 한두 명의 장기 하사관(지금의 부사관)들의 가혹한 폭력 행위의 대상이 되었어. 그런 현실을 암암리에 알면서도 군대를 지휘하는 장교들은 그런 하사관 제도를 잘 이용했던 것 같아. 하사관들은 특정 부대의 장기 근무를 통해 마치 그 지역의 사정을 잘 아는 하급직 공무원들처럼 부대 안팎의 현황 등을 잘 파악하고 있었어. 당연히 새로 발령을 받은 장교들은 그 하사관들의 정보력과 부대 운영의 세세한 노하우에 일정 부분 의지할 수밖에 없었을 거야. 게다가 장교들은 직접 자신의 손에 더러움이나 피를 묻히지 않고서도 대신 악역을 도맡아 해주는 하사관들의 만행을 암암리에 묵인했던 거지. 내가 군에서 만난 그들은 열 명 남짓 되었지만 잔인한 행위로 악명을 떨친 이는 강 중사를 포함해 딱 두 명의 중사였어. 문제는 그 둘의 폭력 행위의 대상이, 부대 안에서 장교를 제외한 모든 병사가 된다는 점이지.

만약 강 중사나 그와 비슷한 성향의 중·장기 하사관들에게 80년 5월의 광주에서 벌어진 것처럼 총과 실탄을 주며, 필요하다면 자위권 차원에서 하급 병사나 민간인을 살상해도 좋다는 명령이 하달되었다고 가정해 봐. 그들 중 몇몇은 끔찍한 결과를 빚어내고 말았을 거야. 물론 일반 부대의 하사관과, 공수부대 같은 특수 부대의 하사관은 각각 그 역할과 임무가 스스로의 전투력 만큼이나 차이가 있었는지도 모르지만.

40여 년이 지난 지금도 나는 강 중사를 똑똑히 기억하고 있어. 세모꼴의 충혈된 눈, 툭 튀어나온 광대뼈, 움푹 들어간 볼, 한 일자로 퍼진 얇은 입술 등을 가진 얼굴과 큰 키에 바짝 마른 몸매를 가진 그놈을. 또한 나는 그 긴 세월 동안 그의 무자비한 폭력 행위에 대해 그 당시 어떤 형태의 응징도 하지 않았던 내 자신에 대해 스스로 만족스럽게 여긴 적도 없어.

요즘 6,70대의 노인들 중 한 명이 주위 사람들에게 잔인한 폭력을 행사했다는 뉴스를 보게 되면, 나는 그 주인공이 강 중사처럼 군대나 전쟁터에서 자신이 저지른 폭력 행위에 대해 여태껏 한 번도 참회하지 않고 인생을 살아왔던 사람이 아닌가, 하는 생각이 들기도 해. 그런 점에서 본다면, 최근 망월동 묘역을 방문하여 참배를 하려고 했던 공수부대원들은 나름대로 과거의 자신들을 돌이켜 볼 수 있는 용기를 가진 사람들로 생각돼. 그렇다고 해서 내가, 예순이 훨씬 넘은 그들이 과거의 공수부대 군복을 입고 떼를 지어 대거 묘역에 참배한다는 행위를 지지한다는 말은 아니야. 아무래도 그런 그들의 복장과 태도는 당시의 피해자와 희생자 유족들의 시각에서는 진정 어린 참회로 보기에는 어려운 게 사실이니까.

5개월 뒤

훈련을 끝내고 돌아온 지 사흘도 지나지 않았는데 이번엔 나보고 군단 MOS 대회를 대비한 전지 교육에 참가하라고 하더군.

전포대나 수송부 선임들은, 고단한 내무반 생활을 하지 않고 잦은 훈련과 작전 등에 참가하느라 바깥에서 돌아다니는 나에 대해 약간 질투심을 갖기도 했지만 그때뿐이었어. 편하기로 따진다면, 우리 포대가 관할하는 철책선 안에 있는 GP에서 포대경으로 관측만 하면서 소일하는 내 후임 병사들이라는 걸 그들은 잘 알고 있을 테니까. 게다가 전포대원들은, 각종 훈련 때 '3보 이상은 승차'의 혜택을 누리는 자신들과는 달리, 내가 보병들과 함께 군장이나 무전기를 메고 그야말로 '땅 개'처럼 한 없이 걷고 있던 모습을 달리는 차 안에서 최소한 두세 번은 봤지 않았던가.

우리 팀은 주특기 대회가 예상되는 장소를 찾아 지형을 익히기 시작했어. 군단 급 대회인지라 사단 작전지역인 화천군을 넘어서 철원군의 산야도 넘나들었어. 숙식은 그때그때 사단 예하의 부대에서 해결했어.

하루는 저녁 식사 후에 우리 병사들에게 사역을 나가라고 하더군. 사단장 관사에 부식을 나르는 일이었어. 우리 사역병들이 관사의 부엌에 들어가서 짐을 내려놓고 바라보니 커다란 고깃덩어리들이 대형 푸줏간처럼 걸려 있는 게 눈에 들어오더군. 니는 그 순긴, 인젠가 진빙에 있는 OP(관측소)에 있을 때 들었던 북한의 대남 방송 스피커에서 흘러나온 방송 내용을 떠올렸어. 그때 막 새로 부임한 우리 사단장이 오입쟁이라는 내용이었어. 그 사단장 부엌에서 내가 고기들을 바라보고 있는데, 황 상병이 우리에게 작업 지시를 했던 병장에게 관사에서 일하고 있는 병사 수를 물어보더군.

"22명 정도 돼."

"네? 그렇게 많은 병사가 무슨 일을 하는 거예요?"

"보일러공, 전기공, 목수, 요리사 3명, 세탁실 담당, 테니스 코치, 가정교사, 운전병……."

그때 나는 군대 안에 우리가 근무하는 곳과는 전혀 다른 세계가 있다는 생각이 들었어. 고위급 장성과 그 가족은, 국방의무를 이행하기 군에 입대한 청년들을 하인처럼 부리며, 마치 조선시대 왕족이나 중세 유럽의 귀족처럼 생활하고 있던 게 아닌가, 하는 의구심까지 들더군.

그곳을 바라보고 있으니 한겨울에 우리 부대 취사반 앞에서 본 익숙한 광경이 떠올랐어. 겨울철에는 사흘에 한번 정도 부식차가 왔는데 그 차에서 내린 보급병들은 커다란 냉동 고깃덩어리를 바닥에 놓고 기다란 쇠도끼로 찍어서 우리 부대의 몫을 떼어주고 떠나가곤 했어. 그 부식차가 떠나고 나면 일부 병사들은 바닥에 흩어진 냉동고기 파편들을 주워 모았어. 밤에 이른 바 뽀골이(라면에 건빵을 넣어 끓인 요리)에 집어넣기 위해서였지. 물론 그런 고기 부스러기 줍기도 '고참' 병사만이 가능했어. 그들만이 그걸 안주로 해서 몰래 반입한 술을 마실 수 있었으니까. 물론 그들이 술에 취하면 십중팔구 한밤중의 얼차려와 구타가 어김없이 따랐고.

구태여 사단장과 같은 장성급이 아니더라도 영관급 이상의 군 지휘관들의 생활수준과 그들의 사고방식은 우리 병사들의 그것과 천지 차이였던 것 같아. 내가 부대에 온 지 며칠 되지 않았던 때였어. 대대장이 포대를 방문했어. 그가 평일에 우리 부대를 방문한 것은 급작스런 일이라고 선임들이 말하더군. 전 부대원은 내무반 침상에 빼곡하게 앉은 채 정렬해서 대대장의 얘기를 들었어.

"생각해 봐라, 내가 그걸 먹었겠냐, 이 손가락보다 가는 뿌리를?"

대대장은 오른손 새끼손가락을 들어 보이더군.

"이등병도 산에서 식물을 채취하거나 야생 동물을 포획, 사살하는 게 금지되어 있다는 것을 아는데 설마 명색이 대대장인 내가 그걸 모른다고 생각하는 어리석은 병사들은 여기에 없겠지? 여러분이 대대장인 나를 생각해서 보낸 정성이 갸륵하기 했지만, 지휘관인 내가 그걸 섭취하는 위법을 저지를 수는 없는 것은 너무나도 당연한 것 아니냐? 그러나 이 대대장은 자칫 소문이 나면 그걸 채취한 병사들이 위법으로 징계를 받을 수도 있기 때문에, 그들을 보호하는 입장에서 부하에게 조용히 처리해 버리라고 지시했던 것이다. 그런데도 불구하고……."

대대장이 일장 훈시를 하고 떠나가고 난 뒤에야 나는 사건의 전말을 듣게 되었어. 내가 그 부대에 오기 전에 이 부대는 GOP 인근에 있는 알파 진지에 주둔해 있었는데 겨울을 맞아 병사들은 얼어붙은 북한강을 건너 강원도 양구까지 화목(火木) 작업을 나갔다고 하더군. 거기서 충청북도 출신의 병사 한 명이 산삼 밭을 발견했는데 큰 뿌리는 거기에 있던 선임 병사들이 곧바로 껍질을 벗겨서 먹어 버리고 일부 실한 산삼 뿌리와 잔챙이들을 부대로 가져왔대. 그 뿌리들은 부대 안에서 포대장, 전포대장 그리고 지금은 부사관으로 불리는 하사관 등에게 상납되었는데 그중에서도 조금 굵기가 있던 뿌리 두세 개가 대대장에게까지 전달되었다는 거야. 문제는 그 산삼 상납에 대한 소문이 대대 울타리를 넘어 사단 본부까지 퍼졌던 점이었어. 사단 감찰반 쪽에서 소문의 진상을 확인하려는 듯한 움직임을 보이자 화들짝 놀란 대대장은 다급하게 소문의 진원지를 찾아 진화하려고 했던 거지.

"처음엔 화목 조 일부 선임들만 그 산삼 뿌리들을 차지하려고 했으나, 그 채취와 섭식 소문이 상관들의 귀에까지 들어가 상납의 고리가 연결되기 시작한 거야. 이미 커다란 산삼 뿌리는 고참 병사들 뱃속에 들어가 버린 뒤에 그야말로 잔챙이들 일부가 대대까지 올라가서 멈춰버린 거야."

'똥다마'라는 별명을 지닌 오 상병이 내게 설명해 주었어. 오 상병은 부산대 1학년 마치고 군에 입대한 선임병사였는데 일요일이면 그는 내무반에서 열 명 안팎의 불교 신자들을 모아놓고 약식 불교 법회를 진행했어. 그의 별명은 키가 작고 똥똥한 체구에서 비롯된 것이었는데 그는 선임 병사들이 그 별명으로 자신을 부르는데 별로 괘의치 않아 보이더군. 그것이 대학생 출신으로서 그의 생존 방식이었던가 모르겠지만.

"멈춰 버리다뇨? 누가 가로챘단 말인가요?"

내가 물었어.

"아니, 더 이상 상급 부대장에게 상납이 진행되지 않았다는 말이지. 남은 산삼 뿌리 중 가장 실한 것이 대대장에게 상납되었다고 했는데 그걸 안 먹었다는 말을 누가 믿겠냐?"

그 산삼 사건은 거기서 끝나지 않았던 모양인지 대대장은 그 주 일요일에 다시 포대에 와서 다른 방식으로 불편한 심사를 드러냈어.

포대 안에는 블록과 돌로 만들어진 포성교회라 불리는 교회가 있었는데, 민통선 안에서는 이게 유일한 교회라고들 개신교 신자를 자처했던 대대장이 자랑하곤 했어. 통상 일요일이면 대대장은 (이 부대에 전입신고할 때 내게 대대장 '따까리'를 제안했던)군종과 함께 부인을 데리고 와 그 교회에 와서 주일 예배에 참석했어. 만약 그때 포대장이나 당직 사관은, 파견이나 훈련 등으로 예배 참석자 수가 부족하다고 판단되면 교회 안을 채우기 위해 불교 신자든 천주교 신자든 가리지 않고 교회 안으로 밀어 넣곤 했어.

'산삼 훈화'가 있고난 뒤 일요일에 당직사관이었던 행정관 배 준위는 급히 처리해야 할 일이 있다면서 기상과 동시에 전 부대원을 동원해 영외 탄약고 주변에서 작업을 시켰어. 일을 서둘러 하느라 그래선지 한

겨울인데도 병사들의 겉옷까지 땀에 젖었지. 병사들은 땀을 닦을 새도 없이 대대장이 참석하는 예배시간에 맞춰 부랴부랴 식사를 마치고 교회에 들어갔어.

그날도 부대 안에서 휴가 병력과 파견 근무자가 많아서 개인 종교에 상관하지 않고 영내,외 탄약고 보초와 상황병을 제외한 모든 병사들이 강제로 교회 안으로 들어가 예배에 참석해야 했어. 포대장도 대대장의 눈밖에 벗어나지 않으려는 듯, 아침 일찍 영외 관사에서 출발해 교회로 입장했고. 예배가 시작되기 전부터 교회 가운데 있는 난로 안에는 땔나무 장작들이 활활 타고 있어서 난로의 무쇠들이 빨갛게 달아오르고 있었지. 군종이 예배를 시작하자 얼마 되지 않아 여기저기서, '아버지', '오 주여'하는 외침들이 터져 나오더군. 그러거나 말거나 나는 쏟아지는 졸음을 참고 있었는데 내 뒤에서 웬 코를 고는 소리가 들렸어. 각종 노역이나 작업 때 힘과 기술이 좋아 두각을 나타냈던 강원도 횡성 출신의 심 이병이었어. 내가 뒤를 돌아다보니 그때 마침 웬 우악스런 손이 갑자기 심 이병 어깨 위에 나타나더니 심 일병의 뺨을 사정없이 꼬집더군. '아야'하고 소리를 지르며 심 이병이 눈을 떴어. 그런데 그 일이 있고난 뒤 2,3분도 채 지나지 않아 이번에는 바로 내 옆에서 코고는 소리가 들렸어. 역시 강원도 원주 출신의 이 이병이었어. 나는 몇 차례 팔꿈치로 그를 푹푹 찔렀어. 그의 눈꺼풀이 잠깐 열리는가 싶더니 다시 감기더군. 그가 다시 코를 고니 이번엔 웬 주먹이 나타나 이 이병의 등을 '퍽' 소리가 나도록 가격하더군. 마침내 이 이병은 왕방울만한 눈을 크게 뜨고 고통스런 인상을 쓴 채 한참을 두리번거리더군. 그때였어. 앞에서 어떤 여자가 한숨을 내쉬며 뭐라고 중얼거리는 소리가 내게 들렸어. 민간인이라곤 그림자조차 얼씬거리기 힘든 이 전방 골짜기에 여자라고 해 봤자 예배에 참석한 대대장 부인밖에 더 있었겠어? 내가 소리 나는 곳을 확인하려고 고개를 들어 앞 쪽을 보니 그 부인은 시종

일관 한 손을 부채 삼아 얼굴 앞에서 흔들고 있었어. 내가 더 자세히 보려고 자리에서 엉덩이를 들어 엉거주춤 일어났는데 뭔가 이상한 예감이 들었어. 나는 뒤를 돌아다봤지. 세상에, 서너 명의 선임 병사들이 고개를 숙인 채 눈을 치켜떠 나를 노려보고 있던 거야. 나는 다급히 앉았어. 화목 난로의 뜨거운 열기로 인해 병사들의 몸에서는 계속해서 김이 모락모락 피어오르고 있었어. 쉰 땀 냄새와 함께.

"야, 포대장, 이 새꺄! 병사들 몸에서 냄새가 나잖아?"

예배가 끝나고 대대장은 부인과 군종을 자신의 지프차에 먼저 보내고 나서 모든 부대원들을 연병장에 집합시켰어. 그는 집결한 병사들이 보는 가운데 포대장의 무릎 정강이를 연신 걷어찼어. 이 사태의 주요 원인을 제공한 행정관은, 그 옆에서 열중 쉬어 자세로 서 있으면서 그 일이 자신과는 아무 상관없다는 듯이 그걸 무심히 지켜보고 있었어. 육군사관학교 출신 대대장의 '쪼인트 까기'를 몇 차례 당한 삼군 사관학교 출신 포대장은 다리를 심하게 절룩거리면서도 부동자세를 유지하려고 안간힘을 썼어. 포대장의 '쪼인트를 까고' 있는 대대장의 발길질을 보면서 나는 불길한 예감에 휩싸였어. 저 두세 차례의 발길질이 마치 코일 속을 왕복 운동하는 자석처럼 부대 안에 기전력을 발생시켜 전 부대원이 폭력의 전자기장에 휩싸이게 될지도 모른다는 것을!

"오늘 오후에 연대 목욕탕으로 데리고 가서 병사들 목욕시켜!"

"예, 알겠습니다!"

"너, 진짜 포대장 노릇 똑바로 못하겠어! 지난번에도 시키지 않은 일을 저질러 나를 웃음거리로 만들더니!"

대대장은 포대장에게 두어 번 더 발길질을 하고 포대장 전용 지프를 타고 떠나갔어. 결국 그날 밤 폭력의 전자기장이 발동됐어. 문제는 목욕탕이 있는 보병 연대 본부의 위치에서 발생했어. 그곳은 민통선 밖이었고, 그 주변에는 술을 살 수 있는 가게들이 있었지. 거기서 일부 병장들은 인솔자인 하사의 묵인 아래 강원도 특산인 '경월'표 소주를 몰래 반입했어. 그리고 폭력의 전자기력은 한밤중의 몽둥이질로 되살아났어. 낮에 들어온 알코올을 새로운 에너지원으로 삼아 더욱 힘차게.

산삼 상납과 비슷한 사건이 전혀 다른 결과를 빚었던 경우도 있었어. 함묵령 고개 너머 브라보 포대에서 있었던 일이야. 나와 입대 시기가 비슷한 서 일병은 정문 보초를 서다가 집채만 한 멧돼지가 도로에서 어슬렁거리는 것을 보았대. 그 친구는 자기가 장난삼아 M16총으로 그 야생동물을 겨냥했는데 뭔가 잘못 돼서 총알이 그냥 날아가 버렸단 거야. 그 한 발에 수백 킬로가 넘는 집채만 한 멧돼지가 쓰러졌고.

그로부터 두 시간도 되지 않아 그 소식을 들었던 우리 부대원들은 저마다 안 체하며 수군거렸어. 한밤중에 그 동물을 쏘았다면 포상 휴가감이지만 대낮에 그것을 사살한 병사는 군기교육 감이라는 둥. 그러나 그로부터 하루 뒤인 저녁에 우리에게 들려 온 소식은, 브라보 포대의 전 부대원이 그 멧돼지 고기를 안주 삼아 부대 회식을 하고 있다는 내용이었어. 평소 육식에 굶주렸던 우리 부대원들은 브라보 포대의 단체 회식을 무척 부러워했어. 멧돼지를 잡은 그 서 일병은, 일부 병사들의 우려와는 달리 군기 교육대에 끌려가지 않았다고 했어. 그 사건이 그렇게 행복한 결말로 끝날 수 있게 된 이유는, 사단 본부의 지프차가 와서 남자들 정력에 좋은 멧돼지 코를 베어 가지고 갔기 때문이라고 하더군. '별'이 뜨면 없던 것도 나타나게 되고, 있는 것도 감쪽같이 사라지게 돼, 그게 군대야.

"야아, 변 중위, 오랜만이야."
공수부대 베레모를 쓴 중위가 삼각대 위에 놓인 포대경과 지도를 번

갈아 보고 있던 변 중위를 보고 반가운 손짓을 하며 다가왔어. 그날도 우리 팀은 주특기 대회를 대비하기 위해 군단 사령부로부터 머지않은 야산을 돌아다니며 지도를 펼쳐놓고 나침반을 들고 방위각 따위를 재며 지형을 익히고 있던 중이었어.

"오랜만이군. 그런데 11공수도 이번 경진대회 참가하나? 거기는 2군단 소속이 아니잖아?"

"아니, 아무것도 확정된 것은 없어. 앞으로 우리 부대 향방이 어떻게 될지도 모르고…… 하지만 일단 군단 주특기 대회에 대비하라는 지시가 있었어."

"지난 번 광주에서는 어땠어?"

"말도 마! 3,5,7 애들이 저지른 일을 수습하느라 진땀 **뺐어**."

"수습이라고?"

변 중위는 옆에서 듣고 있던 나를 의식했는지 그 공수부대 장교를 나로부터 멀리 떨어진 곳으로 데리고 갔어. 이미 5공화국 총재라는 내 별명은 우리 포대를 넘어서 변 중위가 근무하는 대대 본부까지 소문이 퍼진 때였어. 내게 멀어져 간 그들을 보면서 나는 그 공수부대 장교의 '수습'이라는 말이 도대체 무엇을 의미하는지 상상이 안 되더군.

나는 통합병원에서 '쌍자크' 이등병 외에 공수부대 소속 중사 한 명을 본 적 있어. 그 중사는 칸막이가 처진 하사관 병실에서 공연히 악을 쓰거나 식사 시중을 드는 병사에게 화를 냈어. 나중에 여러 사병들이 그 중사의 병실을 자주 방문하여 그가 고난도의 고공 낙하를 전문으로 하는 정예 요원이라는 사실에 감탄을 거듭하자 그 이후부터 는 잠잠해 지더군.

공수부대원들을 무더기로 본 적도 있었어. 내가 포대로 전입한 지 얼마 되지 않았을 때야. 여남은 명의 공수 부대원이 함묵령 고개 아래서 비틀거리면서 내려오고 있더군. 그들은 11공수 부대 소속으로서 생존 훈련인가 뭔가 한다며 지쳐 있었어. 그들은 손짓을 해가며 우리에게 마실 물을 달라고 호소했어.

그때 내가 어떻게 알았겠어? 그렇게 독하게 훈련받은 공수부대원들이 수개월 뒤에 적군이 아닌 광주 시민을 향해 타격과 살인 기술을 사용해서 끔찍한 결과를 빚을 줄이야!

나중에도 나는 예상하지 못했어. 반란군 수괴들이 대학생 데모 진압을 대비해서 그 공수부대원들을 대상으로 따로 '충정훈련'을 시켰고, 그 우두머리들의 충견노릇을 충실히 수행했던 11 공수부대가 아예 광주 옆 담양으로 주둔지를 옮길 것이라는 것을.

군단 주특기 대회가 끝나고 모처럼만에 부대에 돌아와 보니 전포대 소속으로 한 아무개라는 이등병이 전입해 왔더군. 나는 다른 부대원들부터 그 이등병이 신병답지 않게 부대 내에 팽팽한 긴장감을 몰고 왔다는 얘기를 들었어. 내가 직접 확인해서 보니 그는 눈이 작고 가무잡잡한 얼굴에 덩치도 왜소했어. 그는 눈과 코 가장자리에 주름도 깊어 나보다 더 나이 들어 보이더군.

"왜 보안대에서 그 친구를 감시한대?"

나는 행정병인 매부리코 송 일병에게 물었어.

"그 친구, 신학대 다니다 데모해서 군에 강제로 끌려왔는가 봐요."

"군에 강제로 입대시켰으면 됐지? 그걸로 부족해서 감시까지 한다는 말인가?"

"그 내막은 우리가 알 수 없죠. 내가 듣기론, 전국의 대학교에서 문제가 되는 대학생들을 왕창 잡아다가 이런 전방 골짜기에 뿌려 놓았다고 해요. 우리 부대는 두 명 배정되었는데 저 친구가 그 중 한 명이고요. 좌우간 저 친구 때문에 골치 아파요. 아무리 사소한 일이라도 저 친구의 동태에 대해 보안대로 보고해야 해요. 게다가 저 친구는 우리와 달리, 무슨 편지 왕래가 그리도 많은지? 저 친구는 자기가 주고받는 서신 검열로 보안대 신경이 곤두서든지 말든지 관심이 없다는 태도에요. 에휴!"

나는 매부리코 송 일병에게 부탁해 영외 탄약고 보초 근무를 그 친구와 함께 할 수 있도록 조 편성을 부탁했어. 통상 보초는 2명이 한 조가 되어 근무하는데 이등병, 일병 중 한 명과 상병, 병장 중 한 명으로 조를 짰어. 그때도 나는 아직 일등병이었거든.

"아닙니다. 저는 학생회장이나 학생회 임원이 아니에요."

나는 탄약고 참호 안에 있으면서 밖에서 근무하고 있는 한 이병에게 물었어.

"그런데도 강제 입영시켰단 말이야?"

나는 보초 수칙을 어기고, 참호 밖으로 나와서 한 이병에게 바짝 다가갔어.

"예, 저는 학과 대표만 맡았는데 그때 우리 과에 광주 출신이 있었어요. 그는 광주에서 5월에 계엄군이 대낮에 대로에서 시민들을 학살했다고 말하며 울분을 금치 못했어요. 우리는 그를 통해 들은 광주의 학살을 알리는 유인물을 만들어 학내에 배포하기로 했어요. 등사기로 유인물을 찍다가 적발됐죠."

"안에 프락치가 있었을까? 혹시 자네 학과 안에 학도호국단 간부 출신들이 있었나?"

"아뇨. 이전에 호국단 출신들이 중앙정보부와 친해서 일부가 프락치 활동을 했다는 걸 듣긴 했어요. 하지만 저희들을 잡아간 것은 보안대였어요."

"하긴 지금은 군인들의 세상이니까……."

"근데 혹시 일병님도 운동권 출신이세요?"

"아냐, 나 같은 게 무슨! 변명 같지만 내가 다닐 때는 딱히 학생 운동이라고 할 만한 것이 없어서 내가 참여할 기회도 없었어. 유신 말기였잖아? 교내에 대공과 경찰들과 정권의 끄나풀을 자처하는 교수들이 우글거렸는데……."

나는 호택이가 내게 문우회 회장을 맡아 달라는 부탁을 거절해 감옥에 끌려가지 않았다는 사실은 입 밖으로 꺼내지 않았어.

"근데 한 이병은 잡혀서 어디로 끌려갔어?"

"그때 눈을 가린 채 끌려갔기 때문에 어딘 줄 몰라요. 나올 때 얼핏 보니 아마 송파구 어디쯤이지 않았나 싶어요."

"거기도 보안대 분실이 있던가 보군. 거기서 많이 맞았겠군."

"저를 포함해 모두 세 명이 잡혀왔는데 각기 다른 방으로 데려가더군요. 두 명이 제 몸을 발가벗기고 나서 밧줄로 꽁꽁 묶고 나서 때리기 시작했어요. 뭘 묻지도 않았어요. 무조건 때렸어요. 얼굴과 가슴은 주먹과 발로, 몸과 하체는 각목으로, 그야말로 마구잡이로 때리더군요."

나는 그 말을 들으면서, 나를 그렇게 때린 강 중사가 혹시 과거에 보안대에 끌려가 그렇게 맞았던 게 아니었을까, 하는 생각이 문득 들었어. 잠시 우리들은 침묵했어. 내가 잠깐 숙였던 고개를 들자 한 이병이 그때를 기다린 듯이 얘기를 이어나갔어.

"얼마동안 얼마나 맞았는지 몰라요. 내가 맞고 있는 곳이 지옥인지 이승인지 알 수도 없었어요. 나는 그때 죄를 짓고 말았어요. 맞으면서 하나님을 한없이 원망했거든요. 누군가가 바닥에 쓰러진 채 정신을 잃은 제게 찬물을 붓더군요. 그리고 탁자 앞에 앉히더니 무슨 종이에 사인하라고 하더군요."

"그래서? 사인했어? 내용이 뭔데?"

"내용도 눈에 들어오지 않았어요. 제가 사인을 거부하자 그들은 '이 개새끼가 아직 덜 맞았구먼! 너 같은 독종은 매운 맛을 봐야 해.'하며 저를 밧줄로 묶어서 이번엔 천장에 매달았어요."

"천장에?"

"예, 거기에 쇠고리 같은 게 설치되어 있었어요. 얼마 동안 매달렸는 지 생각이 안 나요. 얼마나 지났을까? 제가 오줌 마렵다고 하자 그들이 '어쭈 아직도 네놈이 인간인 줄 알아? 너는 개새끼야. 알아? 개새끼, 거기서 싸!'라고 외치라고요. 저는 신음소리를 내며 소변을 참고 있는 데 이번에 똥까지 마려웠어요. 저는 제발 내려달라고 애원했으나 그들 은 듣지 않았어요. 결국 저는 매달린 채 오줌, 똥을 쌌어요. 그때서야 저는 제가 인간이 아닐지도 모른다는 생각이 들더군요."

달빛이 한 이병의 얼굴을 비추었어. 그는 나를 보고 웃는 것 같았어. 나는 이 친구가 신체적으로는 왜소하지만 나보다 훨씬 큰 거인이라고 생각됐어. 보름달이 탄약고 지붕과 그것을 엄폐하기 위한 산 능선에 부 드러운 달빛을 비추고 있었어. 나는 갑자기 탄약고 자물쇠를 부수고 탄 약고 안의 포탄들을 향해 총을 쏘아버리고 싶은 충동이 일어났어. 그렇 게 하면 거대한 폭발과 함께 한 이병과 나는 허공으로 날아가 버리겠 지, 그것만이 이 답답하고 암울한 현실에서 벗어나는 최선의 길인지도 몰라……

한 이병은 보안대에서 감옥과 군대 중 둘 중에 하나를 선택하라는 다 그침에 군에 입영하게 되었다고 했어. 그의 집에서는 103보충대 훈련 소에서 보낸 그의 신발과 옷가지를 보고 그가 군에 입대했다는 것을 알게 되었고. 그렇게 갑작스럽게 군에 끌려온 그의 근무처가 밝혀지자 그의 안부를 묻는 가족들과 지인들의 편지가 쏟아졌다고 하더군. 그는, 별 수 없이 보안대의 서신 검열에도 불구하고 그 편지들에 일일이 답 장을 해 줄 수밖에 없었다고 했어. 그 후로도 몇 차례 더 그와 함께 보 초를 섰는데 내가 우려했던 만큼 한 이병은, 다른 하급 병사들처럼 한밤중에 구타를 심하게 당하지 않았던 걸로 보였어. 그의 일거수일투족이 정기적으로 보안대에 보고됐기 때문이었을까? 만약 누군가가 그를 폭행했다가는 자칫하면 본인의 이름도 보안대까지 알려지는 위험을 감수해야 할지도 모르니까.

그해 한 이병이, 다시 부대를 떠들썩하게 만든 사건이 생겼어. 나는 상병으로 막 진급을 했고 전두환은 제 맘대로 법을 바꿔 스스로 대통령으로 되었지. 5공화국 총재라는 내 별명은 자연스럽게 부대원들에게 잊혀 가고 있었어. 어느 날 부대에서 무슨 내용인지는 모르지만 찬반 국민 투표를 해야 한다고 하더군. 포대장은 부대원들을 모두 모아놓고 이번 투표에서 모든 기표 용지는 사후에 철저하게 검사를 할 수도 있다고 강조했어. 뒤이어 행정관인 표 준위가 병사들을 모아놓고, 기표 용지가 들어간 봉투를 보여주며 형광등을 켜놓고 '반대'표가 한 표라도 나오면 개표 전에 다 밝혀진다는 점, 향후 부대원 전체가 괴로움을 감수하지 않으려면 잘 알아서 투표하는 게 좋을 것이라는 점 등을 협박조로 일갈하더군. 마침내 투표가 시작됐고, 나는 내 차례가 되어 행정실 안에 임시로 만든 투표소에 들어갔어. 그랬더니, 세상에 그 안에 포대장이 앉아 있는 거야.

"엥, 뭐야?"

내가 이렇게 외치자 평소 나를 무척 신뢰했던, 그 온순한 포대장이 탁자 위에 투표용지를 놓고 씨익 웃더군.

"헤헤. 잘 알겠지만 어차피 이번 투표는 형식적인 거야   그러니…….."

그는 손가락으로 투표지의 '찬성'란을 가리켰어.

"포대장님, 이렇게 하시면 안 되죠. 비밀 투표인데!"

"야, 한번만 봐줘. 어차피 자네 한 표가 세상을 바꾸지 못해. 그리고 여기서 이루어진 투표 결과도 백일하에 드러나게 되어 있어!"

"그래도 안 돼요, 여기가 무슨 북한도 아닌데……."

나는 반대 칸에 막 기표하려고 했어. 그러자 포대장은 자리에서 벌떡 일어나서 반대 칸을 한 손으로 덮고 다른 한 손은 기표 기구를 든 내 손을 붙들었어.

"왜 이래? 나하고 이럴 처지가 아니잖아. 응? 내 진급 길에 먹물 뿌리려고 작정했어?"

1분가량 나는 내 팔을 붙들고 있는 포대장과 옥신각신하다가 나는 그가 자신의 손바닥으로 가리고 있는 '반대' 칸 옆에 있는 '찬성' 칸에 기표를 하고 말았어. 그가 여러 차례 외친 '진급'이란 말에 내 마음이 약해진 거지. 그런데 그날 저녁에 부대가 난리가 났어. 행정관이 말하길, 한 이병이 포대장의 만류에도 불구하고 기어이 반대 란에 기표했다는 거야. 대대에서 투표함을 개표소로 보내기 전에 형광등으로 일일이 검표했는데 딱 반대표가 두 표 나왔다고 하더군. 그날 밤 병사들은 잔뜩 긴장했어. 선임 병사들은, 상위 부대장의 눈밖에 벗어나면 그 예하 부대원들이 얼마나 괴로운 일을 당할지를 이전 경험으로 알고 있었기 때문이야. 그러나 그 일로 인해 아무런 사건이 일어나지 않았고 심야의 집합도 없었어.

나는 부끄럽기 짝이 없었어. 한 이병과 보초를 함께 설 때마다 나는 그에게, '부대 안에서 누군가가 특별히 괴롭히면 내게 말을 해' 달라며 자신감을 보여줬는데, 막상 용기 있는 행동이 필요할 때는 그와 함께하지 못했던 거야.

1년 뒤

부대에 전라남도 출신 신병들이 6명이 들어왔어. 그들은 전포대의 각 포반에 한 명씩 배정됐어. 그때 나는 선임 병사들이 1년 전에 품었던, 전라도 출신에 대한 적대감을 기억하고 있어서 긴장감을 늦추지 않고 그들의 반응을 유심히 보고 있었어.

그런데 그때 놀라운 일이 벌어졌어. 부대 내에서 가장 거칠기로 소문 난 그 전포대 선임 병사들의 입이 한결같이 찢어지고 있었어. 그들은 연신 싱글벙글 웃으며 새로 들어온 전라도 후임 병사들을 마치 동생들 보살피듯이 잘 대해 주고 있었어. 1년 가까이 들어오지 않는 후임 병사들에 그들은 굶주렸던 것일까? 아무튼 자신들이 과거에 전라도 후임병들을 호되게 족쳐야 한다고 말했던 것을 전혀 기억하지 못한 것처럼 행동했어.

그때 상병이 된 나는, 일부러 전남 출신 신병들과 보초를 함께 나가서 그들에게 나도 모르는 가혹행위가 있었는지 확인해 봤어. 그 신병들의 입에서 나온 말들로 보아, 약 1년 전에 전라도 출신 병사들에 대한 선임병사들이 품었던 적대감이 실현되었다는 증거는 전혀 찾을 수 없었어. 병사들은 단순했어. 탐욕에 눈이 먼 정치군인들은, 명령 체계에 길들인 군인들의 그 단순한 속성을 이용했던 것이고.

"아직도 병장 못 달았어요?"

보병 지원 훈련을 마치고 돌아오니 연대 의무병인 배 일병이 나를 보고 반가워했어. 그는 경희대 한의학과 2학년 다니다가 입대했는데 평소에는 의무대에 있다가 가끔 우리 포대 같은 전방 부대들을 순회하곤 했어. 그의 손에는 언제나 담배 곽 크기의 케이스에 침술 도구가 들려 있었어. 그는 그것으로 허리 따위가 아프다고 하소연하는 병사들에게 침 시술하기를 좋아했어.

"야아, 배 일병, 왜 이렇게 오랜만에 왔어?"

"말도 마요. 어느 부대에서 대형사고가 나서 거기에서 지옥 같은 시간을 보내고 왔어요⋯⋯."

"대형사고?"

"예, 병사들 네 명이나 죽었어요."

"네 명이나!"

"다섯 명이 중상을 입었고요."

"세상에, 훈련 도중에?"

"훈련 중에 죽었으면 그들이 국가 유공자라도 되죠. 모두 개죽음이에요, 개죽음."

"왜?"

"거기 부대원들 중 누군가가 3.5인치 로켓포탄 불발탄을 발견했나 봐요. 병장 한 명이 그걸 해체하여 화약을 꺼내겠다고 하니 예닐곱 명이 빙 둘러싸서 그것을 구경하고 있었고요. 그런데 그 병장이 화약 분리에 성공하지 못하고 뇌관을 건드려 그게 그만 터지고 말았나 봐요."

"말도 안 돼, 그거 탱크 잡는 포탄인데⋯⋯."

"우리 사단 의무병들로는 그 사고가 감당이 안 돼 2군단 예하의 군의관들과 의무병들이 그곳으로 모두 불려 갔어요. 현장에 가서 보니 지옥이 따로 없었어요. 수십 미터나 날라 간 얼굴들은 형체를 알아볼 수 없었고 사방으로 흩어져 있는 팔과 다리가 누구의 것인 줄 도무지 알 수가 없었어요. 내장과 피와 살점과 피부들이 풀밭에 널리거나 나뭇가지에 걸려 너덜거렸지요. 근데 장 상병님, 제가 거기서 뭘 한 줄 알아요? 겨우 한의대 2학년 다니다가 군에 입대한 제가 거기서 뭘 했는지 아냐구요?"

"10종 처리……."

"아, 상병님은 뭔가 조금 아시네요. 그래요, 우리 의무병들은 거기에 널려진 사체 조각들을 바늘로 꿰어 사람 형태로 맞추기 시작했어요. 그 사체들을 10종으로 반납을 해야 하거든요. 이게 누구 머리인지, 저게 누구 코와 입인지, 또 이 팔과 다리는 누구 것인지, 이 피로 범벅된 것이 콩팥인지 췌장인지……. 도무지 알 수가 없었어요. 우리는 사흘간이나 바느질을 해서 네 개의 사람 형체를 만들었어요. 어디 그게 사람이 할 짓이냐고요? 내가 뭐하려고 의무병으로 입대해서……."

배 일병은 말을 잇지 못한 채 고개를 푹 숙이더군. 나는 그 옆에 앉아 그의 격앙된 감정이 가라앉기를 기다렸어. 궁금한 게 너무 많았기 때문이야. 로켓 포탄 불발탄은 사격연습장에나 있어야 했어. 포 사격이 없는 날 곡사포 사격장에 민간인이 들어가서 돈이 되는 대포 탄알을 챙기다가 불발탄이 터져 다리를 잃었다는 얘기를 들은 적은 있었어. 하지만 그 부대의 병사들이 불발탄이 득시글한 로켓포 사격장에는 왜 갔을까? 군사용 지도에는 지뢰가 있거나 불발탄이 있는 곳에는 '미확인 지대' 등으로 분명하게 표시되어 있는데 누가 죽음을 무릅쓰고 그곳에 갈 생각을 했을까? 배 일병은, 불발탄을 손댄 병사가 아마 야전에서 화약 가루를 연료 삼아 '라면 뽀글이'를 하려고 했던 것 같다고 얘기했지만 그게 본인의 추측인지, 그가 들은 얘기인지 알 수가 없었어.

그런 사고가 자주 일어나서 그런지 군에서는 병사들을 상대로 수시로 안전사고 예방 교육이 행해졌어. 그 교육 때마다 처참한 사진들이 전시되었고 한두 건의 유명한 사례들이 거론되었어. 사진들은 대부분 총알에 의해 처참하게 부숴진 병사들의 얼굴이었어. 강사는 그 사진 속 모습이, 턱 밑으로 총구를 겨누고 발가락으로 방아쇠를 당겨 자살한 병사들의 것이라고 설명하곤 했어. 또 교육 때마다 들었던 안전사고 사례 중 하나는 GOP 부대에 근무하고 있던 한 장교의 발목이 날아가 버린 사건이었어. 그 장교는, 진지 앞의 풀이나 나뭇가지를 제거하는, 사계 청소를 하기 위해 자신이 지휘하는 부대원들을 이끌고 대상 구역에 섰다고 했어. 그는 병사들이 모두 지켜보는 가운데 한 발을 들어, '오늘 우리가 할 작업 구역은 여기서부터……'라고 말하며 발로 그 지점을 디뎠다고 해. 그러고 나서 그는 옆으로 세 걸음 옮겨 가서 발로 다른 지점을 내딛은 채 '여기까지!'라고 말하고 나서 발을 뗐다고 하더군. 그 순간 요란한 폭발음과 함께 그는 나동그라졌고 그의 발목은 박살났다고 하더군. 그는 부비 트랩을 밟았던 거야. 또 다른 사고는, 한 재수 없는 병사의 얘기였어. 그 병사는 비가 온 다음 날, 평소처럼 식당 내에서 모아둔 음식물 쓰레기인 '잔반'을 처분하러 갔던 모양이야. 여느 때처럼 그 병사가 음식물 쓰레기를 버리던 순간 폭발물이 터졌다는 거야. 전날 내린 비에 산비탈에 매립되어 있던 지뢰가 토사와 함께 쓰레기 처리장까지 굴러왔기 때문이라고 하더군.

나는 부대에 있을 때 폭발물 사고는 직접 보지는 못했지만 총기 사고는 직접 목격한 적 있어. 정 하사라고 기억해. 성품이 온화하고 성실하여 부대원들의 인정을 고루 받았어. 어느 여름날 밤에 그는 순찰을 돌고 교대하여 내무반에 들어왔어. 다른 이들 같으면 실탄만 인수인계하고 잠을 잤을 거야. 그러나 그는 내무반 귀퉁이에서 자신의 총을 정비하고 나서 자려고 했던 것 같아. 한밤중에 총소리와 함께 비명소리가 내무반을 흔들었어. 잠을 자던 부대원들이 모두 깨어났어. 평소 코를 골며 깊게 떨어져 잠을 자기로 유명한 신 일병마저 깨어나서 페치카 뒤로 숨을 정도였으니까. 당직 사관실에서 누군가가 튀어 나오고 사격 지휘소에 있는 상황병도 내무반에 들이닥쳤지. 정 하사는 얼굴이 파룷

게 질린 채로 서 있었고 공 상병이 비명을 지르고 있었어. 내무반 구석진 곳에는 모포와 침상에 피가 낭자했어. 선임병 하나가 피 묻은 모포를 걷으니 공 상병의 허벅지와 사타구니가 피로 붉게 물들여 있었어. 공 상병은 야전 병원으로 후송 갔는데 총알이 하필 고환을 꿰뚫었다고 했어. 정 하사는 자신의 총에 탄약이 장전된 줄 모르고 총기 분해하다가 사고를 낸 거야.

그 오발 사고로 정 하사는 영창에 갔는데 나중에 부대로 돌아온 그는 완전히 사람이 달라졌어. 그 온순한 눈동자는 온데간데없고 쉴 새 없이 눈동자를 이리저리 불안하게 굴리더군. 말도 제대로 못하고 동작이 자주 끊겼어. 취사병 지 아무개 상병은, 정 하사가 영창에서 고문을 받아 '맛이 갔다.'라고 말했어. 지 상병은 훈련 도중에 견인 포차를 이끌다가 포를 뒤집는 사고를 일으켜 군기교육대에 갔던 적이 있어. 그 후 그는 더 이상 운전대를 잡지 못하고 취사병으로 근무했지. 지상병은 내무반에서 얼이 빠진 채 정 하사를 지켜보고 있던 심 일병에게 가까이 오라고 명령했어. 심 일병이 다가오자 지 상병은 윗 호주머니에서 모나미 상표의 볼펜 한 자루를 꺼내 심 일병의 손가락에 끼워 비틀기 시작했어. 심 일병이 비명을 질렀어.

"짜아식, 겨우 그걸 가지고! 헌병대에서는 그게 제일 약한 고문이야. 이번엔 손톱 고문을 보여 줄게."

지 상병은 이렇게 말하고 곧바로 돌아서서 뭔가를 찾으려고 자신의 관물대를 뒤졌어. 그걸 바라보고 있던 심 일병은 그로부터 멀리 도망을 쳤어.

"이리 와! 와 보라니깐! 어허 요즘 졸병들은 군기가 빠져 가지고! 야, 심 일병, 네놈은 일제 강점기에 태어나지 않은 것을 감사하게 생각해야 해. 그땐 아무 죄가 없어도 헌병대에 끌려가서 그런 고문을 당했으니까. 내가 시범 보여준 것은 약과에 불과해. 우리의 자랑스런 대한민국 국군 헌병대는 그 일본 놈들의 빛나는 전통을 이어받았어. 자동차 사고가 무슨 독립운동도 아닌데, 젠장!"

정 하사가 헌병대 고문의 후유증으로 결국 일상적인 부대 생활을 할 수가 없게 되자, 포대장은 그를 '고문관'들의 집결지였던 GP로 보내 버렸어. 그리고 한참 뒤에 그의 총에 맞아 후송을 갔던 공 상병은 제대 2개월 앞두고 부대로 복귀했어.

"글쎄 검사 결과로는 정상인보다 제 정자 수가 터무니없이 적다고 나왔는데도 그 잘난 군의관 놈들이 기어이 나를 다시 부대로 복귀시켰어!"

공 병장은 자신의 정자 수에 관한 걱정보다는 2개월여 남은 군 생활이 더 걱정인 듯이 한숨을 내쉬었어.

구태여 폭발물이나 총기 사고 아니어도 우리 부대 안에서 구타나 이런저런 사고로 다친 병사들은 꽤 많았어. 나와 함께 부대에 전입 온 영화배우 회원인 이 일병은, 언젠가 나와 보초를 함께 설 때 그의 오른손 새끼손가락을 내게 보여줬어. 기역자로 꺾인 그 손가락을 두고 이 일병은 그게 곧게 펴지지 않는다고 했어. 그는 자신의 같은 5포반에 있는 안 병장이 자기 손가락을 그렇게 만들었다고 하더군. 안 병장은 힘이 장사라서 그에게 가볍게 한번이라도 맞은 이들은 오랫동안 고통을 호소하곤 했어.

"아직도 배우협회 자격증을 갖고 있나?"

구부러진 손가락을 한참동안 움직이고 있던 이 일병에게 물어 봤어. 그는 상의 호주머니를 뒤적거리더니 그 자격증을 내게 보여주더군. 그것은 내가 처음에 봤을 때보다 가장자리가 헤어지고 색깔은 퇴색되었지만 거기에 인쇄된 글자나 사진 등은 그가 여전히 그 협회의 회원 배우임을 분명히 증명하고 있었어. 나는 거기에 있는 사진과 현재의 그의 얼굴을 비교해 보았어. 1년 남짓밖에 지나지 않는데 격세지감을 느꼈어.

 귀공자 같았던 그의 얼굴은 검게 탔고 피부는 거칠 대로 걸치어져 있었으며 듬성듬성 난 수염에는 하얀 터럭들도 섞여 있었어. 이 일병의 초췌한 모습은 내게 어떤 장면을 상상하게끔 만들었어. 한때 장래가 촉망받던 한 젊은이가 자신의 꿈을 이루기 위해 배를 타고 바다를 여행하고 있어. 그런데 항해 중 풍랑이 거칠게 일어 그가 탔던 배는 난파당하고 그는 바다에서 허우적대며 표류하다가 구사일생으로 살아남아 어느 무인도에 떠밀려왔어. 거기서 그는 굶주림과 궂은 날씨, 야생의 동물과 벌레 따위에 갖은 시달림을 당해 마침내 자신의 젊음과 아름다움을 잃고 서서히 병들어 늙어 가는 비극적인 장면.

 나는 그에게 무한한 연민의 감정을 가졌지만 고작 일개 병사에 불과한 내가 그에게 해줄 수 있는 것은 아무것도 없었어. 내가 너무 잔인한 물음이라는 생각이 들어 그에게 묻진 않았지만 그는 이제 자신이 그토록 간절하게 원했던 문화선전대로 선발되는 것을 체념한 듯 보였어. 나는 그가 제대 후 배우 생활이나 제대로 할 수 있을까, 하는 의구심이 들었어.

 또 한 번은 부대에서 병사와 하사 대여섯 명이 허리 등을 무더기로 다쳐서 포 견인차에 실려 연대 의무실로 간 적 있었어. 전포대장으로 왔던 꺽다리 박 중위가 술에 취한 채 전포반 하사와 병사들 군기를 잡는다고 쇠파이프를 휘두른 결과였지. 결국 박 중위는 장교에 대한 징계 조치의 하나인 '수평 이동'을 당해 동해안 어느 경비 부대로 쫓겨났어. 나는, 누군가에게 잘못 맞아서 어떤 신체 부위가 아프다고 하소연한 병사들 외에도 화목 작업이나 포 다리를 옮기면서 크고 작은 부상을 입은 병사도 여럿 봤어.

2년 뒤

제대 직전 마지막 휴가를 앞두고 RCT라 불리는 보병 연대 전술 훈련에 참가하게 되었어. 보병들과 함께 군장과 총을 메고 백 킬로를 걷는 행군으로 훈련은 시작하지. 당시 그 훈련은 이런 가상의 상황을 설정했던 것 같아. 북한군이 불시에 쳐들어오고 우리 군은 잠시 교전하다가 후방으로 후퇴해. 그리고 우리가 지키는 자리에는 동원 예비군들이 총알받이로 투입되어 지연전을 펼치지. 한참 후방으로 간 우리 정규군은 전열을 가다듬어 다시 진격해서 적을 물리치고 고지를 다시 점령하는 것으로 훈련은 종결되었어. 그런데 그런 개념의 작전을 전제로 한 훈련에 참가하고 있으면 의문이 들었어. 북한은 실제 정규군을 이용한 남침을 계획하고 있는 걸까? 그들이 6.25 이후 그렇게 하지 못한 것은 전면전을 일으킬 만한 여력이 없어서인가, 아니면 주한 미군이 무서워서였을까? 그도 저도 아니라면 북한 잠재적 남침은, 그냥 수십 년 전에 일어난 경험을 바탕으로 한 우리 군 수뇌부의 막연한 설정에서 비롯된 것일까?

훈련이 이틀째 접어드니 행군은 걸으면서 자고, 자면서 걷는 대열로 바뀌었어. 땅을 보고 걷다가 달빛이 비추면 고개를 들었어. 도로 옆 계곡에서는 시냇물 소리가 쉼없이 재잘거리고 강원도의 끝없는 산들 능선 위에는 달빛이 내리고 있었어. 행군 도중 커다란 보름달을 볼 때면 주로 어머니의 얼굴이 보였어. 어쩔 땐 첫 휴가 때 귀대 직전에 만난 동기 여학생의 하얀 얼굴도 그 보름달 속에서 웃고 있더군. 행군이 이틀째 정도 이어지면 결국 이런 생각도 사라져 버리고 말아. 오로지 마음속에서 기다리는 건 '5분간 휴식'이라는 구령이야. 그 구령과 함께 행군 대열은 군장을 메고 총을 어깨에 걸친 채 길바닥에 널브러져 버리지. 그 짧은 5분에도 꿈을 꿔. 어쩔 땐 두 개의 꿈을 꾼 적도 있어. 도로의 가장자리에는 행군 대열이 있고 도로 중앙에는 가끔 앞서거니 뒤서거니 하면서 차량 행렬이 지나가곤 했어. 보급 차량이 지나가기도 하고 155밀리 포 견인차나 8인치 자주포도 천천히 움직이기도 했어.

새벽 무렵에는 검열관인지, 연대장인지 모르지만 영관급으로 보이는 장교 한 명이 지프에 앉아서 졸고 있더군. 그 장교는 나라의 권력을 손아귀에 넣은 반란군 무리에게 제대로 줄을 서지 못한 모양이야. 나는 그런 '불우한' 지휘관들과 함께 육군 본부가 실시하는 전투 지휘 검열에 참여한 적 있어. 며칠 동안 비상식량으로 끼니를 때워가며 독도법을 활용해 전략 목표 지점을 찾아가는 테스트였던 것 같아.

포병 부대에는 대대장만 육사 출신이었고 그 아래 지휘관들은 대부분 3사관학교와 학군단 출신 장교들이 압도적으로 많았어. 학군 장교들은 행동거지가 자유롭고 병사들에게 권위적이지 않은 데 반해 3사관학교 출신들은 가끔 열등감 비슷한 언행을 노출시키면서도 진급을 위한 열정으로 충만했어.

육사 출신의 관측 장교는 딱 한 번 만났는데 신임 장교들을 상대로 한 곡사포 사격 훈련장 답사 교육 때였어. 그에게 나는, 포병에 육사 출신 장교를 보기 드문 이유를 물었어. 그는, 육사 출신 장교들은 최전방 보병 부대에 근무하는 것을 당연하게 생각하고 있으며 그쪽에 근무하는 게 진급두 빠르니까 그렇다고 대답하더군. 그는 순수하게 보였고 자신이 육사 출신으로서 갖는 자존감도 대단하게 느껴졌어. 나는 저런 장교가 어떻게 계급이 높아질수록 탐욕적이고 위선적으로 되어 가는지 알 수가 없었어.

훈련을 끝내고 이른 바 말년(末年) 휴가를 갔어. 집안 형편은 더욱 어려워지고 어머니는 더 늙게 보이셨어. 휴가 동안 집을 떠나지 않고 있는데 동네에서 찬영이가 제 친구들과 함께 가는 게 보였어. 나는 소리쳤어.

"뭐야, 너 여기서 뭐해?"

80년 5월 광주에서 학생 수습대책위원이었던 찬영이는 나하고 불알친구야. 고등학교 때 어떤 운동 종목의 대표 선수였는데, 2년 재수하여 뒤늦게 전남대학교로 입학했었지. 내가 마지막 휴가 때 동네에서 본 찬영이는 행색이 영락없이 건달이었어.

"너, 여기서 뭐 하냐구?"

나는 재차 찬영이에게 다그치듯 물었어.

"으응, 그냥……"

"이 자식아, 일을 하려면 똑바로 해야지! 수습이 뭐냐, 수습이? 콱 그놈들을 다 쏘아버리지 않고."

내가 이렇게 쏘아붙이자 찬영이는 당황한 듯 보였어.

"너는……. 몰라, 너는 아무것도 몰라. 내가 그렇게 나서지 않았다면 시민들이 진짜 많이 죽었을 거야."

"모르긴 뭘 몰라? 그놈들은 군인도 아냐. 사리사욕과 제 진급 따위에 눈이 어두워 어떤 잔인한 일이라도 시키는 대로 하는 놈들을 군인이라고 볼 수 없어! 그놈들은 제 앞길에 방해되는 게 있으면 어떤 일도 서슴지 않아. 너는 그런 놈들과 순진하게 협상까지 하려고 했으니, 어휴!"

"그러니까 협상한 거지. 그 군인 지휘관들은 저항하는 시민들 수가 몇천, 몇 만 명이 되더라도 모두 죽일 기세였어. 그때 그들은 자신들이 도심에서 외곽으로 쫓겨난 사실을 두고 자존심이 상해 있었어. 한 장교는 내게 협상 거부의 이유로 자기 부대원들의 꺾인 사기를 들었다니까!

그놈들은 광주를 반드시 무력으로 점령해야 할 전쟁터로, 저항하거나 그에 협조하는 시민들을 적으로 간주하고 군사 작전을 계획하고 있었 던 거야……."

찬영이는 내가 자기를 계속 질책할까 봐 제 친구들과 함께 서둘러 떠 나가더군. 아직 대학교 복적은 막혀 있는 상태라고 하더군.

귀대할 날짜가 다가오자 나는 대학 친구들을 만나기 위해 연락을 시 도했어. 요섭이와 그의 집에 연락을 하고 지낸 친구는 한 명도 없고, 군에 입대한 호택이의 소식도 마찬가지였어. 선태는 80년 5월 이후 수 배당해서 어디론가 숨어버린 지 몇 년째고. 정년퇴임이 얼마 남지 않은 지도교수님을 수소문하며 연락을 취했지만 아무 소득이 없었어. 계엄군 은 그 노교수도 한 달 넘게 감옥에 가두었는데 교수직은 아직 복직이 안 된 상태라고 하더군.

군대 밖 바깥세상은 온통 잿빛으로 가득 차 있었어.

꼭 제대해 사회에 나와야 할 필요가 있을까? 이전에 한두 차례 충동 적으로 생각해 봤던 직업 군인의 길을 다시 돌이켜 봤어.

'그래, 강원도는 멋진 산들이라도 있지 않은가?'

나는 각종 훈련과 작전에 참가하여 제대할 때까지 포병 관측반의 일 원으로서 강원도 화천과 철원 일대의 GOP와 민간인통제선 사이, 이른 바 페바(FEBA : 전투지역 전단)지역을 누비고 다녔었지. 내 손에 지 도만 있으면 북한 지역을 포함한 강원도의 아무 산중에나 나를 던져 놓아도 나는 목표 지점을 정확히 찾아갈 수 있었어.

어떤 OP(관측소)에 오르면 북한의 금성시에서 나온 물줄기가 굽이굽 이 북한강 상류로 내려오는 모습이 선명했어. 거기서 보이지는 않지만 지도상으로 봤을 때 그 물줄기는 해산과 양구군 사이로 흘러 파로호로 흘러들어 갈거야. 강물의 굽이치는 모습은, 마치 뛰어난 풍경 화가가 커다란 화폭에 옮겨놓은 것처럼 아름다웠어. 어쩌다 날씨가 좋을 때 또 다른 관측소에 오르면 금강산의 현란한 봉우리들이 선명하게 보이기도 했지. 군사지도에서마저도 그 산은 화려한 등고선으로 요동치며 자신의 모습을 뽐내고 있었지. 겨울에는 눈 덮인 백암산이 장관을 연출했어. 혹독한 추위가 전국을 휩쓸면 텔레비전에서는 그 산에서 관측된 기온으로 남한 최저 온도를 발표하곤 했어. 해산에 오르면 눈에 찍힌 커다란 범의 발자국 같은 것을 발견하고 우리끼리 호랑이의 생존 여부를 두고 논쟁을 벌이기도 했지. 대성산, 적근산이 훤히 보이는 철원 쪽 산 봉우리에 오르면 6.25때 '철의 삼각지 전투'가 치열했던 철원 평야가 한눈에 들어오기도 했어. 철원이 고향인 황 상병은 내게 백마고지를 둔 전투에 대해서 얘기해 줬고, 임 중위는 백암산의 어느 능선을 가리키며 그곳이 자신의 ROTC 선배가 작사한, 가곡 '비목'의 배경이 되는 곳이라고 자랑스러워했어.

때로 OP에서 날을 새는 경우도 종종 있었어. 여름이면 더위와 벌레, 겨울이면 추위와 한기 따위에 시달린 채 잠을 설칠 때가 많았어. 겨울에는 영하의 날씨 속에서 판초 우의 두 장으로 각각 바닥과 공중의 한기를 막고 모포 석 장(주로 무전병은 모포를 안 가지고 다녔거든.)으로 네 명이 달라붙어 서로의 체온에 의지하면서 자야 했어. 그러나 그런 밤을 보내고 아침에 벙커 밖으로 나가기만 하면 우리 눈앞에는 지난밤에 설친 잠이나 추위를 보상이라도 해 주는 듯이 아름답고 웅장한 산맥들이 펼쳐지곤 했어. 끝없이 이어지고 포개진 강원도의 산들이, 안개 사이로 웅장한 모습을 드러내거나 봉우리마다 하얀 눈을 얹고 능선과 골짜기의 선들을 뚜렷하게 보이면 우리들은 감탄사를 연발했고 내 가슴 속에서는 대 교향곡이 울려 퍼졌어.

사시사철 모습을 달리하는 그 강원도 산들이 만드는 절경을 바라보노라면, 제대하여 군대 밖 암울한 현실로 나가기보다 차라리 모든 걸 잊고, 이 웅장한 산하를 오르내리며 주어진 명령만 수행하는 단순한 군인의 삶을 살고 싶은, 순간적인 충동이 일기도 했어. 때론 군장이나 무전기를 메고 땀을 비 오듯이 흘리기도 하고, 때론 허벅지까지 쌓인 눈에 푹푹 빠져가며 오르기도 하며, 때론 고지 벙커에서 살을 에는 듯한 추위 따위에 오돌 오돌 떨기도 했던, 그런 고통스런 순간들을 새까맣게 잊고 말이야. 고지에 앉아 강원도의 산맥들을 바라보고 있으면, 군대에 들어와 겪었던 그 숱한 구타와 육체적 고통과 인간적인 모욕, 그것들을 가능하게 하는 철저한 위계의 세계, 죽음과 부상의 위험이 아슬아슬하게 공존하고 있는 삭막한 생활 따위가 마치 멀고 먼, 다른 나라의 일처럼 느껴지더군.

 내가 직업군인의 길을 선택하지 않았던 것은, 끝내지 못한 학업을 마저 마쳐야 한다는 어머니의 간절한 소망 때문만은 아니었어. 나는 잘 알고 있었어. 내가 만약 장기 근무를 희망하여 하사관으로 근무하거나 나중에 삼군사관학교를 거쳐 장교로 군에 남는다고 해도 나는, 거대하고 촘촘한 대한민국 군대의 명령 체계의 말단에 속할 수밖에 없다는 것을. 내가 직업 군인이 되어서 설사 어떤 소신 있는 행동을 한다고 할지라도 그 행동이 미치는 범위가 지극히 한정된 곳에 미칠 뿐이라는 것을. 그리하여 결국 나는 당시의 군대가 지닌 폭력의 전자기장 안에 갇혀 그곳을 쉽사리 벗어나지 못한 채 권력과 탐욕에 사로잡힌 사악한 무리들의 의지를 꺾어버리기는커녕 오히려 내기 그들의 충복이 될 가능성이 높다는 것을. 게다가 나는 뚜렷이 인식하고 있었어. 남쪽과 북쪽 어느 쪽이든 권력자들은 남북 분단을 자양분으로 삼아 자신들의 패거리를 확장하거나 기득권을 유지하면서 오랜 세월 동안 민중을 속이거나 그들을 강압적으로 지배하려고 한다는 것을. 그리고 한반도 주변의 강대국들은 각자 자신들이 불리하게 생각하는 방향으로 남북한 사이의 긴장된 힘의 평형이 깨지길 바라지 않기 때문에 분단 상황은 콘크리트가 양성되어 가는 것처럼 점차 고착화되어 간다는 것을. 결국 나는 직업군인으로서 운 좋게 이 아름다운 강원도의 산하에서 근무할 수 있는 행운을 갖게 된다고 할지라도 어느 골짜기 아래에 주둔하면서 북녘의 군대와 젊은이들을 향해 총부리를 겨눌 수밖에 없다는 것을.

그래, 잠시 나는 강원도 산들의 장쾌한 매력에 이끌려 내게 주어진 소명을 까맣게 잊고 있었어. 내 친구들은 왜 감옥에 끌려갔고, 나는 왜 도망치다시피 군에 입대하여 스스로 전방 근무를 자원했던가? 숨이 막힐 것 같던 캠퍼스에서 나와 자네들은, 왜 그렇게 많은 시간을 할애하여 이 땅의 민중들의 삶을 이해하고자 노력했으며, 그들의 고통을 해소하기 위한 방안에 대해 토론하기를 주저하지 않았던가? 비록 우리가 대외적으로 거창한 결의 등을 공표하거나 위대한 조직을 결성하지는 않았어도 적어도 우리 사이에는 부당한 독재에 끊임없이 항거해야 하는 정신, 분단된 조국과 모순 덩어리인 현실을 타개하기 위해서 각자 조그마한 밀알이라도 되자는 다짐 등은 공유하고 있었지 않았던가?

마침내 제대 날이 다가왔어. 내가 부대를 떠나려고 할 때 많은 병사들이 정문까지 나와 나를 에워쌌어. 이제는 영화배우 회원인 이일병과 강원도 출신의 이 일병, 심 일병도 상병 계급장을 달고 있었지. 후임 병사 중 하나가 나를 부둥켜안고 "우리 '쫄병'들에게 한 번도 욕이나 손찌검을 하지 않으신 병장님!"이라고 말하며 울먹이더군. 내 오른팔 격이었던 삼천포 출신의 이 상병은 눈물만 글썽이며 내게 심한 경상도 사투리로 빠르게 뭐라고 말을 했어. 나는 그 말을 잘 알아들을 수는 없었지만 그의 진정을 느낄 수 있었어. 다소 언행이 거칠지만 힘이 좋고 감정 표현이 솔직했던 이 경상도 사내가 후임 병사들이 전라도 출신이라는 이유만으로 괴롭히는 일 따위는 없을 거라는 확신도 들었어. 신학대 출신 한 일병은 보초 근무 나갔는지 모습이 보이지 않더군. 나중에 무더기로 전입한 전라남도 출신 'A급 따블빽'들도 먼 발치서 밝은 표정을 짓고 있다가 내게 경례를 해 주었어.

 나는 가슴이 뿌듯했어. 상병이 되기까지는 나는 남들보다 두 배로 맞고 누구보다도 더 가혹한 얼차려를 당했지만 ,정작 내가 비로소 폭력의 가해자의 자격을 갖춘 상병이 된 이후에 나는 어떤 폭력도 행사하지 않겠다는 내 소신을 유지하는 데 성공했어. 각종 폭력이 난무한 군대에서 언제든지 그 대상이 될 수 있는 후임 병사들과, 나는 인간적인 대화를 나누고 그들과 격 없는 소통을 함으로써 폭력의 유혹으로부터 나를 줄곧 지켜냈던 거야. 그뿐 아니라 나는, 부대 내에서 병사들의 출신 지역에서 비롯된 놀림이나 서로를 향한 반목을 없애는 데도 성과를 거두었어. 정규 훈련이나 작전 때는 내게 다른 병사를 선발해서 데리고 갈 권한은 없었지만, 상병이 된 후부터는 야외 작업이나 상대적으로 비중이 약한 포대 자체 훈련 등에서 내게 후임병을 선택할 수 있는 재량권이 주어질 때가 많았어. 그때마다 나는 의도적으로 경상도 출신 후임 병사들을 선택해서 데리고 다녔어. 전라도 '따블백'들한테 '보리 문댕이'라고 비하를 당했던 그들은 자신이 수행했던 목표량을 다소 과장하는 경향이 있었지만 그런 행위는 마치 웃음을 유발하는 농담처럼 여겨졌을 뿐, 그들과 나 사이를 갈라놓는 큰 흠결이 되지는 못했어.

 또한 나는, 이른 바 멍청도(충청도), 감자 바우(강원도), 깍쟁이(서울) 따위로 불리는 후임 병사들과도 격의 없이 즐겁게 지내곤 했어. 내 눈에는 어느덧 부대 내에서 출신 지역에 따라 병사들을 놀리거나 적대시하는 나쁜 관행이 봄눈 녹듯이 사라지고 있는 게 보였어. 비록 그 현상이 당시의 전방 부대들 사이에서 '예외적 상황'에 속한다고 할지라도, 보잘것없던 내 노력은 이 작은 포대에서 빛을 발했던 것처럼 느껴졌어.

나는 포대장이 내어준 지프차를 타고 대대 본부 앞 한 식당으로 갔어. 거기에서 송별식이 예정되어 있었기 때문이야. 날이 어둑해지자 반가운 얼굴들이 그리로 우르르 몰려왔어. 그 동안 나와 숱한 산을 오르내리며 동고동락했던 학군장교들 세 명과 하사관 두 명이 맥주를 두 박스나 들고 왔어. 우리들은 밤이 늦도록 술을 마셨고 잔뜩 취한 채 어깨동무를 하거나 서로 부둥켜안으며 이별을 아쉬워했어.

　대대장 신고를 끝으로 집으로 가는 줄 알았는데, 정작 내가 가야 할 곳은 사단 보충대였어. 사회 적응인가 뭔가를 위해서라나.

"야. 김 병장, 살아 돌아왔구나!"

"그래, 이 병장, 우린 이제 살았어!"

　직접 전쟁을 겪지 않은, 전역 병장들이 서로 부둥켜안고 생환의 기쁨을 나누고 있었어. 나는 군대에서 여러 차례 직,간접적으로 죽음을 봐왔지만 그들의 격정적인 대화와 환희가 좀처럼 실감이 나지 않았어.

　하나마나한 교육을 받고 이른 저녁 식사를 마치자, 아까까지도 살아 돌아왔니, 마니 하면서 한참 동안이나 들떴던 병장들은 자신들이 언제 그랬냐는 식으로 조용해졌어. 그것이 무엇인지 알 수는 없지만 그들은 무엇엔가 짓눌리고 있는 것으로 여겨지더군. 여기저기서 한숨 소리가 새어나왔어. 나는 그들의 그런 모습을 보고 주변의 병장들과 '짤짤이'라고 불리는 동전 따 먹기 놀이를 시작했어. 나는 내무반 여기저기를 돌아다니며 판을 벌려 이른 바 판쓸이를 했어. 그리고 그 동전으로 PX로 가서 싸구려 양주인 '캡틴 큐' 한 병을 사 가지고 와 병뚜껑으로 한 잔씩 돌렸어. 그러고 나서 통합병원과 자대에서 익힌 오락 시간 진행자의 솜씨를 유감없이 발휘했어. 이틀 동안 즐거운 저녁을 보내선지 전역증을 받은 제대병들은 환한 얼굴로 서로 연락처들을 주고받거나 하면서 집으로 향하더군.

+ + + + +

82년 3월에 나는 4학년으로 복학했어.

내가 대충 예상했던 대로 캠퍼스 분위기는 입대 전보다 더 험악해졌더군.

요섭이가 잡혀갔던 도서관 앞은 아예 최루가스를 뿜어내는 페퍼 포그(pepper fog) 차가 점령했고, 호택이와 내가 감옥행을 두고 고뇌를 쏟았던 문리대 앞 등나무 벤치와, 선태와 민중에 대한 개념을 두고 열띤 토론을 벌였던 박물관 잔디밭에는 스포츠머리의 사복경찰들이 자리 잡고 있었어. 친구들의 행방과 지도교수님의 근황에 대해 아는 사람도, 심지어 아는 체하는 사람도 만나기 힘들었어. 1년 후배 영평이는, 같은 동아리 회원들 몇이서 '반제국주의 반파쇼'를 주장하는 유인물을 뿌리다가 끌려갔는데, 그가 끌려간 곳은 보안대가 아니라 안기부라고 하더군. 그 뒤 영평이는 5년 징역형을 선고받았는데 내가 졸업하고 난 뒤 14개월 뒤에 풀려났어. 단 한 번의 집회에 대한 사법부의 가혹한 판결은 군사 재판 때보다 더한 듯이 보였어. 내가 속했던 동아리는 입대 전과 마찬가지로 데모보다는 검정고시 준비 학생들을 상대로 봉사활동에 여념이 없었고, 나는 그 외의 특별한 조직에 속해 있지 않았던 터라 종종 간헐적으로 발생하는 교내 데모 대열에 합류했어. 그런데 내가 성능이 의심되는 화염병을 제작해 페퍼 포그 차 폭파를 시도하자 주변의 친구들과 후배들이 내 과격한 행동을 제지하기 시작했어. 한 후배가 내게 "데모는 저희에게 맡기고 예비역 형님들은 취업 준비나 하세요."라고 말한 뒤로는 그나마 집회에도 참여하지 않았어.

결국 나는 대학교 바로 뒤 마을에서 자취하고 있으면서도 걸어서 10분 거리인 캠퍼스로 가지 않는 날이 많았어. 어쩌다 강의실에 들러도 강의를 듣는 둥 마는 둥 했고, 남들처럼 취업을 위한 공부도 하지 않으면서 대학교 4학년을 소모해 버리고 있었어. 낮에는 전날 마신 술 때문에 자취방에서 부대끼고 있으면 갈 곳 없는 4학년 남자 복학생들이 내 방에 몰려왔어. 밤이 되면 공무원 시험을 준비하던 성주가 한밤중에 유령처럼 자취방에 찾아와서 내게 술을 마시자고 졸랐어. 2년이나 지났는데도 잊을 만하면 상무대 영창에서 당했던 폭력으로 인한 트라우마가 그를 심하게 괴롭히고 있었던 거야.

옛 독재자가 죽은 자리를 새 독재자가 차지했을 뿐, 우리는 여전히 점령당한 상태였어. 군홧발에 유린됐던 대학교는 공허한 웃음만 메아리처럼 맴도는 껍데기만 남았어. 군인들이 경찰로만 대체되었을 뿐이야. 학생들은 내가 군에 입대하기 전보다 서너 배 가까이 수가 늘어난 걸로 보였어. 캠퍼스는 마치 양동 시장처럼 붐볐어. 어쩌다 시내에 나가서 보면 불과 2년 전에 아무 일도 없었다는 듯 충장로에는 인파가 넘쳤고, 총알 세례에 시민들이 도미노처럼 쓰러졌던 금남로 도로에는 수많은 차량 행렬들이 무심히 오갔어.

나는 벗어나야 했어. 이 처참한 학교와 무심한 광주의 거리로부터. 도청에서 총기를 수습했던 찬영이가 건달처럼 헤매는 고향의 골목길로부터도. 졸업 후 나는, 광주에 있는 한 직장에서 오라는 제안을 거부하고 섬에 위치한 직장을 얻어 그리로 도망치듯 달려갔어. 그곳에 가면 마치 온 나라를 뒤덮고 있는 음산한 폭압의 먹구름으로부터 벗어날 수 있는 것처럼, 피로 권력을 얻은 독재자와 그 무리들의 손길이 그곳에는 결코 닿지 못할 것처럼 여기며.

거기서 주중에는 일과가 끝나자마자 또래 동료들과 술집으로 달려가서 마구 마셔 댔어. 그러다가 주말이면 홀로 한적한 바닷가로 달려가

멍하니 파도와 수평선을 바라보곤 했어. 답답했던 내 가슴이 평화로운 감정으로 충만해지더군. 어느 날 파도가 출렁이는 자갈밭에서 한 어부가 내게 다가와 스테인리스 대접에 소주를 가득 따라주며 한숨을 내쉬기 전까지는. 그는 얼마 전에 그의 이웃과 친척들이 간첩으로 끌려가서 그가 사는 마을이 풍비박산이 났다고 내게 혼잣말처럼 얘기하더군. 내게 잠시 머물렀던 평화는, 내가 가식적으로 만든 한낱 감정 찌꺼기에 불과했던 거야. 이 땅에 사는 민중이라면 그가 어느 곳에서 숨을 내쉬며 살든, 저 탐욕의 무리들이 남북 분단을 에너지원으로 삼아 만든 강력한 폭력의 전자기장 안에서 벗어날 수 없다는 것을 깨달았어.

아니나 다를까? 그 사악한 무리들이 내게 직접 손을 내밀더군. 그들은 내가 손바닥처럼 알고 있던 강원도 화천군 산하 어디에 '평화의 댐'을 짓는다고 사기를 쳤어. 마치 조그마한 역에 정차한 완행열차에 웬 건달들이 갑자기 나타나서, 협박조의 말을 험상궂게 내뱉고 나서 전과자인 자신들의 갱생(更生)을 위해 돈이 필요하다며 좌석에 앉은 승객들 가슴팍에 손을 들이미는 것처럼.

외딴 바닷가에는 날만 어두워지면 어디선가 새어나오는 통곡이 안개처럼 깔렸고 거친 파도가 일어날 때마다 죽음의 향이 내 뒤를 쫓아왔어.

1980년 5월 무렵이야.

구박사와 대통령

< 광주전남 작가 제24호 (2018. 12. 28) 신인 추천작>

1

　동환이 아버지의 부음을 받았다. 동환이 아버지는 진도 경찰서에서 수사과장까지 지내고 퇴임한 분이다. 키가 크고 눈매가 날카로운 외모가 기억에 남는다. 그런데 성진이와 전화통화를 하면서 나는 이상한 이야기를 들었다. 그 장례식장에서 구박사 장례도 함께 치르고 있다는 것이었다.

　"구박사라니? 그 구박사, 우리 중학교 때 철마 광장을 누비고 다녔던 그 구박사 말이냐?"

　"그래, 그 구박사가 동환이 아버지보다 하루 먼저 그 장례식장에 와 있다고 하더라. 마치 옛날에 구박사가 철마 광장에 들어서면 나중에 경찰들이 나타났던 것처럼. 평생 앙숙이었을지도 모를 두 사람이 영안실 칸막이를 사이에 두고 서로 나란히 누워 있을 줄 누가 알았겠냐?"

　그게 사실이라면 기이한 인연이 아닐 수 없다. 구박사는 진도읍 번화가에서 갖은 기행을 선보이며, 현직 대통령에 대한 욕지거리를 내뱉곤 했던, 광인(狂人)에 가까운 사람이었다. 우리는 구박사의 그 '공연' 관람 도중 우연치 않게 어떤 대화 내용을 들은 적이 있었다. 어른들은 낮말을 듣는 새나 밤 말을 듣는 쥐에게는 조심한지 몰라도 그들의 허리 근처를 이리저리 누비고 다니는 꼬맹이들에게는 별로 주의를 쏟지 않는다. 아이들은 어른들이 생각하는 것보다 훨씬 많은 것을 보고 들으면서 커간다. 우리가 구박사의 기행에 배꼽을 쥐고 있을 때 우리 뒤에는 구경꾼들과는 거리를 두고 동환이 아버지와 그의 경찰 동료로 보이는 사람이 서 있었다. 그 둘의 대화가 성진이와 내게 들렸던 것이다.

　"저 친구가 약이 떨어졌는가 보이."

234

"그러게. 이번엔 조금 세게 다뤄야겠는데."

구박사에 관한 추억은 당시 진도읍에서 중학교를 다니던 우리 또래라면 한 리어카씩은 가지고 있을 터였다.

장례 일정에 주말이 끼어 있었다. 금요일 오후에 조퇴를 하고 진도로 가는 마지막 직행 버스에 몸을 실었다. 버스에서 눈을 붙였다. 진도행 버스는 시간을 거슬러 달려갔다.

중학교 2학년 때 자율학습 시간이었던가. 교실에선 간간이 반장의 '조용히 좀 해라.'는 말이 맴돌던 어느 여름날 오후. 교실 앞문이 갑자기 드르륵 열렸다. 아이들은 선생님이 들어온 줄 알고 흐트러졌던 자세를 일제히 바로잡았다. 그런데 뭔가 이상했다. 술 냄새가 확 풍겼다. 고개를 숙인 채 곁눈질로 보니 선생님이 아니었다. 빼곡하게 열린 문 사이로 기이한 얼굴이 보였다. 구박사다! 아이들은 갑자기 나타난 그를 보고 놀라서 입을 다물지 못했다. 그러자 고개만 내밀었던 구박사는 아예 교실 문을 활짝 열고 들어섰다. 그가 교단에 올라 성큼성큼 걸어가자 교실 안에 웃음이 폭탄처럼 터졌다. 그는 씨익 웃으며 칠판 받침대에 있는 분필을 집어 들었다.

"여러분, 오늘은 이 구박사가 특별 수업을……."

그는 뭔가 칠판에 적어가기 시작했다. 그런데 그의 말소리가 톤이 높아 마치 악을 쓰는 것처럼 들려서 분명하게 들리지 않았다. 아이들의 웃음과 소음 속에서도 구박사는 칠판에 빠르게 써 대며 소릴 질러냈다. 아이들은 발을 동동 구르며 책상을 마구 쳤다. 동환이 같은 이웃 반 친구들도 우리 교실로 달려와서 이 소동에 합류했다. 아이들은, 구박사가 판서한 내용과 설명에는 관심을 보이지 않고 우스꽝스러운 구박사의 외모와 말과 행동에 배꼽을 쥐었다.

거무튀튀한 피부색, 훤칠하게 벗겨진 앞이마, 그 위로 마구 흐트러진 머리칼, 분노한 듯이 치켜진 굵은 눈썹, 부지런히 움직이는 부리부리한 눈동자, 술기운이 가시지 않은 붉은 눈자위, 툭 튀어나온 광대뼈, 움푹 꺼진 볼우물, 벌름한 코, 짝 찢어진 입과 각진 턱 주변에 듬성듬성 난 수염 등.

그는 아이들의 반응 따위는 전혀 고려하지 않는 듯했다. 교단 위를 더러운 신발로 쿵쾅거리고 다니면서 칠판에 글씨들을 마구 휘갈겨 쓰며 쇳소리 같은 고함을 질러댔다. 그의 오랑우탄 같은 모습에 아이들은 열광했다. 키가 작아 늘 앞자리에 앉았던 성진이는 구박사의 입에서 나온 침이 자기 머리 위에 소나기처럼 쏟아져 내리고 있었지만 웃느라고 그것을 눈치 채지 못하고 있었다. 교실 맨 뒤에서 동환이는 킥킥거리면서도 뭔가 끄적거리고 있었다. 구박사는 가끔 영어도 휘갈겼는데 그것이 더 우리를 웃기게 만들었다. 큼직큼직한 글씨가 칠판을 가득 찼을 때는 일부 아이들은 바닥에 뒹굴기까지 하였다.

그렇게 얼마나 지났을까? 열려진 교실 앞문에 누군가가 나타났다. 이번엔 담임선생님이다. 구박사는 담임선생님의 놀란 얼굴을 보자, 갑자기 태도가 돌변하여 비굴한 웃음을 지었다. 그는 허리를 굽히고 머리를 연신 숙였다.

"아이고오, 선상님. 잘못 했구먼이라우!"

그는 선생님과 약간 부딪히며 부리나케 교실 밖으로 튀어 나갔다. 잠시 긴장했던 우리들은 다시 폭소를 터뜨렸다. 선생님은 얼이 빠진 듯한 표정으로 칠판의 글씨들을 바라보셨다. 그러고 나서 그 내용을 일일이 되새기는 듯, 어지럽게 갈겨 쓴 'Marx, 레닌, 사회주의……' 등의 단어들을 중얼거리며 지우개로 천천히 지워가셨다.

그랬다. 우리들은 구박사가 철마 광장에 나타났다고 하면 모두 약속이나 한 듯이 일제히 그리 우루루 달려가곤 했다. 그 광장을 낀 버스 정류장 옆에는 우리가 '파고 살았던' 전자오락실이 있었기 때문에 광장으로 나가는 데 1분도 걸리지 않았다. 철마광장은 '광장'이라고 부를 정도로 넓은 공간은 아니었으나 진도 사람들은 그곳을 다들 그렇게 불렀다. 그곳은 군청, 경찰서, 교육청, 농협, 읍사무소, 옥주여객 버스 터미널 등에 둘러싸여 사람들의 왕래가 많은 곳이었다. 또한 거기는 진도읍에서 가장 번화한 곳이면서도 구박사의 공연 무대이기도 했다.

 익숙한 풍경이 떠오른다. 구박사가 팔자걸음을 하고 광장에 걸어 들어온다. 택시 주차장에서 한 젊은 택시 기사가 차창 밖으로 얼굴만 내민 채 말을 건다.
 "구박사, 어디 가는디 그렇게 불알이 떨어질 것 맨키로 가는가?"
 "뭐여, 이 자식이? 어따 대고 반말이여? 즈그 하납시 보고 이놈저놈 할 놈이시!"
 구박사가 이렇게 뱉으며 택시 앞에서 걸음을 멈추자, 사람들이 싱글거리며 하나 둘씩 그 주위로 모여든다. 젊은 택시 기사도 구박사로부터 욕설을 당하고도 별로 기분이 나쁘지 않은지 실실 웃으며 택시에서 나온다. 주차장 옆 문방구 가게 주인도 그의 토실토실한 얼굴에 웃음을 가득 담고 가게에서 나와 구박사 쪽으로 걸어온다. 순식간에 구박사를 중심으로 모여든 사람들이, 우리 꼬맹이들을 포함해서 스무 명 남짓 되었다. 구박사가 분이 아직 안 풀린 듯 젊은 택시 기사를 손가락으로 가리키며 악을 쓴다.
 "오매 환장하것는 거. 전두환이도 내 발뒤꿈치의 때만큼도 못한디, 귀때기에 피도 안 마른 자식이 나한테 반말까지 하네, 허참."
젊은 택시 기사가 대꾸하지 않고 싱글벙글하고 있는 사이에 문방구 주인이 끼어든다.

"구박사, 대통령이 왜 그쪽 발뒤꿈치 때만큼도 못 한당가?"

"뭐여, 그게 말이여 막걸리여? 그놈은 낟가리에 불 질러 놓고 손발 쬐는 놈이여. 그런 미련퉁이를 이 위대한 구박사랑 으뚷게 비교한당 가? 인간성의 악한 것은 모조리 그놈에게 들러붙어 번식하고 우글거리 는데[1] 으뚷게 감히 이 구박사하고……."

이번에는 나이가 제법 들어 보이는 택시 기사가 나서서 구박사의 바지 를 가리키며 묻는다.

"구박사 아랫도리는 왜 그렇게 불룩하당가? 구박사 물건이 큰가 부 네."

"어허"하며 구박사는 기다렸다는 듯이 바지 앞단추를 끄른다. 하얀 팬 티가 드러났으나 구박사는 그런 것에 개의치 않는 표정이다. 그때서야 한두 명의 여자 관중들은, "오매매. 남사시런거!"하고 외치며 도망친 다. 그가 바지를 펼치자 바지 안 호주머니가 달려야 할 곳에 방대한 양의 소지품이 드러난다. 펜치, 드라이버, 스패너 등 연장이 한쪽에 촘 촘하게 매달리고, 다른 한쪽에는 트랜지스터라디오, 통 성냥, 담배 등 이 자리를 차지하고 있다.

"이것이 바로 구박사가 발명한 아랫도리 저장고랑께. 자, 봐 봐. 펜치, 드라이버, 성냥, 라디오……."

구박사가 엉거주춤한 자세를 유지한 채 양 손을 부지런히 번갈아가며 바지를 잡으면서 물건들을 하나씩 들어 올렸다가 제자리에 끼워 넣는 다. 그 자세가 방금 들에서 대변을 보다가 바지를 급하게 올리려다 말 고 붙들고 있는 모습 같다. 구경꾼들이 갈수록 늘어났다. 구박사는 아 랫도리 저장고에서 담배 한 갑과 커다란 '화랑'표 통 성냥을 꺼내 담

---

[1] 멕베스, 1막 2장

배를 피우면서 뭔가 애기를 하려고 했다. 그때 동환이가 구박사 아랫도리 저장고를 자세히 보려고 구박사 쪽으로 다가가서 가랑이 쪽으로 얼굴을 바짝 들이밀었다. 담배를 피면서도 쉴 새 없이 돌아가는 구 박사 눈동자가 동환이를 포착했다. 구박사의 옹이 박힌 손이 동환이의 뒤통수를 후려친다. 동환이는 우이 씨, 하면서 달아난다. 구박사는 아무 일도 없었다는 듯 부쩍 늘어난 구경꾼들을 위엄 있게 둘러본다.

"사람들이 왜 나보고 구박사라 하는 지 인자 알것제? 아무도 아랫도리에 이렇게 많은 물건이 들어가는 줄 몰랐을 걸. 적어도 이 구박사가 발명하기 전까지는. 이것 한 가지만 봐도⋯⋯."

구박사가 갑자기 목청을 높인다. 큰 목소리가 크고 작은 건물들에 둘러싸인 철마 광장에 울려 퍼진다.

"전두환 같은 놈은, 내 발가락 사이에 있는 때만도 못하제, 암은!"

구박사는 바지를 올리고 나서 이번에는 신발과 양말을 벗어 지저분한 맨발을 들어 보이면서 공연을 이어간다. 그의 말과 동작 하나하나에 반응한 왁자지껄한 웃음소리가 철마 광장을 가득 메운다. 날이 어두워지고 철마광장 주변의 상가에 불이 켜지기 시작한다. 구박사가 새로운 레퍼토리를 보여주지 못하고 대통령 이름에 남녀 성기가 마구 버무려진 욕만 되풀이하고 있자 구경꾼들이 하나 둘씩 빠져나간다.

2

구박사가 교실에 들어와서 소동을 피운 지 얼마 되지 않아 학교에 대통령이 온다고 했다. 아직은 진도가 육지와 다리로 연결되지 않았고 비행장 같은 것도 있을 리 만무했으니 그가 온다면 배나 헬기를 이용해야 할 것이었다. 이렇게 교통이 불편한 곳을 왜 온다는 것일까?

2교시가 끝날 때까지 소방차가 두 번 와서 운동장에 물을 뿌리고 갔다. 학교에 제복을 입은 경찰을 포함해서 낯선 사람들이 많이 보였다. 교내 방송 스피커에서 요란한 소리가 흘렀다. 툭하면 마이크를 잡는 고등학교 교감선생님이었다.

"학생 여러분, 잠시 후에 전두환 대통령 각하께서 우리 학교에 오십니다. 각하께서 오시면 교실 창문 쪽으로 나와서 대통령 일행을 향하여 환영의 손짓과 박수를 보내시기 바랍니다. 예? 아니라고요? 예, 예. 알겠습니다. 다시 정정하겠습니다. 학생들과 교직원은 모두 운동장에 나가서 대통령 각하를 환영해 주시기 바랍니다."

우리가 운동장에 나가려고 하는데 복도에 건장한 사람들이 보였다. 그들은 모두 바이올린 케이스보다 더 긴 플라스틱 케이스 속에 손을 집어넣은 채 주위를 경계했다. 우린 그 길쭉한 케이스 속에 무엇이 감춰 있는지 한눈에 알아 봤다. 밖으로 나가면서 뒤를 돌아다 보니 그들은 마치 몸에 큰 쇠붙이가 있어서 강력한 자석에 끌려가듯 교실들로 쏜살같이 들어갔다. 멋있었다! 그들은 우리들의 우상으로 자리잡았다. 한참 뒤에서야 나는 그들이 직업 경호원이 아니고 공수부대에서 차출된 저격병이라는 것을 알았다.

아마 그들 중 일부는, 80년에 광주의 야산에서, 교도소에서, 금남로 건물 옥상에서, 신역 등 집결지 주변에서, 이동 중인 차량 위에서, 전남도청을 향한 길목과 전남도청에서 남녀노소를 불문하고, 무기 소지 여부에 관계없이 무고한 시민들을 저격했을 것이다. 마치 요즘 유행하는 스나이퍼 게임의 주인공처럼. 그들은 국민의 군대였지만 군사 반란 이후 정치군인들의 용병으로 전락했다. 그들은 가해자이면서 피해자였다. 그렇지만 그때 나를 포함한 내 친구들은 그들의 과거 행적을 까맣게 몰랐고 우리들은 그들을 보고 열광했다.

교실 밖으로 나온 우리는 등굣길 담 쪽에 정렬을 하고, 선생님들은 운동장의 'H' 글자가 써진 곳에서 시작하여 별관 옆까지 줄을 섰다. 이윽고 귀청을 때리는 프로펠러 소리와 함께 거대한 헬기가 착륙했다. 헬기에서 대통령 일행이 나왔다.

우리 중학교와, 같은 교장 아래 함께 교정을 사용하고 있는 실업고 학생들은 담장 안에서 박수를 쳤다. 교문 밖에서는 진도 여중과 여고 학생들이 한복을 곱게 입은 채 환호했다. 대통령이 교문 쪽을 향해 손을 흔들자 여학생들은 "꺄아악!"하고 비명을 질렀다. 흡족한 미소를 띠며 대통령은 선생님 한 분 한 분과 일일이 악수하며 별관 쪽으로 다가오고 있었다. 그런데 멀리서 보니, 치마를 즐겨 입으셨던 영어 선생님께서 악수 대열에서 빠져 옆으로 뛰어갔다. 대통령은 1,2초 동안 그 여선생님을 잠시 바라보고 나서 교사들과 악수를 그대로 이어 나갔다.

아까 여학생들이 괴성을 지를 때는 나는 잠시 대통령이 부러웠으나 그때뿐이었다. 이미 나와 내 친구들은 아까 장총을 숨긴 채 교실로 빨려 들어갔던 저격수들과 검정 양복을 입고 귀에 리시버를 낀 채 대통령을 호위하는 경호원들에게 푹 빠졌기 때문이다.

그날 집에 가니 저녁 뉴스 시간에 대통령이 우리 학교를 방문한 장면이 티브이 화면에 나왔다. 대통령은 해남 화원지구 농업용 지하수 개발 준공식에 참석했다가 진도를 들렀다고 뉴스는 보도했다. 그런데 우리 학교를 배경으로 나온 뉴스에 하필이면 대통령이 내민 손을 피해

달아난 그 여선생님의 붉게 상기된 얼굴이 크게 나왔다. 대통령의 황당한 표정과 함께.

대통령이 학교를 방문하고 난 뒤 2주일 정도 지나자 본관 건물 뒤에 있는 음악실이 없어졌다. '음악실'이라고 써진 현판이 떼어지고 거기에 '전두환 대통령 각하 하사품 보관 창고'라는 글씨가 새겨진, 긴 현판이 걸렸다. 음악실 안에 있던 악기와 책상과 의자가 있던 자리에는 대통령이 '하사'했다는 대형 콤바인과 트랙터가 차지하고 있었다.

졸지에 음악실을 뺏긴 우리는 일반 교실에서 음악 수업을 받게 되었다. 시간표에 음악 시간이 들어 있는 날이면 우리들은 당번을 정해 풍금을 교실로 날라야 했다. 이전보다 신경이 날카로워진 음악선생님은 지휘봉을 매로 사용하는 빈도가 잦아졌다. 음악 시간이 우리에게 갈수록 고역이 되어가고 있었던 반면, 그 하사품은 학교 밖 외지인들이 구경하러 오는 '귀하신 몸'이 되어 가고 있었다.

어느 가을날, 그 전시품들이 드디어 운동장 구석에서 모습을 드러냈다. 학생과 교사들 수십 명이 그 트랙터와 콤바인을 둘러싸고 구경했다. 커다란 트랙터 위에는 얼굴이 조그마한 실업고등학교 선생님이 높다란 운전석에 앉아서 시운전을 하고 있는 듯 보였다. 거기 모여든 선생님들이 위에서 굼뜬 동작으로 레버나 핸들을 조작하고 있는 그 선생님을 쳐다보며 한 마디씩 했다.

"우리 학교에 그런 기계까지 쓸 만한 농토나 있는가? 손바닥만 한 실습 농장으로는 턱도 없으니 그 기계를 임대해서 돈 좀 벌어 보소. 허허"

"허어, 큰일 날 소리하네. 저것 부품 하나만 어긋나면 당장 위로 보고해야 하는데. 김 주임, 행여라도 그런 생각 갖지 말소. 큰일 나네."

"어야, 왕섭이 김선생, 두환이 행님이 준 거 함부로 만지작거리다간 쥐도 새도 모르게 사라져 부네,잉. 좋은 말 할 때 가만히 모셔 두랑께!
자네 간뎅이가 부었능가?"
마지막 말은, 진도 사투리를 잘 사용하고 '두환이 행님'이라는 농담까
지 서슴없이 하는 걸로 보아 우리가 아침저녁으로 교실에서 귀에 못이
박히도록 듣던 소리의 주인공, 우리 담임선생님에게서 나온 것이었다.

3

차가 멈췄다. 눈을 떠서 창밖을 보니 고속도로 휴게소다. 진동 모드로 해놓은 핸드폰을 꺼내서 보니 성진이로부터 전화와 문자가 와 있었다.

"어디만큼 왔냐? 뭐, 군산 휴게소라고? 아직도 거기까지밖에 못 왔냐? 야, 정대야. 아까 장례식장에 갔는데 잠깐 들렀는데 의외로 중학교 동창들이 많이 왔어. 그런데 우리 동창들 사이에선 희한하게도 동환이 아버지보다 그 옆에서 장례를 치르고 있는 구박사가 화제의 주인공이 되었어. 암튼 이따 만나서 이야기하자. 버스에서 내리면 전화해라. 내가 직접 모시러 갈 테니."

버스가 출발한다. 나는 다시 눈을 감았다.

철마 광장에는 구박사가 있었고 학교에는 담임선생님이 계셨다. 비록 선생님은 구박사처럼 공개된 장소에서 대통령을 향해 쌍욕을 퍼부은 적은 없었지만 다른 선생님들에 비해 대통령을 비판하는 데 유달리 표가 났다.

대한항공 여객기가 소련 전투기에 격침당했을 때였을 것이다. 텔레비전에서 재밌는 코미디 프로그램과 스포츠 중계를 중단했다. 1주일 정도 지나자 평소와 달리 안경을 쓴 대통령이 텔레비전 화면에 등장해서 무엇인가를 읽는 게 보였다. 다음날 선생님도 그 장면을 보셨는지 아침 조회시간에, "대통령이 '소련은 범죄적인 양민 학살에 대하여 인류의 양심으로 대한민국에 공개 사죄하라'라고 말했을 때 불현듯 화가 치밀었다."라고 말씀하셨다. 선생님은 우리에게 말하는 것도, 그렇다고 혼자서 중얼거리는 것도 아닌 투로 "그렇다면 80년 광주에서 있었던 그 일은 '양민 학살'이 아니고 무엇이란 말인가?" 라며 울분을 토하셨다.

또한 같은 해에 대통령 일행이 버마 아웅산 묘소에서 폭발물로 수십 명이 사상을 당했을 때도 선생님의 생각은 남달랐다. 남북한이 전쟁을 할지도 모른다는 소문에 어린 우리들도 마음이 약간 뒤숭숭할 때였다. 우리 학교를 위시하여 여기저기서 북한을 응징하자는 궐기대회가 열렸다. 담임선생님 담당 과목인 국어 시간이었다. 요즘 들어 애들은 필사적으로 선생님께 질문 폭탄을 던졌다. 거기엔 전쟁이 일어날지도 모른다는 두려운 분위기도 작용하지 않은 것은 아니지만, 그것보다는 어떻게든 딱딱한 수업 시간을 대충 때워보려는 심리가 우선이었다. 조금리 장터 초입에 사는 성진이가 자기 동네 건달인 백구두 이야기를 꺼냈다.

"선생님, 전두환이 하고 친하다는 백구두가, '두환이 성님이 곧 북한에 특수부대를 보내어 김일성 궁을 폭파할 것'이라고 큰소리치던데요?"

선생님은 코웃음을 쳤다.

"자고로 용감한 자는 약자를 괴롭히지 않는다. 전쟁터도 아닌데 비무장 시민들을 향해 무기를 들고 무자비한 폭력을 행사한 그 특수부대는 더 이상 군대가 아니다. 그 부대원들은 군인으로서는 볼 장 다 본 것이다. 게다가 그들을 지휘하고 있는 장군인가 하는 사람들은, 똥에 파리 달려들 듯이 정치적인 권력이나 재물 주변에만 몰리고 있는 마당에 누가 목숨 걸고 전쟁터에 나선다는 것이냐? 아서라."

대통령의 전기가 담긴 '황강에서 북악까지'라는 책이 수십 권씩 학급에 배포되었을 때도 선생님은 비슷한 행동을 하셨다. 선생님은 '침소봉대'라는 한자성어까지 우리에게 친절하게 설명해 주신 다음, '실패한 소설가들이 지어낸 황당무계한 이야기'라며 그 책들을 교실 구석에 처박아 버리셨다.

선생님께서 시국이나 정치에 대해 말씀을 하실 때 우리는 선생님의 의도는 대략 눈치챘지만 그 내용을 온전히 이해하지 못한 경우가 많았다. 그렇지만 우리는 교과서 속에 머리를 처박지 않아도 되는 그 시간을 즐겼다.

그런 선생님께서 구박사와 관련된 것이라면 지대한 호기심을 드러내곤 하셨다. 선생님의 관심에 부응해서 아이들도 구박사에 관한 것이라면 뭐든지 선생님께 온갖 손짓 발짓을 다 동원하여 전달했다. 구박사가 천재였는데 어디론가 끌려갔다 와서 저렇게 되었다고 아이들이 말하자 선생님도 공감을 나타내셨다.

"이전에 가난한 천재들이 많았다. 그들은 자신의 이상을 실현하기 위해 혁명 조직을 만들거나 사회주의자가 되기도 했다. 일제 강점기와 그 이후에도 그들은 극심한 탄압을 받다가 어디론가 끌려가서 죽임을 당하거나 고문 후유증으로 신체적, 정신적 불구가 되는 경우가 종종 있었다고 들었다. 어쩌면 구박사는 그런 유형의 불운한 천재들 중 하나일지도 모른다."

4

　3학년이 되었다. 2학년 때 담임선생님이 다시 우리 학급을 맡아 우리들은 환호했다. 그러나 그때처럼 마냥 즐겁게 놀 수만은 없었다. 우리는 2학년 때와는 달리 고등학교 입시 시험의 중압감에 눌린 채 공부에 집중해야 했다. 2학기 중반에 이르자 성적 우수 학생들은 진도 인문계 고교나 광주와 목포 등 도시의 학교를 두고 진학을 고민하기 시작했다. 그런데 그 무렵에 대통령이 또 진도에 온다고 했다.

　전교생이 오전 2교시 수업을 끝내고 '자연보호 활동'을 하러 나갔다. 대통령이 내일 진도 연륙교 개통식에 참석하고 나서 진도군을 순시하니 대통령이 지나갈 만한 도로변을 깨끗하게 치워야 한다는 것이었다. 지나가는 도로변 집들의 담벼락에서 새 페인트 냄새가 났다. 어쩌다 한 번씩 문을 여는 옥천극장 앞을 지나가다 진열이가 소리쳤다.

"저 집이 간첩 집이다!"

나는 걸음을 멈추고 진열이가 가리키는 집을 봤다. 극장 옆 골목 입구에 낮게 슬레이트 지붕을 얹은 허술한 집이 보였다. 지붕 귀퉁이에는 퇴색한 나뭇잎이 수북이 쌓였고 홈통은 떨어져 너덜거렸다. 아무도 거기 살지 않은지 낮은 블록 담 너머로 얼핏 보이는 좁은 마루에는 먼지가 수북했다. 선생님은 거기서 눈길을 떼지 않고 있다가 입을 열었다.

"나는 그 간첩이란 사람들이 서외리 세재소 앞에 산 걸로 알았는데……."

"여그는 간첩 두목 집이어라우. 진도에는 여그저그 간첩들 집이 많지라우."

진열이가 선생님의 의문에 답을 주었다.

그 집을 지나쳐 조금 더 갔는데 파란 대문이 있는 집에 아이들이 멈췄다. 새 페인트 냄새가 물씬 풍겼다.

"와따, 대통령이 한 번만 더 오면 진열이네 집이 새집 되아 불것다아."

아이들이 비아냥거리자 진열이는 멋쩍게 웃었다.

이윽고 동외리가 끝난 곳에 야트막한 고개 마루가 보였다. 진도읍 진입을 알리는 이정표가 보였다. 선생님은 "여기다."라고 말씀하시고 그냥 풀밭에 앉았다. 우리들은 선생님의 지시를 기다렸지만 선생님의 입은 굳게 닫혀 있었다. 우리도 각자 자리를 잡아 앉았다. 그러나 5분도 되지 않아 우리들은 이내 일어나서 장난을 치고 놀기 시작했다.

잠시 후 '공무 수행'이라는 글씨가 차문에 새겨진 지프차가 우리들 앞에 섰다. 새마을 마크가 있는 모자를 쓰고 새마을 마크가 새겨진 점퍼를 입은 사람이 차에서 내려와 우리에게 다가왔다. 그 새마을 복이 담임선생님에게 따지듯이 말했다.

"애들이 왜 자연 보호 활동을 안 해요?"

"글쎄, 이리로 대통령이 확실하게 지나간답니까?"

선생님은 대답 대신 눈을 가늘게 뜨며 말했다.

"아, 어디로 올지 누가 안답니까? 대통령께서 지나갈 가능성이 있는 곳은 모두 청소하라는 지시가 내려왔어요."

새마을 복은 가뜩이나 못마땅한 표정을 지으며, 선생님이 보라는 듯이 들녘을 손가락으로 가리키며 말했다.

"여기서부터 저기 도로까지, 쓰레기가 눈에 보이지 않게 좀 치워 주세요!"

새마을 복은 거칠게 돌아섰다. 그는 차로 걸어가면서, "위에서 시키면 시키는 대로 해야지, 원!"이라고 중얼거렸다. 그가 탄 지프가 부르릉 소리를 내며 멀어져갔다. 우리들은 멍하니 서 있는 선생님을 쳐다보고 뭔가를 기다렸다. 그러나 선생님은 햇살에 눈을 잔뜩 찌푸리며 아까 앉았던 곳에 다시 털썩 앉았다.

"올지 안 올지는 대통령 맘, 쓰레기를 치울지 말지는 너희들 맘이다. 줍는 시늉이나 해라."

"와아!"

아이들은 왁자하게 흩어졌다. 나는 몇몇 애들과 함께 눈에 띄는 휴지나 비닐 조각들을 모아 공으로 만들었다. 우리들은 서로 자신이 '국가 대표 선수 허정무'라고 우기며 공을 차기 시작했다. 진열이는 자신이 '해태 타이거스 김봉연'이랍시고 막대기를 주워들고 타자 폼을 잡았다. 성진이는 자신이 '선동열' 투수라며 쓰레기 뭉치를 진열이게 던졌다. 아이들은 공이 못되는 쓰레기를 모두 약속이나 한 듯이 도랑으로 던져 '눈에 보이지' 않게 처리했다.

여기저기서 떠드는 소리가 들려 주위를 둘러보니 들녘에 온통 학생들이다. 진도읍에 있는 중학생, 고등학생을 몽땅 풀어 놓은 것 같다. 우리들은 뛰어 놀면서 오전 수업을 둘둘 말아서 내팽개치게 만들어 준 대통령에게 감사하는 체했다.

"아따, 맨날 대통령이나 왔으면 좋겠다야."

"대통령 각하, 감사합니다. 오전 수업을 '눈에 보이지' 않게 버려 주어서 히히"

"야, 임마. 거기다 오줌을 누면 으짠다냐? 대통령이 이리로 오다가 지린내 맡으면 너는 퇴학이다."

야구 투수 놀이에 지쳤는지 수업시간에 꼼지락 장난으로 선생님들께 자주 지적을 받는 성진이가 선생님께 시비를 걸었다. 다른 선생님에게는 엄두도 못 낼 일이었다.

"선생님, 대통령 온다고 이렇게 수업에 빠지믄 기성회비 다시 내 준다요?"

"이번에 빠진 수업은 보강할 것잉께 염려 붙들어 매라, 잉."

"그라믄 그 수업이란 것이 오늘 치 잘라다가 내일이나 모레 어디 귀퉁아리에 붙이면 된당가요?"

"……."

선생님은 패배를 시인하는 듯이 아무 말 없이 쓴웃음을 지었다. 우리가 거기서 대충 1,2교시 수업 시간 정도를 때우고 나자 선생님께서는 일어섰다.

"자아, 가자!"

"에이, 점심때까지 놀다 가요!"

우리는 학교로 돌아가기 위해서 아까 왔던 길을 되짚어 갔다. 우리 대열이 철마 광장 모퉁이에 있는 슈퍼마켓 근처까지 다다를 때였다.

"구박사다!"

누가 그렇게 외치는 바람에 선생님과 아이들이 동시에 두리번거렸다. 과연 구박사가 매일시장에서 이쪽으로 걸어오고 있었다. 나는 막 웃으려고 입을 벌렸다가 다물어 버렸다. 구박사는 혼자가 아니었다. 그는 초등학교 2,3학년 쯤 되어 보이는 여자아이의 손을 잡고 우리 쪽으로 걸어오고 있었다. 그의 표정은 진지했고 아이를 보는 눈은 애정에 넘쳤다. 우리들 가운데 다시 누가 "구박사야, 구박사."라고 분명히 구박사에게 들릴 수 있는 크기로 말했다. 하지만 그는 못 들은 척하며 아이의 손을 잡은 채 우리 곁을 지나쳤다. 선생님이 그 부녀의 뒷모습을 물끄러미 바라보고 있자, 진열이가 나섰다.

"구박사 딸이지라우. 딸랑구"

"평소에는 저러코롬 멀쩡하다가 술 취하믄 헷가닥 넘어가지라우."

성진이가 아는 체한다.

"그나저나 맨날 대통령 욕하는디 내일 대통령 직접 만나 불믄 볼 만하것다야!"

내가 웃으며 거들었다.

"작년에 대통령이 왔을 때 진도에서 구박사를 본 사람이 없다고 하던
데……."
선생님이 조용히 마무리했다.

학교에 도착하니 군인들 여러 명이 와서 등에 총을 가로로 멘 채 뭔
가로 화단 등을 뒤지고 돌아다녔다. 선생님이 장교로 보이는 군인에게
물어보니 지뢰 탐지기로 폭발물이 있는가 확인한다는 대답이 돌아왔
다. 교실로 들어가서 점심을 먹고 나니 스피커에서, 학교 건물과 교실
안도 샅샅이 조사해야 하니까 학생들을 일찍 하교시킨다고 방송이 나
왔다. 우리들 중 상당수는 집에 곧바로 가지 않고 전자오락실로 향했
다. 가면서 성진이가 소리쳤다.
"와따, 전두환이가 작년에 버마에서 단단히 겁 묵었는가 보다. 잉."

5

 다음날 아침 학교에 오니 성진이가 아침 일찍 구박사를 보았다고 말했다. 구박사가 사정리 느티나무 옆 구멍가게 안에서 아침을 굶었는지 뭔가 우걱우걱 먹고 있었다는 것이다. 아이들은 어제 시장에서 본 구박사가 자기들의 관심과 열광을 무시했기 때문에 아침에 구박사를 봤다는 성진이 말에 시큰둥한 반응을 보였다. 나는 아침에 등교하면서 진도읍 시가지와 학교 주변에서 경찰들의 삼엄한 경계망을 보았기 때문에 읍내 어디서든지 구박사가 대통령을 직접 대면하기는 힘들 것이라고 생각했다.

 대통령이 온 시각에 우리들은 교실에 꼼짝없이 갇혀 있었다. 작년에 교실 앞까지 왔던 멋있는 요원들은 나타나지 않고 웬 낯선 사람들이 복도에 간격을 두고 있으면서 우리를 감시하기 시작했다. 요란한 헬기 소리가 들렸다. 대통령이 온 것 같다. 누군가가 창밖을 내다보려 하니까 복도에 있던 낯선 감시자가 날카로운 목소리로 제지하였다. 선생님은 무슨 회의를 하는지 좀처럼 교실로 들어오지 않았다. 분명히 대통령이 왔을 것인데 대통령은 어디에 있는 것일까? 종치는 소리가 들리지 않으니 시간도 어떻게 흘러가는지 알 수가 없었다.
 한 시간 남짓 흘렀을까. 갑자기 교실 스피커에서 낯익은 목소리가 들려왔다. 또 고등학교 교감선생님이다. 마이크가 없으면 저분은 어떻게 사실까, 라는 생각이 들었다.
 "아아, 마이크 시험 중⋯⋯. 학생 여러분, 대통령 각하께서 우리 학교에서 나가십니다. 학생들은 곧장 나와서 선생님들의 지시에 따라 질서 있게 서서 대통령 각하를 환송해 주기 바랍니다. 다시 한 번 알립니다.

각하께서 곧 나오십니다……."

 현관으로 나온 대통령 일행을 학생들은 담 옆의 등굣길 한 쪽에 서서 박수를 치며 환송했다. 대통령은 이 열렬한 배웅에 기뻐서 손을 흔들거나 앞줄에 서있는 아이들 한두 명 손을 잡았다가 놓아주며 학생들의 대열을 지나가고 있었다. 대통령 일행이 우리 3학년들이 서 있는 곳으로 다가왔다. 유난히도 흰 대통령의 대머리가 경호원들 사이에 빛났다. 그 머리는 언젠가 봤던 지산면에 있는 동석산 봉우리처럼 생겼다. 대통령보다는 덜 벗겨졌으면서 메주 덩어리처럼 생긴 대머리도 대통령을 따라다녔는데, 저녁 뉴스에서 들으니 그 사람이 전라남도 지사라고 했다.

 대통령 일행이 내 앞을 지나쳐 2,3미터 쯤 걸어가고 있을 때였다. 대통령이 옆 쪽 학생 대열 쪽에서 진열이가 불쑥 튀어나오며 외쳤다.

"나, 두환이하고 악수했다아!"

 거기서 대통령이 다섯 걸음도 가지 않았을 때니까 대통령의 귀에도 진열이의 목소리가 들렸을 것이다. 진열이가 악수한 손을 올림픽 성화를 든 것처럼 높이 들고 달려오자 그 신호를 기다렸다는 듯이 많은 아이들이 "와아!"하며 대통령이 걸어가는 방향으로 달려갔다. 그때부터 아이들은 마치 교실에 우연히 던져진 탁구공 하나를 먼저 잡으려는 것처럼 대통령과 악수하려고 몸싸움을 벌이기 시작했다. 그런 아이들 틈에 끼기 싫어 나는 담에 기대었다.

 그런데 저기 밀리 무슨 소리가 들리는 것 같았다. 고개를 돌리니 익숙한 얼굴이 우리 쪽으로 달려오고 있었다. 동환이 아버지였다. 입이 벌어진 채 붉게 상기된 얼굴을 한 동환이 아버지 뒤에는 정복 경찰 둘이 허겁지겁 뛰어오고 있었다. 그때였다. 플라타너스 기둥 뒤에서 갑자기 어떤 이가 튀어나오며 나와 부딪혔다. 그는 오리걸음으로 허둥지둥 대통령 쪽으로 뛰어갔다. 학생이 아니다. 눈에 익은 팔자걸음이다.

구박사다! 구박사는 대통령과 악수를 하려는 아이들 무리 속으로 들어 갔다. 동환이 아버지와 정복 경찰들이 그에게 다가가려고 하였지만 이 미 늦었다. 구박사는 대통령 바로 옆에서 아이들과 함께 몸싸움을 벌이며 손을 내밀려고 안간힘을 쓰고 있었다. 아찔한 순간이었다.

 구박사가 비틀거리며 대통령 앞에 선다.
"하얀 건 더럽고, 고운 건 잔인하지!"[2]
 순간 경호원들이 놀란 대통령 앞을 둘러싼다. 경호원 둘이 구박사를 덮치려는 순간 구박사는 뒤로 물러서며 바지를 내린다.
"전두환! 이것이 바로 구박사가 발명한 아랫도리 저장고다, 알간?"
 구박사의 펼쳐진 바지 안에 통 성냥과 트랜지스터라디오가 보이자, 경호원들이 동시에 외친다.
"폭탄이닷, 모두 엎드려!"
 경호원들이 몸을 구부린 대통령을 자빠뜨리고 자신들의 몸으로 방패를 만들어 덮는다. 동시에 다른 경호원들이 구박사를 덮친다. 그 중 한 명은 구박사의 라디오를 담장 밖으로 던진다. 대통령 일행과 경호원들은 모두 엎드려 꼼짝 않고 폭탄 터지는 소리를 기다린다. 이 광경을 본 아이들이 엎드린 대통령 일행을 보고 손가락질하며 비웃는다.
"와아. 역시 구박사다!"

 나는 그런 장면을 상상하고는 몸을 부르르 떨었다. 그러나…….
 구박사는 여전히 아이들과 힘겹게 몸싸움을 하면서 대통령이 가는 쪽을 향해 손을 내밀려고 기를 썼다. 대통령을 바로 옆에서 수행하던 경호원은 그가 어른임을 눈치 챘는지 고개도 돌리지 않고 팔꿈치로 구박

---

2) 멕베스, 1막 1장

254

사를 세게 쳤다. 구박사는 뒤로 휘청거렸다가 재빨리 몸을 가눠 다시 아이들 몸 사이로 손을 내밀었다. 경호원은 또 퍽 소리가 들릴 정도로 그의 가슴께를 팔꿈치로 쳤다. 구박사는 이번에는 앞으로 거꾸러졌다.

구박사를 계속 치고 있는 경호원과 달리, 대통령은 어색한 웃음을 띠고 악수 인파를 즐기면서 교문 옆으로 움직이고 있었다. 구박사는 포기하지 않고 다시 허리를 펴고 아이들 틈에서 끈질기게 손을 내밀었다. 경호원들 대다수가 교문 옆에 있는 세단 쪽으로 뛰어가서 자동차 주위에 둘러서자 마침내 구박사 손이 대통령 앞에 다다랐다. 대통령이 그 손을 잡았다. 대통령과 악수한 시간이 2,3초도 안 되었지만 구박사는 네댓 번이나 머리를 방아깨비처럼 굽신거렸다! 대통령은 한두 명의 아이와 더 악수하고 나서 경호원들에게 둘러싸여 있는 검정 승용차 안으로 들어갔다.

동환이 아버지와 정복 경찰은 안도의 한숨을 내쉬며 구박사를 흘끔 쳐다보고 나서 대통령을 태운 차가 떠난 교문 쪽으로 급히 걸어갔다.

6

제에에에에 에에에

보살이로구나아

나아무여어

여어허 어히어 허

여어허 여허어허어로구나 바안야안아.

어어허 여허어허어로구나

나무 나무여어 아미타부우울

죽장산 가래송낙으은

수양산에 넋이 되여 암재감실로 오실 적

오늘날 철마 광장 구씨 망자

고장대 몸이 되어

수족이 없이 오신다기에 옷 지어 영돈 놓고 만신주 배선을 놓아

염에 염불로오 길이나 닦세

제에에 에헤에에 보오오 사아알

제에에 에헤에에 보오살이로구나.[3]

씻김굿을 하고 있다. 텔레비전에서 한두 번 본 것 같은, 연세가 지긋한 무녀 한 명과 젊은 무녀 둘이 무가를 부르고 있다. 구박사의 영정을 옆에 두고 무녀들은 길 베 위에 넋 당석을 올려놓고 밀어가면서 노래를 한다. 악사들의 징, 북, 아쟁 소리에 맞추어 무녀는 구박사의 저승길을 축원한다.

_____

3) 진도 씻김굿, 길 닦음(구술)에서 부분 수정

구박사의 가족들로 보이는 사람들이 영정 앞에서 넋을 놓고 앉아 있거나 눈물을 훔치고 있다. 삼십 대 후반으로 보이는 저 여인이 아마 우리가 중학생 때 봤던 구박사 딸일 것이다. 우리는 한참동안 '길 닦음'굿을 보고 있다가 무녀들이 하얀 베로 만든 저승길에 각자 만 원짜리 지폐를 한 장씩을 올려놓았다. 수십 년이 지나서야 우리는 구박사에게 공연료를 지불한 셈이다.

"어쩌면 구박사는 저 노잣돈으로 저승길 주막에 들러서 술값을 치를지도 모르겠다."

"살아 있든 죽어 있든 알콜이 빠지면 구박사가 아니지, 하핫."

성진이의 농담에 진열이가 맞장구치며 웃었다. 우리는 장례식장 밖에 있는 벤치로 자리를 옮겼다. 장례식장 주차장 구석에 있는 간이 소각장에서는 연기가 피어오르고 있었다.

우리는 까마득한 중학교 시절을 화제로 이야기꽃을 피웠다. 1983,4년의 진도를 배경으로 수많은 친구들과 선생님들이 생생한 모습으로 기억 속에서 튀어나왔다. 대부분 현재 살아있는 사람들에 관한 이야기였지만 나이에 상관없이 세상을 달리한 인물들도 한두 명 등장했다. 대체로 과거는 즐거운 추억으로 살아났다. 우리는, 그때의 우리만한 자식들을 두고 있는 중년들이었지만 화제가 그때에 머물자 모두 중학생으로 돌아간 듯싶었다.

진열이는 중학교 때 어느 선생님한테 맞은 매의 숫자까지 정확하게 들먹이며 혹시 그 선생님을 만나면 그때 그렇게 자기를 때린 이유를 묻고 싶다고 했다. 성진이는 그런 진열이에게 자신의 가게에 우연히 들른 그 선생님 얘기를 전했다. 그 선생님은 본인이 이전에 아이들을 많이 때렸다는 사실조차도 기억하지 못했다고 한다. 그러고 나서 성진이는 대통령의 첫 번째 방문 때 대통령이 내민 손을 거절하고 뛰어나간 그 여선생님이 제일 기억에 남는다고 했다. 그때 아이들은 그 여선생님에게 대통령이 내민 손을 거절한 이유를 말해달라고 끈질기게 요구했지만, 정작 그 여선생님은 반사적으로 행동했을 뿐이라고 밝혀서 그럴듯한 대답을 기대했던 아이들을 실망시킨 적이 있었다.

진열이가 뭔가 생각난 듯 내 얼굴을 쳐다보며 물었다.

"야, 정대야. 대통령의 첫 번째 방문 때 왜 구박사가 안 나타났는지 아냐?"

"아니."

"너에게는 앞으로 직장 생활에 참고가 될 수 있을 테니까 내가 말해주마. 동환이한테 들었는데 구박사가 소란을 일으킬지 모르니 대통령이 진도에 머문 시간 동안 경찰서에 가두어 놓았다는 거야. 구박사가 우리 교실에 들어와 사회주의 강의를 한 것을 연행 근거로 삼았고. 그걸 어떻게 경찰이 알았는지 궁금하지? 실은 오늘 상주인 동환이, 저놈 지독한 놈이야, 하하. 언젠가 철마 광장에서 구박사에게 뒤통수를 맞은 게 제 깐에는 원한이 되었는가 봐. 글쎄 교실에서 우리들이 웃고 정신없을 때 옆 반에서 구경 온 동환이가 구박사가 칠판에 써놓은 것을 일부 베껴가지고 자기 아버지한테 갖다 줬다고 하더라. 정대야, 그런 자식을 보고 동환이 아버지가 어떤 반응을 보였겠냐?"

진열이는 말을 끊고 내 얼굴을 뻔히 쳐다보았다. 내가 선뜻 대답을 하지 못하자 그가 말을 이어갔다.

"동환이는 자기 아버지한테 욕을 바가지로 얻어먹었다고 하더라. 그런 짓거리를 하면 안 된다고!"

"아까 경찰서에 구박사가 갇혀 있다고 하지 않았냐? 우리 반 교실에서 한 행동 때문에?"

내가 의아한 표정으로 묻자 진열이가 입꼬리를 한쪽으로 올리며 웃으며 내 어깨를 툭툭 쳤다.

"자아식, 순진하긴! 그래가지고 너 직장에서 안 쫓겨나냐? 저기서 누워 계신 동환이 아버지는 남을 감시하는 듯한 아들의 행동이 잘못되었다고 한 것이지. 그렇다고 해서 아들이 가져온 정보까지 무시할 정도의 성격은 아니셨던 거지. 누구나 다 직업의식이란 게 있으니까. 그 메모를 접수한 경찰은 구박사를 가둬 놓을 호재를 찾았다고 좋아했다고 했어."

"결국 그런 경험이 있던 구박사는 대통령의 두 번째 방문 때는 아예 새벽부터 집에서 나와 구멍가게와 사정리 이발소 등에서 숨어 있었는데, 그 장면을 아침에 내가 본 것이고. 학교에서 나가는 대통령과 악수를 한 진열이가 팔을 들고 개선장군처럼 외치자, 우리들은 장난삼아 서로 악수한답시고 몸싸움까지 해가며 달려들었는데 그 와중에 구박사는 플라타너스 나무가 있는 쪽 담을 타고 넘어 온 거야. 그걸 보고 사색이 된 동환이 아버지가 우리에게 달려오는 것은 너도 봤지?"

성진이가 이렇게 말하며 동의를 구하는 눈초리로 나를 쳐다보자 나는 고개를 끄덕였다.

실제로 구박사가 공개적으로 고초를 당하는 것을 나는 본 적 있다. 그 무렵 진도 영등사리 때면 회동에서 바닷물이 갈라지는 것을 보기 위해 외국인을 포함한 수많은 관광객들이 해남에서 철부선을 타고 진도 벽파진으로 건너올 때였다. 버스 정류장이 있던 철마광장에는 엄청난 인피로 넘실거렸다. 성진이와 나는 전자오락실로 가다가 광장에 사람들이 모여 있는 것을 봤다. 우리 둘은 서로 의미 있는 눈을 교환하고 나서 부리나케 그쪽으로 달려갔다. 역시 구박사였다.

그런데 그날은 구박사가 누군가에게 멱살이 잡혀 땅에서 높이 들려 있었다. 성진이는, 구 박사를 들어 올린 깡패가 조금리 장터를 주름잡고 있는 백구두라고 내게 속삭였다. 백구두 뒤에는 그의 똘마니로 보이는 젊은 친구 둘이서 허리에 양손을 얹고 가랑이를 벌리고 선 채 위세를 떨치고 있었다. 구 박사는, 그 호랑이 같던 눈이 찌그러지고 입은 심하게 일그러져 있는 채, '캑캑, 이것 놔!' 라고 소리를 지르고 있었다. 눈이 푹 들어가고 키가 홀쭉한 백구두가 주변을 돌아보며 일갈했다.

"아, 이 미치광이가 우리 두환이 성님보고 악마라고 하잖아요? 뭐, 발로 깔아뭉개고 대롱대롱 매달아 똥물을 뒤집어 씌어도 시원찮을 놈이라니! 어허, 여러분 분명히 들었죠? 우리 두환이 성님한테 욕지거리 하는 거?"

백구두는 멱살을 잡았던 구박사를 광장 바닥에 부렸다. 그러고는 "콱" 하고 소리 지르며 도로 바닥에 널브러진 구박사를 향해 발길질을 하려고 했다. 그때 누군가가 소리쳤다.

"어이, 그만하소!"

백구두는 올렸던 발을 내려놓고 그 말의 진원지를 찾기라도 하듯 주위를 둘러보았다. 일순 싸늘한 기운이 감돌았다.

"시방 누가 그랬소? 누구여어? 아니, 그래도 일국의 대통령이신 두환이 성을 두고 걸핏하면 욕을 하고 있는 이 주정뱅이를 가만히 놔두면 되겠소? 응! 이 새끼를 그냥……"

그가 다시 발을 들었을 때 또 그 말소리가 튀어나왔다.

"그렇다고 나이 먹은 사람을 그렇게 막 두들겨 패면 되겠는가?"

거구의 몸이 한 손을 들며 관중 속에서 나왔다. 백구두가 약간 움찔했다.

"그래, 이 장사 말대로들 하소."

다른 사람의 말로 거구의 정체가 드러났다.

"그러다 사람 죽이겠네."

"그래."

여기저기서 백구두를 만류하는 목소리가 튀어 나왔다. 그러나 백구두는 그들의 말을 듣는 둥 마는 둥 하며 고개를 돌려 먼 곳을 쳐다봤다. 나와 성진이도 백구두의 눈길을 따라 그쪽을 봤다. 관중들과 조금 떨어진 곳에서 동환이 아버지와 그의 경찰 동료로 보이는 사람이 팔짱을 끼고 서 있었다. 동환이 아버지는 백구두가 자기 쪽을 쳐다보자 약간 난감한 듯 고개를 좌우로 흔드는 듯한 제스처를 보이고는 일행과 함께 몸을 돌려 가 버렸다.

"너 오늘 운이 좋은 줄 알아라. 잉? 다시 한 번 우리 두환이 성을 욕했다간 몸이 성한 데가 없을 텐께. 콰악, 퉤, 가자!"

구박사가 나동그라진 바닥 옆에 침을 뱉은 백구두는 거드름을 피우며 똘마니들을 데리고 사라졌다.

나중에 이 사건은 한동안 진도 읍내 사람들의 입에 오르내렸다. 백구두의 의도와는 달리, 구박사는 여론의 동정의 대상이 된 반면, 백구두는 '지 혼자 헛물켜고 다니는 미친 놈'이라는 놀림감이 되고 말았다.

7

 우리들이 밖에서 얘기하고 있는 사이 상주인 동환이가 어디에서 옷가지를 한 아름 들고 나와 주차장 구석으로 갔다. 그는 연기 나고 있는 소각장에 그것들을 던지고 나서 다시 장례식장으로 들어갔다. 지금은 화장터를 이용한 장례 문화가 많아져, 망자의 옷가지 따위를 불태우는 장례식장 소각장들이 다 없어졌는데 아직 여기에는 남아 있는 게 신기했다. 씻김굿 무녀들과 악사들이 장례식장 밖으로 나왔다. 무가와 타악기와 아쟁 소리에 우리는 대화를 중단하고 굿을 구경했다.

 가자서라, 가자서라
 나무아미타불
 불쌍하신 우리 구씨 망자
 나무아미타불

 굿이 막바지에 이른 듯 무녀의 소리가 잦아들고 있었다.
"저것 봐라!"
갑자기 성진이가 소리 질렀다. 성진이가 손으로 가리킨 곳은 소각장 바로 위였다. 거기서 하얀 연기가 사람들의 형상을 하고 피어오르고 있었다. 처음엔 두 사람이 서로 엉킨 듯한 모습이었다. 한 형체는 덩치가 컸고 다른 것은 작달막했다. 키가 작은 사람은 엉거주춤한 모습으로 다리가 밖으로 많이 휘어졌으며 머리가 산발한 형상이었다. 우리가 익숙히 알고 있던 구박사의 모습과 비슷했다. 그 옆의 거구는 형체가 구부정하고 느리게 움직이는 듯한 모습을 보고 나는 소리쳤다.
"영락없는 동환이 아버지다!"

우리는 입을 다물지 못하고 그 광경을 보고 있었다. 뭉게뭉게 피어오르는 연기는 마치 동환이 아버지와 구박사가 뒤엉킨 듯한 모습이었다. 이윽고 동환이 아버지 형상이 손이 묶인 것처럼 보인 구박사 형상을 일으켜 세우는 듯 보였다. 다시 두 형체는 잠시 분리되었다가 다시 합해지기도 하면서 마침내 흩어져 밤하늘로 사라졌다. 우리는 고개를 돌려 약속이나 한 듯이 서로 얼굴만 쳐다보았다.

그때 마침 동환이가 다시 나왔다. 내가 물었다.

"동환아, 아까 네가 소각장에 버린 것 무어냐?"

"아버지 옷가지와 유품들, 왜?"

우리 셋은 다시 한 번 서로를 쳐다보았다. 성진이가 조금 전에 보았던 그 기이한 연기의 형상을 동환에게 얘기해 주었다. 동환이가 약간 주춤거린 사이 진열이가 입을 열었다.

"먼저 죽은 사람이 친한 사이나 서로 원수지간이었던 사람을 데려간다던데, 구박사가 너희 아버질 데리고 갔을까?"

"쓸 데 없는 소리! 우리 아버지는 일주일 전에 쓰러지고 난 뒤에 의사로부터 곧 돌아가신다는 진단을 이미 받았는데."

성진이가 우리들을 둘러보며 동환이에게 말을 꺼냈다.

"구박사와 너희 아버지께서는 애증이 교차한 사이가 아닐까? 그 연기 형상으로 봤을 때 영락없이 그랬던 것 같아."

나는, 성진이의 말을 들으면서 동환이 아버지가 대공과에 계속 근무했다면 구박사에게 물리적 폭력을 행사할 수도 있었을 것이라는 생각을 했다. 우리가 철마광장에서 구박사 공연을 볼 때 동환이 아버지와 그 일행은 그런 뉘앙스를 풍기는 대화를 하지 않았던가. 그리고 몇 년 전 진실 화해 위원회는 당시 대공 수사에서 신체 고문이 일상적이었음을 밝혀내지 않았던가.

"하늘로 솟아오르는 어떤 연기도 그것이 사람의 형상이라고 생각하면 다 그렇게 보이는 것이지. 하지만 구박사에 대해서 아버지한테 들은 얘기는 있어."

동환이는 다 사그라져 가는 연기를 골똘히 바라보면서 얘기하기 시작했다.

동환이에 의하면 구박사는 어떤 사상이 의심되거나 사회 개혁을 위한 비밀 조직에 가입해서 끌려가 고초를 겪은 게 아니었다. 문제의 인물은 구박사가 아니라 구박사의 아버지였다. 구박사의 아버지는 일제강점기 때 의신면에서 내로라하는 공산주의자였는데 6.25 때 보도연맹 사건으로 처형되었다고 한다. 우리 교실까지 들어와서 자랑한 구박사의 박식한 사회주의 이론은 고졸 출신인 그가, 아버지 유물이었던 책들을 보고 독학한 것으로 경찰은 추정했다고 한다. 구박사가 고문을 당한 것은 사실이라고 했다. 나중에 둘 다 조작된 것으로 밝혀졌지만 1980년 중앙정보부는 임회면에서 대규모 가족 간첩단을 검거한 데 이어 1981년에는 국가안전기획부로 이름만 바꿔, 진도읍과 고군면에서도 대규모 간첩단을 체포했다. 임회면 사건 때는 간첩 혐의자를 곧바로 안기부로 연행해 갔지만, 진도읍 간첩 사건 때는 달랐다. 안기부는 진도 경찰의 협조를 받아 간첩혐의자와 연고가 있다고 생각되는 사람들을 닥치는 대로 잡아들여 경찰서로 데려 갔다. 안기부 수사관들은 잡아 온 사람들을 이틀이나 사흘 동안 두들기거나 물고문 등을 하여 간첩 혐의가 있다고 판단된 사람들을 솎아냈다. 평소 술에 취하면 거친 입으로 정부를 비판했던 구박사도 끌려가서 이틀 동안 발가벗겨지고 물고문을 당하였다고 한다. 동환이는, 구박사가 막 간첩 일당에 포함되려고 할 때 당시 진도경찰서 대공수사과에 있던 자기 아버지가 그것을 막았다고 말했다. 그는, 안기부 직원에게 진도에서 주정뱅이로 소문난 구박사를 간첩으로 기소한다면 진도에서 우스갯거리가 되어 이번 대간첩 작전의 성과가 퇴색할 수도 있다는 우려를 전달했다는 것이다. 구박사의 집에서 찾아낸 일본어로 된 사회주의 관련 서적은, 어찌된 일인지 진도 간첩들이 공산주의 학습 활동을 한 증거물로 둔갑되었다고 동환이는 말했다.

동환이 얘기를 들으면서 나도 우울한 회상에 빠져들고 있었다. 나는 초등학교 6학년에서 중학교 1학년 때까지 2년간 성당 미사 때 신부님 곁에서 시중을 드는 복사를 했다. 그때 진도성당에는 조철현 비오 신부님이 있었다. 그분은 5·18민중항쟁 직후에 감옥에 갔다 온 신부였다. 안기부가 진도 경찰서에 진을 치고 두 번째 간첩을 만들고 있을 때 그 신부님이 진도에 계셨던 것이다. 아버지는 진열이가 말한, 동외리 '간첩 두목'의 동향인 고성면 후배였다. 우리 가게를 자주 드나들었던 아버지 친구들이 경찰서에 끌려가고 있었다. 언제 동환이 아버지같은 형사들이 우리 가게에 들이닥칠지 몰랐다.
이때 신부님은, 아버지에게 '이 정권은 자신의 목적을 위해서는 몇만 명의 국민이 죽어도 눈 하나 깜짝하지 않을 잔인한 집단'이라며 아버지께 피신을 권유했다고 한다. 결국 아버지는 신부님이 소개해 준 어느 수도원에서 3개월 동안이나 피신해 있었다. 그때 어머니는 아버지의 부재를 묻는 어린 내게, 아버지는 먼 친척 집에 볼일 있어서 출타하셨다는 말씀만 되풀이하셨다.
돌이켜 보니, 그때 전두환 정권은 80년 광주의 양민학살이 간첩들의 조종에 의한 것이라는 것을 입증할 만한 호재를 찾고 있었던 것 같다. 전라도 땅에서 간첩들을 찾으면 더할 나위 없었을 것이고. 더구나 안기부는 자신들의 수괴가 전임 대통령을 죽인 마당에, 정부 조직으로 온전히 살아남기 위해서는 정권의 입맛에 맞는 성과를 올려야 했을 것이다. 결국 그 당시에는 육지로부터 떨어져 있고, 월북자 가족이 남아 있던 진도는 간첩 만들기의 좋은 먹잇감이 되었을 것이다,

8

이번에는 얼룩덜룩한 젖소 열 마리가 학교에 나타났다. 대통령이 두 번째로 학교를 다녀간 지 열흘 만이다. 우리 가게에 놀러온 길 건너편 다방 주인은, 이전 교장은 비싼 트랙터와 콤바인을 하사받았는데 지금 교장은 겨우 젖소 몇 마리만 받았을 뿐이라며 현재 교장의 무능함을 비판했다. 아버지가 아무런 대꾸를 해 주지 않자 그는 머쓱해져 돌아가 버렸다. 그날 저녁 식사 때 부모님의 대화를 통해 이전 교장이 그 다방 단골손님이었다는 것을 알았다.

젖소의 품종은 홀스타인종이라고들 했다. 젖소의 엉덩이들 높이가 내 키를 넘겼다. '화훼포'라 불리는 고등학생들의 실습장이 없어지고 그 자리에 거대한 축사가 지어지기 시작했다. 대통령이 주고 간 트랙터와 콤바인은 우리 음악실을 빼앗았지만 저 젖소들은 우리에게 아무런 해를 입히지 못할 것이라고 생각한 것은 나의 성급한 판단이었다.

여름 더위가 갈 무렵에 중학생, 고등학생 가리지 않고 젖소들에게 줄 먹이를 구하러 낫을 들고 들과 산으로 흩어졌다. 칡넝쿨 할당량을 채우지 못한 학생들은 고등학교 축산과 선생님한테 퇴짜를 맞고 울상을 지으며 되돌아가서 다시 베어 와야 했다. 우리 중학생들은 실업계 고등학교와 한 울타리 안에서 같은 교장 아래 있던 우리의 처지를 원망했다. 풀베기는 한 차례로 끝나지 않았다. 임시로 만든 사일로가 완성되자 다시 노력 동원이 실시되었다. 아이들은 더 멀리 가서, 더 늦게까지 풀을 베어 와야 했다.

풀베기를 끝마치고 성진이와 나는 배가 고파 칡넝쿨과 땀 냄새가 밴 옷을 입은 채로 튀김집으로 향했다.

"야, 근데 너, 그 소문 들었냐?"

성진이가 갑자기 생각난 듯이 말을 꺼냈다.

"뭘?"

"축산과 형한테 들은 얘기인데, 글쎄 그 젖소들이 밤이 되면 구둣발로 채이고 있는 일이 많다고 하잖아?"

"왜?"

나는 궁금하기 짝이 없었다.

"너도 한 번쯤은 봤을 텐데. 키 크고 얼굴 시커먼 축산과 주임선생님"

"아까 칡넝쿨 검사할 때 뒤에 서 있던 분?"

"맞아."

"축산과 주임선생님이라면 소들을 오히려 잘 돌봐야 하는 거 아냐?"

"그런데 잊을만하면 그 선생님이 한밤중에 술 마시고 축사로 들어와서 앉아 있는 소가 있으면 그 소의 가슴팍을 냅다 구둣발로 찬다는 거야. '이 전두환 같은 새끼들이, 이 양키 같은 놈들이 어디서 처 자빠져 있어! 너희가 내 상전이냐?' 하고 호통치며."

"세상에, 젖소들이 뭔 죄가 있다고!"

"제일 먼저 가슴팍을 채인 소가 '음메' 하고 벌떡 일어서면, 거기에 놀란 나머지 그 옆의 다른 소들도 소리 지르며 우당탕 일어선다는 거야. 한밤중에 축사에서 천둥소리가 들리면 그 선생님이 축사에 들어왔다는 신호라서 축사 옆 숙소에 있던 근로 장학생들도 부리나케 축사로 달려간대."

"소들이 그 선생님한테 스트레스를 줬을까?"

"말도 마. 축산과 형이 그러던데, 그 젖소들 중 한 마리라도 아프면 수의사 불러놓고 밤을 꼬박 샌대. 젖소들이 조금이라도 이상 있으면 즉각 어디론가 보고해야 하나 봐."

"뭐한디, 젖소를 열 마리나 줘 갖고!"

나는 진도에서 중학교를 마친 뒤 광주에 있는 고등학교로 진학했다. 군대를 제대하고 나서 20대 중반을 넘기고서야 나는 내 건장한 신체 조건을 활용하여 경찰이 되기로 결심했다. 그런 내 결심을 듣고 아버지는 펄쩍 뛰었다. 아버지 본인이 간첩으로 몰리지 않기 위해 몇 달 동안 피신한 경험이 있는 것은 차치하고라도, 6.25 때는 할아버지께서 인민군 부역자로 몰려 나중에 진도를 탈환한 경찰에게 총살까지 당했다고 하셨다. 아버지는 한술 더 떠 내가 신원 조회에서 탈락할 것이라고 단정하며 내게 포기를 노골적으로 강요했다. 그러나 나는 보기 좋게 경찰 최종 시험에 합격했다.

"혹시라도 남을 못 살게 굴 처지가 되면 목구멍이 포도청이라는 식으로 직장에 연연하지 말고 언제든지 그만 두어라. 남을 괴롭혀서 제 살 길 찾는 사람이 되어서는 안 된다."

이제 막 경찰로서 사회 초년생이 된 내게, 아버지는 언제든지 그만 둘 것을 각오하라는 말씀을 하셨던 것이다. 아버지의 기이한 당부를 마음에 새기고 나는 20년 가까이 경찰에 재직했다. 그 동안 가끔 이상한 대통령이 등장하거나 괴팍한 상관을 만나면 피치 못할 악역을 맡았던 적도 있었다. 그래도 내 나름대로는 남들에게 욕먹을 일은 피하려고 최대한 노력했다.

그러나 결국 일이 닥치고 말았다. 내 경찰 생활 중 가장 힘든 보직이 나를 기다리고 있었다. 내 직함은, 의무 경찰과 전투경찰들을 데리고 한때 대통령이었지만, 전 재산이 29만원밖에 없다고 주장한, 광주 학살의 원흉으로 지목된 그 사람 집의 경비를 책임지고 있는 경찰 경비 대장이었다.

거기에 근무할 때면 중학교 시절이 주마등처럼 지나갔다. 대통령의 전기를 구석에 처박을 정도로 수시로 대통령을 비꼬았던 담임선생님과

두 번에 걸친 대통령의 학교 방문 장면이 머릿속에 수시로 재현되었다. 대통령을 향한 구박사의 거친 행동과 욕지거리도 생생하게 떠올랐다.

내가 거기에 근무 중일 때는 수많은 '백구두'들이 그의 집을 들락거렸다. 그때마다 나는 분노를 가라앉히기 힘들었다. 한때 장관, 국회의원, 고위 관료, 장군 들이었던 그들이 우리들이 지키고 있는 곳으로 몰려왔다.

그들이 집에서 나와 차로 움직이면 다른 경찰 경호 팀이 그들을 수행한다. 나중에 들어보니 그들은 집에서 나와 골프장에 갔고 골프 치고 나서는 고급 음식점을 들렀다고 한다. 그들은 그야말로 행복한 노년을 보내고 있는 셈이다. 전직 대통령은 그들과 함께 있을 때는 여전히 '구국의 영웅'처럼 거들먹거렸다. 그는 집골목에서 시위하는 사람들을 보고 혼잣말처럼 중얼거리곤 했다.

"어! 저 사람들, 왜 저래? 왜 나한테 와서 뭐라는 거야?"

그의 세계에는 다른 사람을 향한 사랑, 연민, 배려, 슬픔 등의 감정이 자리할 공간이 없는 것처럼 보였다. 자신의 가족을 잃고 울부짖는 광주 시민이나 자기 고향에서 간첩으로 몰려 20세기의 마지막 유랑민이 된 진도 사람들은, 그 사람의 명예와 재산을 충족시키기 위한, 불가피한 희생물에 불과했다. 그는 자기 주변의 현실을 자기 마음대로 설정하고 장애가 되는 것들은 일말의 망설임 없이 제거하면서 부와 명예를 쌓아 올리는 타입의 인간이었다. 그와 그의 추종자들의 희희낙락한 모습을 보고 있을라치면 내 속에서 뭔가 부글부글 끓어올랐다.

"주님, 저들을 용서해 주십시오. 저들은 자신들이 무엇을 하는지 모릅니다."[4]

---

4) 루카 복음, 23장 34절

나는 연희동 구석에서 일주일에도 몇 번 씩 그 기도문을 외며 내 자신을 달랬다. 이 기도문은 내가 초등학교 시절, 조철현 비오 신부가 집전하는 미사 때 복사 시중을 들면서 체득한 것이다.

　당시 진도 성당 마당에는 수시로 동환이 아버지 같은 경찰들 서너 명이 감시자로서의 역할을 충실하게 수행하고 있었다. 그때마다 신부님은 이 기도문으로 강론을 시작하곤 했다.

　운명의 장난이랄까. 내가 한때 지켰던 그 전직대통령은 죽기 전에 고인이 된 조비오 몬시뇰 신부의 명예를 훼손했다는 혐의로 광주 법정에 불려갔다. 사과를 요구하는 5.18 희생자 가족들에게 그가 화를 내는 모습이 티브이 방송에 중계되기도 했다. 그런 그의 모습을 보면 한숨이 절로 나왔다. 내가 중학교 다닐 때 버마 아웅산 묘소 폭발 사고가 있었다. 그때 진도사람들이 쉬쉬하면서도 가장 많이 한 말은, '정작 죽을 사람은 안 죽고 엄한 사람만 죽었네.'였다. 나는 그 진도 출신으로서 그때 '정작 죽을 사람'을 지켜야 했다.

9

동환이가 장례식장에서 나오며 우리에게 건너왔다.

"이제 다 끝난 거 같아. 후유."

"수고했다. 장지는 어디냐?"

내가 물었다.

"북산. 구박사네 밭 가는 길 쪽에 야트막한 산 하나가 있어."

"구박사 구기자 밭?"

진열이가 반문하자 동환이가 고개를 끄덕인다.

"구박사가 재배한 구기자는 다른 구기자보다 씨알이 월등히 굵었는데……."

나는 '구박사 구기자'를 잘 기억하고 있다. 왜냐하면 당시 우리집은 양품점 가게를 하고 있었는데 가게 진열대 위에 그 구기자를 상품으로 전시해 놓은 적이 있기 때문이다. 구박사는 스스로 재배한 구기자를 담은 상자에 자신의 우스꽝스런 흑백 사진과 더불어 엽서 크기의 쪽지를 부착해서 팔았다. 거기에는 '몽매한 국민을 위해, 구국의 심정으로 위대한 구광서 박사께서 몸소 각고의 노력 끝에 재배해 성공했다.'라는 식의 두서없는 내용이 인쇄되어 있었다. 실제로 '구박사 구기자'는 처음에는 다른 사람이 재배한 것보다 씨알이 조금 컸지만, 시간이 조금 지남에 따라 다른 사람이 재배한 것과의 차별성이 사라져 버렸던 것 같다.

당시 구박사에 대한 진도 사람들의 평판은 크게 둘로 나뉘어져 있었는데 그것은 그가 '불운한 천재 아니면 주정뱅이'라는 것이었는데, 우리 또래들과 담임선생님은 전자 편을 들었고 어른들은 후자 편에 기울어져 있었다.

272

"그런데 구박사는 구기자를 재배, 판매하면서 자기가 '몽매한 국민을 위해' 한다고 한 걸 보면 자존감이 대단했던 것 같아."

진돗개 장사를 하며 순종을 키우는 데 남다른 자부심을 가진 진열이가 생각났다는 듯이 말했다.

"구박사는 실제로 자신을 그렇게 생각했던 것 같아. 구박사는 늘 대통령이 자신의 발뒤꿈치 때만큼도 못하다고 했잖아? 게다가 자신도 나라를 위해 구기자를 재배했다고 한 걸 보면……."

성진이가 밤하늘을 쳐다보며 회상하듯 말했다.

"그러고 보니 구박사와 그 대통령은 둘다 과대망상증이라는 공통점이 있던 것 같네. 각자 자기의 괴상망측한 행위가 국가와 나라를 위한 충정에서 비롯되었다고 주장했으니 말이야, 하하."

진열이가 이렇게 말하고 크게 웃어 제치자 나와 성진이도 거기에 동조하는 의미로 따라 웃었다.

실제로 그 대통령은 방문 지역이나 방문 학교마다 '대통령 각하 하사품'을 주면서 왕조시대의 성군 흉내를 내곤 했던 것 같다. 진도 읍내 한량들이 '각하 하사품'을 화제로 다방에서 시간을 죽치고 있을 시간에, 철마광장을 오가는 평범한 진도 사람들은, 술에 취한 구박사가 입에 담기도 힘든 욕을 사용하여 그 '각하'를 시궁창으로 내동댕이쳤던 것을 즐겼다.

대통령의 두 번째 학교 방문이 끝나고 한 달 쯤 지났을까? 나는 그날을 토요일로 기억한다. 왜냐하면 그날도 수업을 하지 않고 점심때까지 '각하 하사품'인 젖소를 위해 산에 가서 칡넝쿨을 긁어서 모아 갖다 바쳤으니까. 나와 성진이는 목표량을 채우고 나서 철마광장 옆 전자오락실로 향했다.

광장에는 사람들이 웅성거리며 모여 있었다. 누군가가 '구박사다!'라고 소리쳤지만 우린 예전과 달리 잠시 그리로 갈까 말까 망설였다. 그때는 진도읍내에 구박사가 대통령에게 머리를 조아렸다는 소문이 퍼질 대로 퍼졌던 때였다. 며칠 전에는 동환이는 성진이와, 구박사 공연 여부를 두고 튀김 200원 어치를 걸고 내기까지 했다. 구박사가 공연을 재개했으니 성진이가 튀김을 얻어먹게 될 것이다. 나와 성진이는 구경꾼들 사이를 비집고 앞에 앉았다.

 구박사는 아랫도리 저장고에서 담배와 통 성냥을 꺼내 담뱃불을 붙이고 예전과 달리 아랫도리를 단속했다. 구경꾼들이 눈에 띄게 줄었다. 그는 담배연기를 길게 내뿜으며 왕방울만한 눈을 요리조리 두리번거렸다. 누군가 말을 붙여주었으면 하는 눈치다. 때를 놓치지 않고 문방구 주인이 밑밥을 던진다.

"구박사, 대통령을 만났다면서?"

"별 것 아니여."

구박사의 시큰둥한 대답에 늙수그레한 택시 기사 한 사람이 택시에 기대어 미끼를 던진다.

 "가까이서 보니 대통령이 구박사보다 더 잘났제?"

 구박사의 눈이 갑자기 커졌다.

 "뭔 소리여, 나이깨나 먹은 사람이 속 창알시 없는 소리하고 자빠졌네! 어허, 이 구박사를 어떻게 보고? 아, 글씨, 그때 내가 서중학교에 들어가서 따악 버티고 서 있는디 그 놈이 나한테 굽신거리며 오더랑께. 그놈이 누군지 알것제? 똥 주워 먹은 곰 상판대기를 하고, 허옇게 반질반질한 이마를 번뜩이면서! 글씨 그놈이 저승사자 맨키로 희칸 손을 내밀고 나한테 오더랑께, 허참. 긍께 내가 말했제. 그 더러븐 손 저리 치워! 니가 대통령이라고 해도 이 위대한 구박사 똥구멍 핥을 자격도 없응께. 그란디 으짠당가? 그놈이, 그 대통령인가 좆인가 하는 놈이 다짜고짜 달려와서 두 손으로 내 손을 와락 잡아 부럿으니 말이네. 그 좋이 위대하신 구박사님을 몰라 뵈어서 죄송하다고 사정하는디 내가 워쩐단 말인가? 에이, 그놈의 계집애 맨키로 부드러운 손 땀시 내 손이 부정탔당께. 에이, 더럽다, 더러워. 캬아악, 퉤!"

구박사의 가래 뱉는 소리가 철마 광장에 울려 퍼졌다.

작가의 말

 2024년 2월 1일 현재 3년 전 군부 쿠데타가 일어난 미얀마에서는 4,453명이 사망하고 262만 5천명 난민이 되어 떠돌고 있다. 비단 미얀마뿐만 아니라 지금도 세계 곳곳에서는 잊을 만하면 80년 5월의 광주와 같은 비극이 되풀이되고 있다.

 5·18 광주민중항쟁을 다루는 각종 예술 활동이 한 세대가 넘는 세월 동안 '동어 반복' 수준에만 머물러 있다는 느낌을 가끔 받는다. 그런 관행을 벗어나기 위한 시도로서 다소 서투르지만 옴니버스 구성의 <5·18민중항쟁 4X주년 옴니버스 구성 4부작>을 집필하여 세상에 내놓는다. 네 작품은 각각 담시(譚詩), 소설, 희곡, 수기 등의 형식을 차용했다.